A Farsa do Rei

STEVE BERRY

A Farsa do Rei

Tradução de
MARILENE TOMBINI

1ª edição

2016

CIP-BRASIL. CATALOGAÇÃO NA PUBLICAÇÃO
SINDICATO NACIONAL DOS EDITORES DE LIVROS, RJ

B453f

Berry, Steve, 1955-
A Farsa do Rei / Steve Berry; tradução de Marilene Tombini.
– 1ª ed. – Rio de Janeiro: Record, 2016.

Tradução de: The King's Deception
ISBN 978-85-01-10650-6

1. Ficção americana. I. Tombini, Marilene. II. Título.

15-25817

CDD: 813
CDU: 821.111(73)-3

Título original em inglês:
The King's Deception

Copyright © 2013 by Steve Berry

Proibida a venda em Portugal, Angola e Moçambique.

Texto revisado segundo o novo Acordo Ortográfico da Língua Portuguesa.

Todos os direitos reservados. Proibida a reprodução, no todo ou em parte, através de quaisquer meios. Os direitos morais do autor foram assegurados.

Direitos exclusivos de publicação em língua portuguesa somente para o Brasil adquiridos pela
EDITORA RECORD LTDA.
Rua Argentina, 171 – Rio de Janeiro, RJ – 20921-380 – Tel.: (21) 2585-2000, que se reserva a propriedade literária desta tradução.

Impresso no Brasil

ISBN 978-85-01-10650-6

Seja um leitor preferencial Record.
Cadastre-se em www.record.com.br e receba informações sobre nossos lançamentos e nossas promoções.

EDITORA AFILIADA

Atendimento e venda direta ao leitor:
mdireto@record.com.br ou (21) 2585-2002.

Para Jessica Johns e Esther Garver

AGRADECIMENTOS

Pela décima segunda vez, meus sinceros agradecimentos a Gina Centrello, Libby McGuire, Kim Hovey, Cindy Murray, Scott Shannon, Debbie Aroff, Carole Lowenstein, Matt Schwartz e a todo o pessoal de Promoções e Vendas. É uma honra fazer parte da equipe da Ballantine Books e da Random House Publishing Group.

Uma saudação especial a Mark Tavani — que consegue extrair o impossível dos escritores.

E Simon Lipskar, que escapou dos cachorros e continua vivo, oferecendo mais conselhos valiosos.

Algumas menções especiais: Nick Sayers, diplomado em Oxford, um senhor muito elegante e editor excepcional, que ajudou com alguns dos detalhes britânicos (embora eventuais erros sejam meus); Ian Williamson, nosso extraordinário representante britânico, que nos mostrou Oxfordshire; e Meryl Moss e sua equipe de publicidade, Deb Zipf e JeriAnn Geller, as melhores do ramo.

Como sempre, um agradecimento especial a minha mulher, Elizabeth, uma grande musa.

Nos últimos livros, também agradeci a Jessica Johns e Esther Garver. Juntas, elas cuidam da Steve Berry Enterprises e aliviam grande parte do fardo.

Jessica e Esther, este é para vocês.

Digo-lhes que meu trono foi o trono de reis.
Não aceitarei que nenhum crápula me suceda,
e quem deveria me suceder senão um rei?

— ELIZABETH I

Prólogo

PALÁCIO DE WHITEHALL
28 DE JANEIRO DE 1547

Catarina Parr percebeu que o fim se aproximava. Restavam apenas mais alguns dias, talvez algumas poucas horas. Ela havia permanecido de pé em silêncio pelos últimos trinta minutos, observando os médicos concluírem os exames. Mas agora havia chegado o momento de darem seu veredicto.

— Majestade — disse um deles —, chegamos ao ponto em que todo esforço humano é vão. É melhor rever sua vida e buscar a misericórdia de Deus por meio de Cristo.

Ela olhou para Henrique VIII, que avaliava o conselho. De bruços na cama, o rei gritava de dor. Parou por um instante, ergueu a cabeça e encarou o mensageiro.

— Qual foi o juiz que o enviou para me dar tal sentença?

— Somos seus médicos. Não há recurso para este julgamento.

— Saiam da minha frente — gritou Henrique. — Todos vocês.

Apesar de estar gravemente enfermo, o rei ainda dava as ordens. Os homens se retiraram rapidamente do quarto, bem como todos os cortesãos, assustados.

Catarina também se virou para sair.

— *Fique, minha boa rainha* — *pediu Henrique.*

Ela aquiesceu.

Os dois ficaram a sós.

Ele parecia se preparar para fazer algo difícil.

— *Se um homem enche a barriga de carne de cervo e de porco, com porções de filé e tortas de vitela, tudo acompanhado por uma torrente ininterrupta de cerveja e vinho* — *Henrique fez uma pausa* —, *colhe seu joio quando chega a hora. Seu inchaço não o deixa nem um pouco mais feliz. É isso, minha rainha, o que acontece comigo.*

Seu marido dizia a verdade. Uma enfermidade que ele mesmo havia provocado o consumira, um mal que apodrecera seu interior, extinguindo lentamente o cerne da vida. Ele estava inchado a ponto de explodir, incapaz de exercitar-se, movia-se tanto quanto um monte de sebo. Esse homem, tão belo na juventude, que saltava sobre fossos e era o melhor arqueiro da Inglaterra, que se destacava nas justas, liderava exércitos e derrotava papas, agora não conseguia sequer dar um empurrão num fidalgote nem levantar a mão sem esforço. Ele ficara enorme, corpulento, de olhos miúdos, rosto largo e queixo duplo. Uma figura repugnante.

Horrível.

— *O senhor fala mal de si próprio sem razão* — *disse ela.* — *Sois meu senhor, a quem eu e toda a Inglaterra devemos absoluta lealdade.*

— *Mas apenas enquanto eu respirar.*

— *O que continua a fazer.*

Ela conhecia seu lugar. Estimular uma controvérsia entre marido e mulher, quando ele tinha todo o poder e ela nenhum, era um esporte perigoso. Porém, ainda que fraca, ela não era destituída de armas. Fidelidade, gentileza, sagacidade, sua atenção constante e educação brilhante — *essas eram suas ferramentas.*

— *Um homem pode plantar sua semente mil vezes* — *começou Catarina.* — *Se conseguir evitar a peste e viver bem e saudável, no fim poderá se manter firme como um carvalho e saltar como um cervo que ainda domina sua manada. Este é o seu caso, meu senhor.*

Ele abriu a mão inchada, e ali ela pousou a sua. A pele dele estava fria e viscosa, fazendo-a conjecturar se a morte já não começara a se apoderar do rei. *Ela sabia a idade dele, 56 anos; sabia também ter reinado por 38 anos, ter tido seis esposas e cinco filhos reconhecidos. Henrique desafiara o mundo e desobedecera à Igreja Católica, fundando a própria religião. Ela era a terceira mulher de nome Catarina que ele desposara, e, graças aos céus, tudo indicava que seria a última.*

Isso deixava seu coração esperançoso.

A união com esse tirano não lhe dera nenhuma alegria, mas ela havia cumprido suas obrigações. Não tinha desejado ser sua esposa, preferindo ser a amante, visto que as esposas não haviam acabado bem. Não, minha senhora, *dissera-lhe ele.* Quero que ocupe a mais alta posição. *Conscientemente, ela não demonstrara entusiasmo com aquela oferta, ficando apática diante de seus gestos reais, atenta ao fato de que, conforme Henrique envelhecia, mais as cabeças rolavam. A discrição era o único caminho para a longevidade. Portanto, sem escolha, ela se casara com Henrique Tudor em uma grande cerimônia diante dos olhos do mundo.*

Agora, quatro anos de agonia matrimonial aproximavam-se do fim.

Contudo, ela guardava essa alegria para si, a fisionomia mascarada de preocupação, os olhos cheios do que só poderia ser percebido como amor. Catarina era experiente em confortar o coração de homens velhos, pois já estivera no leito de morte de dois maridos. Tinha conhecimento dos sacrifícios que a função exigia. Muitas vezes, havia deitado a perna fétida e supurada do rei em seu colo, aplicando compressas e bálsamos para aliviar a dor. Ela era a única que tinha a permissão dele para fazer isso.

— *Meu amor* — *sussurrou o rei.* — *Cabe-lhe uma última tarefa.*

Ela assentiu.

— *O mais simples desejo de Vossa Majestade é a lei desta terra.*

— *Existe um segredo. Algo que guardo há muito tempo. Um segredo passado pelo meu pai, e desejo que seja transmitido a Eduardo. Peço-lhe que faça isso.*

— *Para mim seria uma honra fazer qualquer coisa pelo senhor.*

Os olhos do rei se fecharam, e Catarina percebeu que o breve alívio da dor tinha acabado. Henrique abriu a boca e gritou:

— *Monges. Monges.*

O terror entremeava as palavras.

Será que os fantasmas dos clérigos condenados à fogueira estavam reunidos ao redor da cama, zombando de sua alma moribunda? Henrique havia destruído seus mosteiros, confiscado todas as suas riquezas, castigado seus ocupantes. Da grandeza dos anos anteriores restaram apenas ruínas e cadáveres.

Ele pareceu se controlar e afastar essas visões.

— Ao morrer, meu pai me falou de um lugar secreto. Um lugar para os Tudors apenas. Eu estimo esse lugar e fiz bom uso dele. Meu filho precisa tomar conhecimento de sua existência. Pode contar isso a ele, minha rainha?

Ela estava impressionada com o fato de que esse homem, tão implacável na vida, tão desconfiado de todos e de tudo, faria dela uma confidente na hora da morte. Será que não era outro subterfúgio para apanhá-la em uma armadilha? Henrique já tentara isso uma vez, meses atrás, quando ela o pressionara demais sobre questões religiosas. O bispo Gardiner de Winchester rapidamente se aproveitara de seu erro, obtendo permissão real para investigá-la e prendê-la. Por sorte, Catarina havia tomado conhecimento da trama e dado um jeito de fazer os favores do rei se voltarem novamente para ela. No fim, Gardiner foi banido da corte.

— Eu faria, é claro, qualquer coisa que o senhor me pedisse — disse. — Mas por que não contar diretamente ao seu filho e herdeiro?

— Ele não pode me ver deste jeito. Não permiti que nenhum dos meus filhos me visse assim. Apenas a senhora, meu amor. Preciso saber se a senhora cumprirá essa tarefa.

Ela assentiu novamente.

— Não há dúvida quanto a isso.

— Então, escute.

COTTON MALONE SABIA que uma mentira seria melhor, mas decidiu, para preservar a nova e harmoniosa fase do relacionamento com sua ex-mulher, dizer a verdade. Pam o observou com uma intensidade que ele já tinha visto antes em seu rosto. Só que, dessa vez, o olhar dela estava suavizado por uma dura realidade.

Ele sabia de algo que ela desconhecia.

— O que a morte de Henrique VIII tem a ver com o que aconteceu com vocês há alguns anos? — perguntou Pam.

Malone havia começado a lhe contar a história, mas parou. Fazia muito tempo que não pensava naquelas horas em Londres, que foram bem esclarecedoras. Uma experiência de pai e filho à qual apenas um ex-agente do Departamento de Justiça dos Estados Unidos poderia sobreviver.

— Dia desses, Gary e eu estávamos assistindo ao noticiário — começou Pam. — Um terrorista líbio, o que bombardeou aquele avião na Escócia na década de 1980, morreu de câncer. Gary disse que sabia tudo a respeito dele.

Malone tinha visto a mesma reportagem. Abdelbaset al-Megrahi finalmente havia sucumbido. Em 1988, o antigo agente da inteligência al-Megrahi foi acusado de 270 homicídios após ter bombardeado o voo 103 da Pan Am sobre Lockerbie, na Escócia. Mas foi somente em janeiro de 2001 que três juízes escoceses, presidindo um tribunal especial nos Países Baixos, o consideraram culpado e o condenaram à prisão perpétua.

— O que mais Gary disse? — Ele quis saber.

Dependendo do que seu filho, atualmente com 17 anos, havia revelado, talvez pudesse limitar seus próprios comentários.

Ou, pelo menos, era o que esperava.

— Apenas que vocês dois se envolveram com esse terrorista em Londres.

Não era exatamente verdade, mas ele ficou orgulhoso da imprecisão do filho. Qualquer bom agente da inteligência sabia que ouvidos abertos e boca fechada eram sempre a melhor opção.

— A única coisa que eu sei — disse Pam — é que dois anos atrás Gary saiu daqui com você para passar o feriado do dia de Ação de Graças em Copenhague. Agora descubro que ele estava em Londres. Nenhum dos dois jamais disse uma palavra sobre isso.

— Você sabia que eu precisava dar uma passada por lá antes de ir para casa.

— Uma passada? Claro. Mas foi mais que isso, e você sabe muito bem.

Fazia quatro anos que eles tinham se divorciado e, antes disso, haviam sido casados por dezoito anos. Pam tinha ficado ao seu lado ao longo de toda sua carreira naval. Ele passara a trabalhar como advogado e entrara para o Departamento de Justiça enquanto ainda estava com ela, mas havia encerrado a carreira de doze anos na Magellan Billet como seu ex-marido.

E não tinha sido uma separação amigável.

No entanto, eles finalmente haviam resolvido as coisas.

Há dois anos.

Justo *antes* de tudo aquilo acontecer em Londres.

Talvez ela devesse saber de tudo.

Sem mais segredos, certo?

— Tem certeza de que quer ouvir isso?

Os dois estavam sentados à mesa da cozinha na casa em Atlanta, para onde Pam e Gary haviam se mudado antes do divórcio. Logo após o fim do casamento, Malone se mudara da Geórgia para a Dinamarca, pois achava que devia deixar o passado para trás.

Como uma pessoa poderia se enganar tanto?

Será que *ele* queria ouvir novamente o que havia acontecido?

Na verdade, não.

Mas talvez fosse melhor para os dois.

— Tudo bem, vou contar a você.

Parte Um
Dois anos antes

Um

LONDRES
SEXTA-FEIRA, 21 DE NOVEMBRO
18H25

COTTON MALONE SEGUIU até a cabine de controle de passaportes do aeroporto de Heathrow e mostrou dois documentos — o dele e o de seu filho, Gary. No entanto, entre ele e o balcão envidraçado, interpunha-se um problema.

Ian Dunne, de 15 anos.

— Esse aqui não tem passaporte — informou Malone ao fiscal, explicando em seguida quem era e o que estava fazendo. Um breve telefonema levou a uma autorização verbal para que Ian entrasse novamente no país.

O que não surpreendeu Malone.

Já supunha que, sendo de seu interesse a volta do garoto para a Inglaterra, a CIA teria feito os preparativos necessários.

Apesar de ter conseguido dormir algumas horas, ele estava cansado da longa viagem. Seu joelho ainda doía do chute de Ian em Atlanta, numa tentativa de fugir do aeroporto. Por sorte, seu filho, Gary, também com 15 anos, agira com rapidez para impedir que o maldito escocês fugisse do terminal.

Favores a amigos.

Sempre um problema.

Este era para sua chefe, Stephanie Nelle, da Magellan Billet.

Ela havia recebido uma ligação direta de Langley. *É a CIA*, dissera-lhe. De algum modo, eles sabiam que Malone estava na Geórgia e especularam se ele poderia acompanhar o garoto de volta à Inglaterra e entregá-lo à Met, a Polícia Metropolitana. Em seguida, ele e Gary poderiam prosseguir para Copenhague. Como retribuição, eles ganhariam passagens de primeira classe para a Dinamarca.

Nada mau. Tinham feito reservas na classe econômica.

Quatro dias antes, Malone havia tomado um avião até a Geórgia por dois motivos. A Ordem dos Advogados do estado exigia doze horas de cursos de reciclagem anuais de todos os seus advogados licenciados. Embora tivesse se aposentado da Marinha e da Magellan Billet, ele ainda mantinha ativa sua licença de advogado, o que significava ter de cumprir a determinação. No ano anterior, assistira a um evento em Bruxelas, um encontro de três dias sobre direito internacional de propriedade. Esse ano, o tema seria um seminário sobre direito internacional em Atlanta. Não era a maneira mais empolgante de passar dois dias, mas aquele diploma havia lhe custado muito esforço para que ele simplesmente deixasse sua licença prescrever.

O segundo motivo era pessoal.

Gary havia pedido ao filho que passassem o feriado do Dia de Ação de Graças juntos. Além de estarem na época das férias escolares, sua ex-mulher, Pam, achava que uma viagem ao exterior seria uma boa ideia. Malone ficara intrigado com o jeito reticente dela, o que veio a se esclarecer na semana passada, quando Pam telefonou para a livraria dele em Copenhague.

— *Gary está zangado* — disse ela. — *Está fazendo uma porção de perguntas.*

— *Perguntas que você não quer responder?*

— *Perguntas que são muito difíceis de serem respondidas.*

O que era um eufemismo. Seis meses antes, ela havia lhe revelado uma dura verdade em outro telefonema de Atlanta para a Dinamarca. Gary não era seu filho biológico. O garoto era fruto de um caso ocorrido havia uns dezesseis anos.

Agora, Pam havia contado essa verdade ao filho, que não tinha ficado nada contente. A notícia fora arrasadora para Malone, e ele bem podia imaginar o que representara para Gary.

— *Nenhum de nós dois foi santo naquela época, Malone.*

Ela gostava de relembrar essa realidade, como se ele pudesse ter esquecido que o casamento havia supostamente acabado por causa de seus deslizes.

— *Gary quer saber quem é o pai biológico dele.*

— *Eu também.*

Pam não tinha lhe falado nada sobre o homem e recusava-se a atender seus pedidos.

— *Ele não tem nada a ver com isso* — *disse ela.* — *É um completo estranho para todos nós. Assim como as mulheres com quem você se envolveu. Não vou entrar nesse assunto. Nunca.*

— *Por que contou isso a Gary? Nós tínhamos combinado que iríamos fazer isso juntos, quando chegasse a hora certa.*

— *Eu sei. Eu sei. Erro meu. Mas era preciso.*

— *Por quê?*

Ela não respondeu, mas Malone podia imaginar a razão. Pam gostava de exercer o controle. Sobre tudo. Só que naquele assunto isso era impossível.

— *Ele me odeia* — *afirmou ela.* — *Vejo isso nos olhos dele.*

— *Você virou a vida do garoto de cabeça para baixo.*

— *Hoje ele me disse que talvez queira morar com você.*

— *Você sabe que eu nunca me aproveitaria dessa situação.*

— *Sei disso. A culpa é minha. Não sua. Ele está zangado. Passar uma semana com você talvez ajude a acalmar um pouco as coisas.*

Malone acabou se dando conta de que seu amor por Gary não diminuíra nem um pouco por ele não carregar seus genes. Mas estaria mentindo para si mesmo ao afirmar que não se sentia incomodado. Depois de seis meses, a verdade ainda doía. Por quê? Ele não sabia.

Não tinha sido fiel a Pam quando estava na Marinha. Era jovem, burro e fora descoberto. Mas agora sabia que ela também tivera um caso, o que nunca fora mencionado na época. Será que ela teria pulado a cerca se ele tivesse sido fiel?

Malone duvidava. Não era da natureza dela.

Portanto, ele não era inocente naquela confusão.

Ele e Pam estavam divorciados fazia mais de um ano, mas somente em outubro haviam feito as pazes. O que aconteceu com a Biblioteca de Alexandria mudou as coisas entre eles.

Para melhor.

Mas agora isso.

Um garoto sob sua responsabilidade estava zangado e confuso.

O outro parecia um delinquente.

Stephanie lhe dera algumas informações. Ian nasceu na Escócia. Pai desconhecido. Abandonado pela mãe. Foi morar com uma tia em Londres, até que finalmente fugiu. O garoto tinha um histórico de prisões — furto, invasão de propriedade privada. A CIA o queria porque, um mês antes, um de seus agentes havia sido empurrado ou pulara nos trilhos diante de um trem que chegava à estação do metrô. Dunne estava lá, em Oxford Circus. Testemunhas disseram que talvez tivesse até roubado alguma coisa do morto. Portanto, precisavam falar com ele.

Nada bom, mas também não era da sua conta.

Em poucos minutos, seu favor para Stephanie Nelle estaria feito, e então ele e Gary pegariam a conexão para Copenhague e aproveitariam a semana, dependendo, é claro, da quantidade de perguntas desconfortáveis que seu filho quisesse fazer. No entanto, o voo para a Dinamarca não partia de Heathrow, mas de Gatwick, o outro grande aeroporto de Londres, que ficava a uma hora de carro dali. Ainda faltavam algumas horas para a partida, então isso não era problema. Ele só teria de trocar alguns dólares por libras e pegar um táxi.

Ao sair do controle de imigração, eles pegaram a bagagem.

Nem ele nem Gary traziam muita coisa.

A FARSA DO REI \ 23

— A polícia vai me levar? — perguntou Ian.

— Foi o que me disseram.

— O que vai acontecer com ele? — questionou Gary.

Malone deu de ombros.

— Difícil dizer.

E era mesmo. Especialmente quando a CIA estava envolvida.

Ele pendurou a sacola de viagem no ombro e conduziu os garotos para fora do setor de bagagens.

— Posso ficar com as minhas coisas? — indagou Ian.

Ao lhe entregarem o garoto em Atlanta, haviam deixado com ele uma sacola plástica que continha um canivete suíço com toda a sua variedade de funções, uma corrente prateada com uma medalha de motivos religiosos, um tubo de spray de pimenta, uma tesoura prateada e dois livros de bolso sem as capas.

Ivanhoé e *Le Morte d'Arthur*.

As bordas marrons traziam manchas de umidade, e as encadernações estavam raiadas com grossos vincos brancos. As duas edições tinham mais de trinta anos. Carimbado na página do título estava ANY OLD BOOKS, com um endereço na Piccadilly Circus, Londres. Ele mesmo usava marca semelhante em seu estoque, sendo que a sua simplesmente anunciava COTTON MALONE, LIVREIRO, HØJBRO PLADS, COPENHAGUE. Todos os itens da sacola plástica pertenciam a Ian; tinham sido retidos pela alfândega quando ele fora levado em custódia do aeroporto internacional de Miami após a tentativa de entrar ilegalmente no país.

— Isso é com a polícia — respondeu Malone. — Tenho ordens de entregar você e o saco plástico a eles.

O saco com os pertences de Ian estava em sua sacola de viagem, e permaneceria ali até a polícia assumir a custódia. Meio que esperando uma tentativa de fuga, Malone estava atento. Detectou dois homens, ambos de ternos escuros, vindo na direção deles. O da direita, baixo, atarracado e ruivo, apresentou-se como inspetor Norse.

Ele estendeu a mão, e Malone a apertou.

24 \ STEVE BERRY

— Esse é o inspetor Devene. Somos da Met. Fomos informados de que o senhor acompanharia o garoto. Estamos aqui para dar uma carona a vocês até Gatwick e nos encarregar de Dunne.

— Obrigado pela carona. É bom economizar uma corrida cara de táxi.

— É o mínimo que podemos fazer. Nosso carro está logo ali. Um dos privilégios de ser policial é que podemos estacionar onde bem entendemos.

O homem deu um sorriso para Malone.

Então dirigiram-se à saída.

Malone notou que o inspetor Devene se posicionou atrás de Ian. Boa ideia.

— Vocês são os responsáveis por deixá-lo entrar no país sem passaporte?

— Sim, somos. Nós e outros que estão trabalhando com a gente. Acho que o senhor sabe a quem me refiro.

Isso ele sabia.

Ao saírem do terminal, depararam com o ar frio da manhã. Uma massa de nuvens densas tingia o céu de um tom cinza-escuro deprimente. Estacionado no meio-fio estava um Mercedes sedan azul. Norse abriu a porta traseira e fez sinal para que Gary entrasse antes, depois Ian e por fim Malone. O inspetor ficou do lado de fora até todos terem embarcado, fechou a porta e foi para o banco do carona; Devene assumiu a direção. Eles saíram de Heathrow e chegaram à rodovia M4. Malone conhecia o caminho, pois Londres lhe era familiar. Anos atrás, passara um tempo a trabalho na Inglaterra. Além disso, a Marinha o destacara para ficar ali por um ano. O tráfego ficava mais intenso em direção à cidade.

— O senhor se importaria se fizéssemos uma parada antes de ir para Gatwick? — perguntou Norse.

— De modo algum. Temos tempo até a hora do voo. É o mínimo que podemos fazer por uma carona.

Malone observava Ian, que olhava pela janela. Não conseguia parar de pensar no que aconteceria com ele. A avaliação de Stephanie não tinha sido boa. Um garoto de rua, sem família, completamente só. Ao contrário de Gary, que era moreno e tinha cabelos pretos, Ian era louro e de pele clara. Apesar de tudo, parecia um bom menino. Só havia tido azar. Pelo menos era jovem, e a juventude oferecia oportunidades, e oportunidades levavam a possibilidades. Um grande contraste com Gary, que tinha uma vida mais convencional e segura. A ideia do filho nas ruas, perdido, sem ninguém, doía-lhe no coração.

O ar quente soprou no interior do carro, e o motor roncou quando eles avançaram em meio ao tráfego.

Os olhos de Malone renderam-se à mudança de fuso horário.

Ao acordar, deu uma olhada no relógio e viu que havia apagado por uns quinze minutos. Esforçou-se para ficar alerta. Gary e Ian permaneciam quietos. O céu tinha se tornado ainda mais escuro. Um temporal aproximava-se da cidade. Ao analisar o interior do carro, notou a ausência de rádio ou de qualquer equipamento de comunicação. Além disso, os tapetes estavam imaculados, o estofamento, em condições impecáveis. Certamente não se parecia nem um pouco com nenhum carro de polícia em que ele já havia andado.

Então examinou Norse.

O homem tinha os cabelos castanhos cortados sobre as orelhas. Não estavam despenteados, mas eram abundantes. Estava bem--barbeado e um pouco acima do peso. Vestia-se adequadamente, terno e gravata, mas foi o lóbulo da orelha esquerda que chamou sua atenção. Furado. Sem brinco, mas o furo era evidente.

— Eu estava pensando, inspetor. Será que poderia ver sua identificação? Devia ter pedido no aeroporto.

Norse não respondeu. A pergunta chamou a atenção de Ian, que lançou um olhar curioso para Malone.

— Escutou, Norse? Eu gostaria de ver sua identificação.

— Aproveite o passeio, Malone.

Sem gostar do tom seco, ele se segurou no encosto do banco dianteiro e inclinou-se para a frente, a fim de enfatizar o que tinha dito.

O cano de uma pistola o cumprimentou.

— Essa identificação é suficiente? — perguntou Norse.

— Na verdade, eu esperava um documento com foto. — Ele indicou a pistola. — Desde quando a Met começou a distribuir Glocks?

Nenhuma resposta.

— Quem é você?

A pistola acenou para Ian.

— O guardião dele.

Ian se inclinou sobre Gary e deu um puxão na maçaneta de cromo, mas a porta não se abriu.

— Grande invenção, as travas de segurança para crianças — disse Norse. — Impede que os pequeninos escapem.

— Meu rapaz, quer me contar o que está havendo? — perguntou Malone.

Ian ficou quieto.

— Pelo jeito esses caras se esforçaram para conhecê-lo.

— Fique quieto, Malone — ordenou Norse. — Você não tem nada a ver com isso.

Malone se acomodou no assento.

— Com isso nós concordamos.

Exceto pelo fato de seu filho também estar no carro.

Norse continuou voltado para o banco de trás, o olhar e a pistola fixos em Malone.

O carro continuou a seguir pelo congestionamento matinal.

Malone rapidamente assimilava o que estava passando lá fora, recordando-se da geografia do norte de Londres. Percebeu que a ponte que haviam acabado de atravessar era sobre o Regent's Canal, um canal navegável que serpenteava pela cidade até finalmente desembocar no Tâmisa. Árvores majestosas margeavam a calçada ampla. Ele localizou o famoso Lord's Cricket Ground. Sabia que a Baker Street de Sherlock Holmes ficava a poucas quadras dali. Little Venice não estava distante.

Atravessaram o canal novamente, e ele observou as casas flutuantes pintadas em cores marcantes que pontilhavam a água lá embaixo.

A FARSA DO REI \ 27

Escaleres também salpicavam o canal, com não mais de três metros de altura, projetados para passar por baixo das pontes apertadas. Fileiras e mais fileiras de casas e edifícios de estilo georgiano margeavam o bulevar diante de árvores altas e desfolhadas.

Devene fez uma curva, e o Mercedes entrou numa rua transversal. Outras casas passavam de ambos os lados. O cenário não era diferente de Atlanta, onde havia morado. Depois de virarem mais três ruas, entraram num pátio com cercas vivas altas. O carro parou diante de uma casa com um antigo estábulo construída com pedras em tom pastel.

Norse saiu do carro, seguido por Devene.

As portas traseiras foram destrancadas pelo lado de fora.

— Saiam — ordenou Norse.

Malone pisou nas pedras arredondadas contornadas por musgo cor de esmeralda. Gary e Ian saíram pelo outro lado.

Ian tentou escapar.

Norse empurrou o garoto com violência contra o carro.

— Não — gritou Malone. — Ian, faça o que ele manda. Você também, Gary.

Norse encostou a pistola no pescoço de Ian.

— Quieto. — O corpo do homem pressionou Ian contra o carro. — Onde está o pen drive?

— Que pen drive? — perguntou Malone.

— Faça esse cara calar a boca — gritou Norse.

Devene deu um soco no estômago de Malone.

— Pai! — gritou Gary.

Malone se dobrou e tentou recobrar a respiração, gesticulando para Gary que estava bem.

— O pen drive — repetiu Norse. — Onde está?

Malone se ergueu, as mãos junto ao estômago. Devene estava prestes a atacar de novo quando Malone deu-lhe uma joelhada entre as pernas e, em seguida, um soco no maxilar.

Ele podia estar aposentado e ter acabado de desembarcar de um longo voo, mas não estava vulnerável.

28 \ STEVE BERRY

Virou-se a tempo de ver Norse apontar a pistola em sua direção. Um único tiro veio um instante depois de Malone se jogar no chão, desviando-se do projétil, que atingiu a cerca viva logo atrás dele. Olhando para o Mercedes, viu Norse pelas portas entreabertas. Ficou de pé num salto, apoiou-se no teto do carro e chutou a porta do outro lado.

O painel da porta voou e acertou Norse, fazendo o falso policial cambalear para trás e cair no antigo estábulo.

Ian correu em direção à rua.

O olhar de Malone encontrou o de Gary.

— Vá com ele. Sai daqui.

Em seguida, foi atacado por trás.

Bateu com a testa no chão de pedra molhado. A dor reverberou por todo o corpo. Ele achou que Devene estava fora de combate.

Engano.

Um braço envolveu seu pescoço, e ele tentou se livrar do estrangulamento. Sua posição lhe dava pouca margem de manobra, e Devene curvava sua coluna num ângulo pouco natural.

Os prédios ao redor iam e vinham

O sangue escorreu pela testa e entrou em um olho.

A última coisa que viu antes de apagar foi Ian e Gary desaparecendo na esquina.

Dois

BRUXELAS, BÉLGICA
19H45

BLAKE ANTRIM NÃO era fã de mulheres metidas. Aturava-as porque a CIA estava lotada de sabichonas, mas isso não significava que precisava tolerá-las fora do horário de trabalho. Se é que um chefe de equipe, responsável por nove agentes espalhados pela Inglaterra e pela Europa, poderia verdadeiramente aproveitar seu tempo livre.

Denise Gérard era flamenga e francesa, combinação que havia gerado uma mulher alta e esbelta, com belíssimos cabelos escuros. Tinha um rosto que chamava atenção e um corpo que qualquer um desejaria tocar. Eles se conheceram no Musée de La Ville de Bruxelas, onde descobriram uma paixão comum por mapas, relíquias arquitetônicas e pinturas antigas. Desde então, passavam muito tempo juntos, fazendo alguns passeios fora de Bruxelas, e um deles, a Paris, fora especialmente memorável.

Ela se empolgava com facilidade, era discreta e desprovida de inibição.

Ideal.

Porém não mais.

— O que foi que eu fiz? — perguntou ela, com voz suave. — Por que terminar tudo agora?

Nenhuma tristeza ou choque permeava seu apelo. As palavras foram ditas com objetividade, sua maneira de culpá-lo por uma decisão que ela já havia tomado.

O que o irritou ainda mais.

A saia curta de seda que Denise usava era arrebatadora, acentuando tanto seus seios firmes como as pernas compridas. Uma coisa que ele sempre admirou nela era sua cintura fina, e ficava imaginando se era devido a exercício físico ou a cirurgia. Nunca havia notado nenhuma cicatriz em sua pele cor de caramelo, lisa como porcelana.

E seu cheiro.

Limão maduro misturado com alecrim.

Denise era uma figura de destaque na indústria de perfumes. Havia falado sobre seu trabalho numa tarde em que tomaram café perto da Grand Place, mas ele não tinha prestado muita atenção; estivera totalmente consumido por uma operação que dera errado no oeste da Alemanha naquele dia.

O que parecia estar se tornando habitual ultimamente.

Um fracasso após outro.

Ele ocupava o cargo de coordenador de contraoperações especiais na Europa. Até parecia estar em uma guerra — o que, de certa forma, era verdade. A guerra não declarada ao terror. Mas não deveria zombar disso. As ameaças existiam mesmo e eram oriundas dos lugares mais estranhos. Ultimamente pareciam originar-se mais dos aliados americanos do que de seus inimigos.

Daí o objetivo de sua unidade.

*Contra*operações *especiais*.

— Blake, diga como eu posso melhorar as coisas. Eu gostaria de continuar me encontrando com você.

Mas não era isso o que Denise tinha em mente, e ele sabia.

Ela estava brincando com ele.

Estavam sentados no apartamento dela, num edifício do início do século XX com vista para o Parc de Bruxelles, um grande jardim ladeado pelo Palais Royal e pelo Palais de la Nation. Ao passar pelas portas abertas do terraço do terceiro andar, ele avistou as típicas estátuas clássicas, meticulosamente emolduradas pelos galhos das árvores. A multidão de empregados de escritório, de corredores e de famílias que normalmente lotavam o parque já havia ido embora. Calculava que Denise devia pagar milhares de euros de aluguel por mês. Nada que ele pudesse arcar com seu salário de funcionário público. Mas, de qualquer maneira, todas as mulheres com quem Antrim se relacionava ganhavam mais que ele. O tipo profissional o atraía.

O tipo trapaceira também.

Como Denise.

— Ontem eu estava dando uma volta — disse ele. — Perto da Grand Place. Ouvi dizer que o *Manneken Pis* estava vestido de tocador de realejo.

A famosa estátua ficava perto da prefeitura, uma escultura de bronze de 60 centímetros de um menino nu urinando numa fonte. Estava lá desde 1618 e se tornara referência nacional. Várias vezes por semana, o menino de bronze era vestido com uma fantasia, sempre original. Antrim esteve ali perto para se encontrar com um contato e ter uma rápida conversa.

E viu Denise.

Com outro homem.

De braços dados, aproveitando o ar fresco do meio-dia, os dois pararam para admirar o espetáculo e dar alguns beijos. Ela parecia totalmente à vontade, como sempre ficava com ele. Na hora Antrim se perguntou quantos homens Denise mantinha ao seu alcance, e ainda pensava nisso agora.

— Em francês, nós o chamamos de *le petit Julien* — explicou ela. — Já o vi vestido de muitas formas, mas não como tocador de realejo. Estava bonitinho?

Antrim lhe dera a chance de contar a verdade, mas desonestidade era outro denominador comum entre as mulheres que o atraíam.

Uma última chance.

— Você não foi ver? — perguntou com um ar de incredulidade na voz.

— Eu estava trabalhando fora da cidade. Talvez eles o vistam assim outra vez.

Antrim se levantou para ir embora.

Denise se levantou também.

— Será que você não pode ficar mais um pouco?

Ele sabia o que ela queria dizer. A porta do quarto estava aberta. Mas hoje não.

Ele permitiu que Denise se aproximasse.

— Que pena que a gente não vai mais se ver — disse ela.

Suas mentiras haviam incitado uma fúria conhecida. Antrim estava tentando resistir, mas acabou se rendendo e subitamente agarrou o pescoço dela com a mão direita. Ergueu seu corpo frágil do chão e bateu-o contra a parede. Apertando ainda mais seu pescoço, fitou-a bem nos olhos.

— Você é uma vadia mentirosa.

— Não, Blake. Você é um homem falso. — Ela conseguiu dizer isso sem medo no olhar. — Eu vi você ontem.

— Quem era o cara?

Ele afrouxou a mão para que ela pudesse falar.

— Não é da sua conta.

— Eu. Não. Divido.

Ela sorriu.

— Então terá de mudar seus hábitos. Garotas comuns se sentem agradecidas por serem amadas. Mas as que não são tão comuns se dão muito melhor.

A verdade das palavras dela o enraiveceu ainda mais.

— Você simplesmente não me oferece o suficiente para que eu abra mão de todos os outros — declarou Denise.

— Nunca ouvi reclamações de você.

Suas bocas estavam muito próximas. Ele podia sentir a respiração dela, sentir o cheiro doce que vinha de sua pele.

— Eu tenho muitos homens, Blake. Você é apenas um deles.

Pelo que ela sabia, Antrim trabalhava no Departamento de Estado como despachante da embaixada americana na Bélgica.

— Sou uma pessoa importante — disse ele, ainda segurando o pescoço dela.

— Mas não o bastante para mandar em mim.

Ele admirou sua coragem.

Era tola, mas mesmo assim admirável.

Depois de soltá-la, beijou-a com intensidade.

Denise retribuiu, a língua encontrando a dele e indicando que nem tudo estava perdido.

Ele a interrompeu.

Depois deu uma joelhada no estômago dela.

Denise expeliu o ar de uma só vez. Curvou-se com os braços em volta do abdome. Ficou enjoada, começou a engasgar.

Encolheu até ficar de joelhos e vomitou no piso de parquê.

Sua compostura desapareceu.

Antrim foi tomado pela empolgação.

— Você é um homenzinho desprezível. — Denise conseguiu cuspir as palavras.

Mas a opinião dela já não importava.

Então ele foi embora.

ANTRIM ENTROU EM seu escritório na embaixada americana, que ficava no lado leste do Parc de Bruxelles. Viera andando do apartamento de Denise sentindo-se satisfeito, apesar de confuso. Será que ela envolveria a polícia? É provável que não. Em primeiro lugar, era a palavra dela contra a dele, sem testemunhas, e, em segundo, seu orgulho nunca o permitiria.

Além disso, ele não deixara marcas.

Mulheres como Denise sacudiam a poeira e davam a volta por cima. Mas sua autoconfiança nunca mais seria a mesma. Ela sempre pensaria: *Será que posso brincar com esse homem? Ou, ele sabe?*

Como Blake soube.

As dúvidas dela o deixavam satisfeito.

Mas se sentia mal em relação à joelhada. Não sabia por que Denise o levara a tal extremo. Trair já era ruim. Mentir só piorava tudo. A culpa era dela. Mesmo assim ele lhe mandaria flores amanhã.

Cravos azul-claros. As favoritas dela.

Ligou o computador e digitou o código de acesso do dia. Não havia chegado muita coisa desde o início da tarde, mas um ALERTA de Langley chamou sua atenção. Aquilo era uma determinação pós-11 de Setembro. Muito melhor disseminar as informações por toda a rede do que guardá-las para si e arcar com todas as consequências. A maioria dos alertas não lhe dizia respeito. Trabalhava na área de *contra*operações *especiais*, missões direcionadas que, por definição, não eram comuns. Todas eram altamente confidenciais, e seus relatórios eram feitos apenas ao diretor de contraoperações. Atualmente, havia cinco missões em andamento e mais duas em fase de planejamento. No entanto, este alerta endereçava-se somente a ele e tinha sido automaticamente descriptografado por seu computador.

A Farsa do Rei excedeu o cronograma. Se não houver resultados nas próximas 48 horas, cessar operações e abortar.

Não era totalmente inesperado.

As coisas não tinham andado bem na Inglaterra.

Até uns dias atrás, quando finalmente deram sorte.

Era preciso saber mais. Pegou o telefone e ligou para seu contato em Londres, que atendeu no segundo toque.

— Ian Dunne e Cotton Malone já aterrissaram em Heathrow — foi a informação obtida.

Ele sorriu.

A FARSA DO REI \ 35

Dezessete anos na CIA tinham lhe ensinado como fazer as coisas. Cotton Malone com Ian Dunne em Londres era prova disso.

Antrim tinha sido o responsável por isso.

Malone havia sido um importante agente do Departamento de Justiça, onde servira por doze anos na Magellan Billet, antes de se aposentar após um tiroteio na Cidade do México. Atualmente morava em Copenhague e era dono de uma livraria, mas ainda mantinha contato com Stephanie Nelle, sua chefe de longa data na Billet. Uma conexão que ele utilizara para atraí-lo à Inglaterra. Um telefonema para Langley levara a um telefonema ao procurador-geral, que levara a Stephanie Nelle, que contratara Malone.

Ele sorriu novamente.

Pelo menos alguma coisa tinha dado certo hoje.

Três

WINDSOR, INGLATERRA
17H50

KATHLEEN RICHARDS NUNCA havia entrado no Castelo de Windsor. Imperdoável para uma pessoa nascida e criada na Grã-Bretanha. Mas pelo menos ela conhecia sua história. Construído no século XI para defender o rio Tâmisa e proteger o domínio normando nos arredores de uma Londres ainda jovem, servira de enclave real desde os tempos de Guilherme, o Conquistador. O antigo castelo de mota construído em madeira dera lugar a uma maciça fortificação de pedra. Sobrevivera à Primeira Guerra dos Barões em 1200, à Guerra Civil Inglesa nos idos de 1600, a duas guerras mundiais e a um incêndio devastador em 1992 para se tornar o maior castelo habitado do mundo.

O percurso de 32 quilômetros de Londres até lá havia transcorrido sob uma chuva de fim de outono. Em meio ao temporal noturno, não se distinguia muito bem o castelo, que dominava uma elevação de calcário, com seus muros, torretas e torres cinza — mais de 5 mil alqueires de construções. Uma hora atrás, Kathleen recebera a ligação de seu supervisor, dizendo-lhe que fosse para lá.

O que a havia deixado chocada.

A FARSA DO REI \ 37

Ela estava no vigésimo dia de uma suspensão de trinta, sem pagamento. Uma operação em Liverpool envolvendo armas contrabandeadas para a Irlanda do Norte se complicou quando três alvos decidiram fugir. Numa perseguição de carro, Kathleen os encurralou, mas não antes de deixar as rodovias locais num caos total. Dezoito carros acabaram destruídos. Poucos feridos, alguns em estado grave, mas nenhuma morte. Culpa sua? Ela achava que não.

Seus chefes não concordavam.

E a imprensa não tinha sido nada gentil com a Soca.

Versão inglesa do FBI americano, a Soca, Agência contra o Crime Organizado, lida com narcóticos, lavagem de dinheiro, fraudes, crimes virtuais, tráfico de pessoas e infrações à legislação de armas de fogo. Fazia dez anos que ela era agente. Ao ser contratada, disseram-lhe que quatro qualidades formavam um bom recruta: trabalhar em equipe, atingir resultados, ter liderança e fazer a diferença. Ela acreditava que pelo menos três delas eram sua especialidade. A parte que dizia "trabalhar em equipe" sempre era um problema. Não que fosse difícil se dar bem com Kathleen; ela só preferia trabalhar sozinha. Felizmente, as avaliações de seu desempenho eram excelentes, seu registro de condenações, exemplar. Até havia recebido três condecorações. Mas aquela rebeldia — que parecia fazer parte de seu caráter — estava sempre lhe trazendo problemas.

E ela se odiava por isso.

Como durante os últimos vinte dias em casa, pensando em quando sua carreira nos órgãos de segurança pública acabaria.

Tinha um bom emprego. Uma carreira. Trinta e um dias de férias anuais, um fundo de aposentadoria, muito treinamento e oportunidades de crescimento, uma boa licença-maternidade e uma boa creche. Não que precisasse dos dois últimos. Passou a aceitar que talvez o casamento também não fosse para ela. Precisaria dividir coisas demais.

O que será que ela estava fazendo ali? Andando na chuva no solo sagrado do Castelo de Windsor rumo à Capela de São Jorge, uma

38 \ STEVE BERRY

igreja gótica construída por Eduardo IV no século XV. Dez monarcas ingleses estavam sepultados lá dentro. Não foi oferecida nenhuma explicação do motivo de sua presença, e Kathleen também não fez perguntas, atribuindo-o ao fator surpresa, algo que sempre a acompanha por ser uma agente da Soca.

Entrou, deixando a chuva para trás, e admirou o teto alto e arqueado, os vitrais das janelas e os bancos de madeira talhada que ladeavam o coro comprido. Bandeiras coloridas dos Cavaleiros da Jarreteira chamavam atenção penduradas acima de cada banco, formando duas fileiras esplêndidas. Placas metálicas esmaltadas identificavam seus ocupantes atuais e os anteriores. Um piso xadrez formava um corredor central, lustroso como um espelho, danificado apenas por um buraco antes do décimo primeiro banco. Quatro homens se reuniam ao redor da abertura, sendo um deles seu diretor, que veio ao seu encontro e a afastou dos outros.

— A capela ficou fechada o dia todo — informou ele. — Houve um incidente aqui ontem à noite. Um dos túmulos reais foi violado. Os invasores usaram explosivos de percussão para quebrar o piso.

Esse ela conhecia. Era um tipo de explosivo que provocava grandes danos por meio de calor, com pouco abalo e mínimo barulho. Ao entrar na capela, Kathleen percebeu o odor, o cheiro marcante de carbono. Era um material sofisticado, que não é vendido no mercado aberto, reservado apenas aos militares. A pergunta se formou de imediato em sua mente. Quem teria acesso a esse tipo de explosivo?

— Kathleen, você tem noção de que está a ponto de ser demitida? Embora soubesse disso, ficou abalada ao ouvir aquelas palavras.

— Você foi avisada — continuou ele. — Pediram que melhorasse seu modo de agir. Que Deus a ajude. Seus resultados são maravilhosos, mas o modo como os alcança é outra questão.

Sua ficha estava cheia de incidentes semelhantes ao de Liverpool. Uma equipe que trabalhava no porto foi presa com 37 quilos de cocaína, mas dois barcos afundaram durante a operação. Um incêndio de grandes proporções que ela provocou para forçar a saída de traficantes destruiu uma propriedade valiosa, que se tivesse sido confiscada, poderia ter sido vendida por milhões. Uma quadrilha de pirataria na internet foi desmantelada, mas quatro pessoas foram baleadas durante a prisão. E, o pior, ao enfrentar uma quadrilha de detetives particulares que reunia ilegalmente informações confidenciais e depois as vendia para clientes corporativos, um deles a desafiou com uma arma e ela o matou com um tiro. Embora tivesse sido considerado um ato de autodefesa, Kathleen teve de passar por sessões de terapia, e o psicólogo concluiu que os riscos eram sua maneira de lidar com uma vida incompleta. O idiota do terapeuta nunca explicou a ela o que isso queria dizer. Portanto, após as seis sessões obrigatórias, ela nunca mais voltou.

— Tenho quatorze outros agentes sob meu comando — disse seu supervisor. — Nenhum me causa a mesma preocupação que você. Por que será que eles também conseguem resultados, mas sem nenhum dos efeitos colaterais?

— Eu não mandei aqueles homens saírem correndo em Liverpool. A escolha foi deles. Decidi impedi-los de fugir, e a munição que estavam contrabandeando valia o risco.

— Houve feridos na rodovia. Pessoas inocentes, que estavam dentro de seus carros. O que aconteceu com elas não tem justificativa, Kathleen.

Ela já ouvira repreensões suficientes na época da suspensão.

— Por que estou aqui?

— Para ver uma coisa. Venha comigo.

Os dois voltaram até onde estavam os outros três homens. À direita do buraco escuro no piso, Kathleen analisou uma placa de pedra preta que havia sido cuidadosamente quebrada em três pedaços manejáveis, que foram depositados juntos na disposição original.

Ela leu a inscrição entalhada.

EM UM JAZIGO
ABAIXO DESTA PLACA DE MÁRMORE
ESTÃO DEPOSITADOS OS RESTOS MORTAIS
DE
JANE SEYMOUR, RAINHA DO REI HENRIQUE VIII
1537
REI HENRIQUE VIII
1547
REI CARLOS I
1648
E
UM BEBÊ DA RAINHA ANA

———————

ESTE MEMORIAL FOI POSTO AQUI
POR ORDEM DO
REI GUILHERME IV EM 1837

Um dos homens explicou que Henrique VIII queria um monumento grandioso ali, na Capela de São Jorge, para ofuscar o de seu pai em Westminster. Foram encomendados uma efígie de metal e enormes castiçais, mas Henrique morreu antes que estivessem concluídos. Depois dele veio uma era de protestantismo radical, uma época em que igrejas monumentais não eram erguidas, mas postas abaixo. Foi quando sua filha Maria representou um retorno à Igreja de Roma, e lembrar de Henrique VIII, o rei dos protestantes, tornou-se algo perigoso. Por fim, Cromwell fundiu a efígie e vendeu os castiçais. Henrique foi finalmente sepultado sob o piso, com apenas a placa de mármore preto marcando o local.

Ela olhou para o buraco. Um cabo de energia percorria o piso e desaparecia no fundo, iluminando o espaço.

— Essa cripta só foi aberta uma vez antes — disse um dos outros homens.

O diretor o apresentou a ela como o zelador do local.

A FARSA DO REI \ 41

— Primeiro de abril de 1813. Na época, ninguém sabia onde o rei decapitado Carlos I tinha sido sepultado. Como muitos acreditavam que seus restos poderiam estar com os de Henrique VIII e sua terceira esposa, Jane Seymour, este jazigo foi violado.

Agora, pelo jeito, fora aberto novamente.

— Cavalheiros — disse o diretor —, poderiam nos dar licença? A inspetora Richards e eu precisamos de alguns instantes.

Os outros homens assentiram e seguiram para as portas principais, que ficavam a vinte metros de distância.

Ela gostava de ouvir a denominação de seu cargo. *Inspetora.* Dera o maior duro para conquistá-lo e detestava a ideia de que agora poderia perdê-lo.

— Kathleen — começou ele em voz baixa. — Eu imploro, uma vez que seja, que fique calada e me escute.

Ela fez que sim.

— Seis meses atrás, furtaram parte dos arquivos da Hatfield House. Muitos volumes valiosos foram levados. Um mês depois, ocorreu um incidente similar nos arquivos nacionais em York. Nas semanas seguintes, houve uma série de furtos de documentos históricos em todo o país. Um mês atrás, um homem foi flagrado fotografando páginas dentro da British Library, mas conseguiu escapar. Agora, isso.

Seu medo se dissipava à medida que a curiosidade crescia.

— Com o que aconteceu aqui — disse o diretor —, a questão se agravou. Para entrar neste prédio sagrado... Um palácio real... Esses ladrões têm um objetivo bem claro.

Kathleen se agachou sobre a abertura.

— Vá em frente — encorajou-a. — Dê uma olhada.

Parecia um sacrilégio perturbar os últimos fragmentos palpáveis de alguém que existira havia tanto tempo. Embora seus chefes na Soca pudessem achá-la insolente e negligente, algumas coisas eram importantes para ela. Como o respeito pelos mortos. Mas isso era a cena de um crime, e Kathleen se deitou de bruços no piso de mármore xadrez e enfiou a cabeça lá embaixo.

42 \ STEVE BERRY

O jazigo ficava apoiado num arco de tijolos de cerca de dois metros e meio de largura, três de altura e um metro e meio de profundidade. Ela contou quatro caixões. Um claro e coberto de pó com a inscrição *Rei Carlos, 1648*, tinha uma abertura quadrada cortada cirurgicamente na parte de cima da tampa. Dois caixões menores estavam intactos. O quarto era o maior, tendo mais de dois metros. Um revestimento externo de madeira de cinco centímetros de espessura havia se decomposto. O revestimento interno cheio de poeira também havia se deteriorado e parecia ter sido atacado violentamente.

Ela sabia de quem eram os ossos expostos.

Henrique VIII.

— Os caixões que não estão abertos são de Jane Seymour, a rainha sepultada com seu rei, e de um filho da rainha Ana que morreu muito depois — informou o diretor.

Ela lembrou que Seymour fora a terceira esposa, a única das seis a dar a Henrique um filho legítimo, Eduardo, que acabou sendo coroado, reinou por seis anos e morreu pouco antes de completar 16 anos.

— Parece que os restos mortais de Henrique foram remexidos, inspecionados — disse ele. — A abertura no caixão de Carlos foi feita há duzentos anos. Tudo indica que ele e os outros dois não foram o foco de interesse.

Ela sabia que, em vida, Henrique VIII havia sido um homem alto, de mais de 1,80m, mas, quase no fim, seu corpo ficara inchado. Ali estavam os restos mortais de um rei que lutara contra a França, a Espanha e o sacro imperador romano, transformando a Inglaterra de uma ilha num canto da Europa em um império. Ele desafiou papas e teve coragem de fundar sua própria religião, que continua vigente quinhentos anos depois.

Isso que era audácia.

Ela se levantou.

— Algo muito grave está acontecendo, Kathleen.

O diretor lhe entregou seu cartão de visita. No verso, havia um endereço escrito em tinta azul.

— Vá lá — disse ele.

Kathleen viu o endereço. Um lugar conhecido.

— Por que não pode me dizer do que se trata?

— Porque nada disso foi ideia minha. — Ele lhe devolveu seu distintivo e as credenciais da Soca, confiscados três semanas antes. — Como eu disse, você estava para ser demitida.

Ela ficou confusa.

— Então por que estou aqui?

— Eles pediram, especificamente, que fosse você.

Quatro

LONDRES

Ian sabia exatamente onde estava. Sua tia morava ali perto, e ele sempre perambulava por Little Venice, especialmente nas tardes dos fins de semana, quando as ruas ficavam lotadas. Quando finalmente fugiu, os palacetes elegantes e os condomínios modernos lhe ofereceram a primeira experiência educacional em sua vida por conta própria. Os turistas convergiam para a área, atraídos pela singularidade do bairro, por suas pontes de ferro azul, por seus diversos pubs e por seus restaurantes. As casas flutuantes e os barcos de transporte que navegavam pelas águas turvas do canal entre Little Venice e o zoológico ofereciam exatamente o tipo de distração que ajudava no furto. Naquele momento, Ian precisava de algo para distrair Norse e Devene, que certamente viriam atrás dele assim que dessem um jeito em Malone.

Talvez o apartamento de sua tia oferecesse um esconderijo seguro, mas a ideia de bater à sua porta revirava seu estômago. Por maior que fosse o problema que ele aparentemente estava enfrentando, a perspectiva de encontrar aquela gorda idiota parecia pior. Além disso, seus perseguidores sabiam que ele estava voltando para a Inglaterra naquele dia, então com certeza deviam saber onde morava sua tia.

A FARSA DO REI \ 45

Então Ian continuou a correr pela calçada, na direção oposta à da casa dela, rumo a uma avenida cerca de cinquenta metros adiante.

Gary parou.

— A gente precisa voltar — disse ele com respiração ofegante.

— Seu pai mandou a gente se mandar. Aqueles caras são maus. Eu sei.

— Como?

— Já tentaram me matar. Não aqueles dois, mas outros.

— É por isso que precisamos voltar.

— Vamos fazer isso, mas antes precisamos nos afastar mais.

Esse americano não fazia ideia do que eram as ruas de Londres. Ninguém ficava de bobeira esperando encrenca, tampouco corria atrás dela.

Ian viu o símbolo vermelho, azul e branco da estação de metrô, mas, como não tinha um bilhete nem dinheiro e não havia tempo para roubar nada, aquela rota de fuga era inviável. Na verdade, ele estava gostando de ver Gary Malone parecer perdido. O americano já não mostrava a ousadia de quando o impedira de fugir no aeroporto de Atlanta.

Este era seu mundo.

Ali era ele quem conhecia as regras.

Portanto, foi na frente quando eles saíram correndo.

Adiante, viu o remanso da bacia de Little Venice com sua frota de barcos e suas lojas da moda. Modernos edifícios residenciais se assomavam à esquerda. O tráfego que circundava a bacia turva era mediano, visto que eram quase sete da noite de uma sexta-feira. A maioria das lojas que margeavam a rua ainda estava aberta. Várias pessoas cuidavam de seus barcos ancorados, lavando o convés e lustrando o exterior laqueado. Um deles cantava enquanto trabalhava. Fios de lâmpadas decoravam o local.

Ian decidiu que aquela seria sua oportunidade. Apressou-se até as escadas e desceu para a beira da água. Um homem robusto estava ocupado com a limpeza do casco de teca. Seu barco, como todos os outros, tinha a forma de um grande charuto.

46 \ STEVE BERRY

— O senhor está indo em direção ao zoológico? — perguntou Ian.

O homem parou o que estava fazendo.

— Agora não. Talvez mais tarde. Por que pergunta?

— Pensei que podíamos pegar uma carona.

O pessoal dos barcos era amistoso e era comum darem carona a turistas ou estranhos. Dois dos barcos que transportavam passageiros estavam ancorados ali perto, as cabines vazias aguardando o fim de semana movimentado que começaria no dia seguinte. Ian tentou confirmar a impressão que esse homem certamente tinha dele — um garoto querendo aventura.

— Está se preparando para o fim de semana? — perguntou.

O homem molhou o cabelo com a mangueira e alisou os fios pretos para trás.

— Estou me preparando para passar o fim de semana fora. Isso aqui vai ficar cheio de gente. Lotado demais para mim. Pensei em descer o Tâmisa, ir para o leste.

A ideia parecia atraente.

— Precisa de companhia?

— Não podemos ir embora — sussurrou Gary.

Mas Ian o ignorou.

O homem olhou para ele, intrigado.

— Qual é o problema, filho? Vocês se meteram em alguma encrenca? Onde estão os pais de vocês?

Perguntas demais.

— Deixa pra lá. Não se preocupe. Só achei que seria divertido navegar por aí.

O homem olhou para o nível da rua.

— Vocês parecem muito ansiosos. Têm algum lugar para ficar?

Ian não responderia a mais nenhuma pergunta.

— A gente se vê por aí.

Eles começaram a andar para o caminho que seguia paralelo ao canal.

— Por que vocês não estão em casa? — gritou o homem, enquanto os dois se afastavam.

A FARSA DO REI \ 47

— Não olhe para trás — murmurou Ian.

Eles continuaram pelo caminho de cascalho.

À direita, ele viu um Mercedes azul entrar na rua que margeava o canal. Esperava que não fosse o mesmo carro, mas, quando Norse saiu do veículo, Ian percebeu que estavam em apuros. A posição deles, no nível abaixo da rua, na beira do canal, não era boa. As opções de fuga eram limitadas, pois a água corria do lado direito e um muro de pedra se erguia à esquerda.

Ele notou que Gary também se dera conta do problema.

A única coisa a fazer era sair correndo e seguir pelo canal, mas Norse e Devene certamente os pegariam. Ele sabia que seria praticamente impossível sair dali pelas margens íngremes do canal, pois as propriedades que ladeavam o espelho-d'água eram cercadas. Então, apressou-se até uma escadaria e foi subindo os degraus de dois em dois. No alto, virou à direita e atravessou uma ponte de ferro sobre o canal. A extensão era curta, exclusiva para pedestres, e estava vazia. Do outro lado, o Mercedes de repente deu uma freada. Devene desembarcou e seguiu até a ponte.

Ian e Gary se viraram para fugir pelo caminho por onde tinham vindo e encontraram Norse, que estava a uns dez metros de distância.

Seus perseguidores pareciam ter previsto o deslocamento deles.

— Vamos parar com essa bobagem — disse Norse. — Você sabe o que eu quero. Apenas me dê o pen drive.

— Joguei fora.

— Entregue isso logo. Não me irrite.

— Onde está o meu pai? — perguntou Gary.

Ian gostou da distração.

— Onde está o pai dele?

— Aquele ianque não é problema seu. Nós somos.

Norse e Devene se aproximaram deles. A ponte tinha a largura de duas pessoas e ambas as extremidades estavam bloqueadas.

Seus perseguidores estavam a menos de dez metros de distância.

48 \ STEVE BERRY

À esquerda, Ian viu o homem robusto de cabelos pretos dirigindo seu barco, afastando-se do ancoradouro. Pelo jeito, estava indo para o Tâmisa antes do previsto. A proa do barco virou para a esquerda e seguiu diretamente para a ponte. Era preciso ganhar algum tempo, e por isso Ian enfiou a mão direita no casaco e se lançou em direção ao parapeito de ferro.

Estendeu o braço rapidamente acima do canal.

— Nem mais um passo ou jogo o que vocês querem na água.

Os dois homens interromperam o avanço.

Norse levantou as mãos numa rendição simulada.

— Qual é! Não há necessidade disso. Basta nos entregar o pen drive e o assunto é encerrado.

Em silêncio, Ian soltou um suspiro de alívio. Pelo jeito, nenhum deles tinha visto que seu punho fechado não tinha nada. Continuou com o braço esticado sobre o parapeito, em um ângulo que não permitia nem a Norse nem a Devene descobrirem seu ardil.

— Que tal 50 libras? — ofereceu Norse. — Cinquenta libras pelo pen drive e você pode ir embora.

O ruído do motor do barco se aproximava, e a proa desapareceu na extremidade oposta da ponte.

Seria por um triz.

— Cem — disse ele.

Norse pôs a mão no bolso.

— Pule — sussurrou Ian para Gary. — No barco que está vindo.

Um maço de dinheiro apareceu na mão de Norse.

— Agora — insistiu ele.

Enquanto Norse decidia o que iria pagar e Devene aguardava para ver o que o homem que estava claramente no comando faria, Ian agarrou o parapeito de ferro, pegou impulso e se jogou.

Ele caiu três metros, pedindo aos céus que o barco estivesse lá. Primeiro, bateu com os pés no teto da cabine, em seguida perdeu o equilíbrio e caiu. Agarrou-se a um parapeito baixo de metal, com as pernas balançando no ar. Seus pés roçaram na água, mas Ian conseguiu se erguer enquanto o barco se afastava da ponte e continuava seu curso pelo canal.

O homem grandão de cabelos pretos estava de pé na popa, pilotando o barco.

— Achei que uma ajuda poderia ser útil.

Olhando para trás, viu Norse saltar, tentando imitar o que ele acabara de fazer. O homem caiu por três metros e chegou à popa, mas o dono do barco deu uma cotovelada no peito do falso inspetor, jogando-o na água.

Ian ficou olhando Norse voltar à superfície e subir para a margem do canal.

Agora, a ponte iluminada estava a cinquenta metros de distância. Desapareceu quando o canal fez uma curva fechada à direita.

A última coisa que ele viu foi Gary Malone nas garras de Devene. Por que ele não pulou? Agora não dava para se preocupar com isso.

Precisava fugir.

Analisando o percurso à sua frente, Ian viu outra ponte iluminada. Essa era mais larga, mais resistente, de tijolos. Carros a atravessavam nos dois sentidos. Com o barco diminuindo a marcha ao se aproximar da margem, o garoto saltou e ouviu seu salvador gritar.

— Aonde é que você vai? Pensei que quisesse navegar.

Ian se levantou e deu um aceno de despedida, disparando em direção a uma escadaria de metal, por onde subiu para a rua. O tráfego zunia nas duas direções. Atravessou a rua e encontrou refúgio no portal de um pub fechado. Dois vasos de planta protegiam o nicho do tráfego. Encolheu-se no chão e ficou pensando no que fazer.

O cheiro azedo de Londres invadiu suas narinas. Mesmo acreditando que Norse e Devene não fossem imaginar que ele ficaria na área, especialmente depois de escapar de um jeito tão ousado, ficou atento a um Mercedes azul. Sentir o aroma sedutor de pão fresco em uma padaria ali perto apenas aumentou sua fome. Ele não comia desde o almoço leve oferecido no avião horas atrás. Ocasionalmente passavam pessoas pela calçada, mas não prestavam atenção nele. Em toda sua vida, poucas fizeram isso. Como era ser especial? Talvez até singular. Ele só podia imaginar. Havia abandonado a escola, mas ficara por tempo suficiente para aprender a ler e escrever. Sentia-se feliz por isso. Ler era uma de suas poucas alegrias.

O que o fez pensar no saco de plástico que Cotton Malone trouxera.

Suas coisas.

Uma olhada valia o risco.

Então Ian saiu dali.

Cinco

LONDRES
18H30

BLAKE ANTRIM SAIU do táxi para a noite enevoada. Uma tempestade havia chegado uma hora atrás, cobrindo a cidade com um cobertor frio e molhado. A cúpula da Catedral de St. Paul se erguia à frente, e ele esperava que o tempo desencorajasse a multidão usual de visitantes.

Pagou o taxista, subiu os largos degraus de concreto até a entrada da igreja e passou pelas imensas portas de madeira, que se fecharam atrás dele. A badalada do relógio da torre sul marcou a meia hora.

Ele tinha viajado logo depois de falar com seu agente em terra, utilizando um jato do Departamento de Estado para ir de Bruxelas a Londres. Durante o curto voo, revisou todos os relatórios sobre a Farsa do Rei, familiarizando-se novamente com cada detalhe da operação.

O problema era simples.

A Escócia pretendia libertar Abdelbaset al-Megrahi, um ex-agente secreto da Líbia condenado em 1988 por explodir o avião que fazia o voo 103 da Pan Am enquanto sobrevoava Lockerbie, na Escócia, matando 270 pessoas. Em 2001, al-Megrahi foi condenado à prisão perpétua, mas agora, depois de poucos anos atrás das grades, estava com câncer. Então, por supostas razões humanitárias, os escoceses permitiriam que ele morresse na Líbia. Nenhum anúncio oficial sobre a soltura tinha sido feito, pois as negociações altamente confidenciais ainda estavam em andamento. Fazia mais de um ano que a CIA tinha conhecimento da proposta, e Washington já se pronunciara radicalmente contra, insistindo em que Downing Street impedisse a libertação. Mas os ingleses se recusaram, argumentando que esse era um caso que os escoceses deveriam resolver internamente e no qual não poderiam se meter.

Desde quando?, questionaram os diplomatas.

Londres se metia na política de Edimburgo havia mais de mil anos. O fato de que as duas nações estavam unidas sob o manto da Grã-Bretanha só facilitava as coisas.

Mesmo assim, eles se recusaram.

A volta de al-Megrahi à Líbia seria um tapa na cara dos 189 americanos assassinados. A CIA tinha levado treze anos para prender o acusado, julgá-lo e obter um veredicto de culpado.

Para simplesmente soltá-lo agora?

Kadafi, o governante da Líbia, esfregaria o retorno de al-Megrahi na cara de Washington, ampliando sua influência entre os líderes árabes. Os terroristas mundo afora também se fortaleceriam, e suas causas se tornariam mais importantes à luz de uma América enfraquecida, que sequer consegue impedir um aliado de libertar um assassino.

Antrim desabotoou o sobretudo molhado e se aproximou do altar-mor, passando por uma capela lateral onde velas reluziam em suas redomas vermelhas sob a luz âmbar. Seu agente havia escolhido esse local para o encontro porque passara o dia trabalhando nos arquivos da igreja, usando falsas credenciais jornalísticas, em busca de mais informações.

Seguindo pela nave lateral sul até a base de uma escadaria em espiral, ele olhou ao redor mais uma vez. Sua expectativa com relação ao tempo parecia ter se confirmado. Havia poucas pessoas ali.

Felizmente, até então, os britânicos não haviam se interessado pela Operação Farsa do Rei.

Depois de passar por uma arcada, Antrim se deparou com uma escadaria em espiral. Subiu contando. Duzentos e cinquenta e nove degraus passaram sob suas solas de couro antes que ele chegasse à Galeria do Sussurro.

À sua espera estava um homem de pele clara, olhos verdes e quase careca, a cabeça salpicada de manchas senis. O que lhe faltava em aparência era compensado pelo talento, pois era um dos melhores especialistas em história com que Antrim podia contar, exatamente o que essa operação requeria.

Ao passar pelo portal, Antrim entrou em uma estreita galeria circular. Uma balaustrada de ferro polido oferecia a única proteção contra uma queda de 30 metros no piso de mármore da nave. Concentrou-se no desenho gravado lá embaixo, uma insígnia em forma de bússola com uma grade de metal no centro. Sabia que embaixo daquele piso, na cripta, estava o túmulo de Christopher Wren, o arquiteto que quase quatrocentos anos antes trabalhara na construção da Catedral de St. Paul. Circundando o desenho havia uma inscrição dedicada a Wren. Leitor, se procuras seu monumento, olhe em volta.

Foi o que Antrim fez.

Nada mal.

O corredor entre a balaustrada e a parede de pedra da galeria tinha cerca de um metro de largura e geralmente ficava repleto de turistas com suas máquinas fotográficas a tiracolo. Mas naquela noite estava vazio, reservado aos dois.

— Que nome você está usando? — perguntou Antrim em voz baixa.

— Gaius Wells.

Desviou sua atenção para o alto da cúpula. Afrescos que retratavam a vida de São Paulo retribuíram seu olhar.

O som da chuva no telhado se tornou mais alto.

— No momento, temos Cotton Malone e Ian Dunne — disse Wells.
— Espero que o garoto tenha guardado o pen drive. Se for assim, essa aposta ainda pode valer a pena.

Antrim não tinha tanta certeza.

— O quebra-cabeça que estamos montando tem quinhentos anos — continuou seu agente. — As peças foram cuidadosamente escondidas. Tem sido difícil encontrá-las, mas estamos progredindo. Infelizmente, o túmulo de Henrique VIII não nos trouxe qualquer revelação nova.

Ele havia aprovado essa ação perigosa porque a morte prematura de Farrow Curry tinha atrasado tudo, razão pela qual a chance precisava ser aproveitada. A sepultura só fora inspecionada uma vez antes, em 1813. Naquela época, o próprio rei, Guilherme IV, estava presente, e tudo o que aconteceu foi minuciosamente registrado. Nenhuma menção foi feita à abertura do caixão de Henrique. Isso significava que aqueles restos mortais estavam inviolados desde 1548. A esperança era a possibilidade de descobrirem se o velho e gordo Tudor tinha levado o segredo consigo para o túmulo.

Mas nada havia além de ossos.

Outro fracasso.

E dispendioso.

— Infelizmente, os britânicos agora vão ficar alerta — observou Antrim. — Violamos a capela real deles.

— Foi tudo limpo. Sem testemunhas. Eles jamais suspeitariam de nós.

— Sabemos mais alguma coisa sobre a morte de Curry?

Já se passara um mês desde que Farrow Curry havia caído ou sido empurrado nos trilhos de um trem que se aproximava da estação do metrô. Ian Dunne estava lá, meteu a mão no bolso de Curry e foi visto com um pen drive antes de roubar outro homem e fugir. Eles precisavam ouvir o que o garoto tinha a dizer e queriam o pen drive.

A chuva continuava caindo lá fora.

— Você já se deu conta de que tudo isso pode ser uma lenda? — questionou Wells. — Sem um pingo de verdade.

— Então o que Curry descobriu? Por que estava tão empolgado?

Curry havia ligado algumas horas antes de morrer, relatando uma descoberta. Ele era um analista terceirizado da CIA, especialista em criptografia, especialmente designado para a Farsa do Rei. Mas, devido a sua lamentável falta de progresso nos últimos meses, Antrim estava pensando em substituí-lo. O telefonema o fez mudar de ideia, e ele enviou um homem para se encontrar com Curry na estação Oxford Circus a fim de que os dois fossem investigar a descoberta. Mas eles nunca se encontraram. Assassinato? Suicídio? Acidente? Ninguém sabia. Será que o pen drive em posse de Ian Dunne ofereceria respostas?

Sem dúvida, era o que Antrim esperava.

— Vou continuar na cidade — informou a Wells.

Aquela noite ele iria a um de seus restaurantes favoritos. Seu talento culinário se limitava a seguir as instruções numa caixa de comida congelada, e por isso ele fazia a maioria das refeições fora, preferindo qualidade a economia. Talvez uma certa garçonete estivesse trabalhando. Caso contrário, telefonaria para ela. Eles já haviam se divertido juntos várias vezes.

— Preciso perguntar — começou Wells. — Por que envolver Cotton Malone nisso? Parece desnecessário.

— Precisamos usar toda a ajuda que tivermos à disposição.

— Ele está aposentado. Não vejo em que pode ajudar.

— Pode, sim.

E isso era tudo o que pretendia informar.

Uma porta se abriu a pouca distância de onde eles estavam, a mesma por onde Antrim tinha chegado. Havia outra na extremidade oposta da galeria.

— Fique aqui até eu ter ido embora. Não vale a pena sermos vistos juntos lá embaixo.

Antrim percorreu o caminho circular, passando ao lado das paredes superiores da catedral, e chegou à outra extremidade. De onde estava, Wells ficou olhando para ele. Uma placa junto à porta informava-o de que, se falasse baixinho para a parede, as palavras poderiam ser ouvidas do outro lado.

Daí o nome Galeria do Sussurro.

Antrim decidiu tentar. De frente para a parede cinza de pedra, murmurou:

— Certifique-se de que não vamos estragar as coisas com Malone e Dunne.

Um aceno confirmou que fora entendido.

Wells desapareceu pela arcada. Antrim estava a ponto de fazer o mesmo quando um estampido ecoou no silêncio do lugar.

Em seguida, um grito veio do outro lado.

Outro estampido.

O grito tornou-se um resmungo.

Antrim voltou correndo até porta. Não viu nada e seguiu em frente. Na escadaria circular, poucos degraus abaixo, encontrou Wells caído de bruços, com sangue saindo de dois ferimentos. Virou-o de frente e viu incredulidade em seus olhos.

Wells abriu a boca para falar.

— Aguenta aí — disse Antrim. — Vou buscar ajuda.

A mão de Wells agarrou a manga de seu sobretudo.

— Não... devia... acontecer.

Então o corpo ficou inerte.

Antrim verificou o pulso. Nada.

Levou um choque de realidade.

Mas o que está acontecendo?

Ele ouviu passos descendo a escada, afastando-se. Estava desarmado. Não esperava nenhum problema. Por que esperaria? Começou a descer os 259 degraus, vigilante, preocupado com a possibilidade de o atirador estar esperando na próxima curva. Ao chegar ao térreo, inspecionou cuidadosamente a nave, mas só viu alguns visitantes. Do outro lado, no transepto, avistou uma figura movendo-se resolutamente para a saída.

Um homem.

Que parou, se virou e apontou a arma.

Antrim se jogou no chão.

Mas nenhuma bala veio em sua direção.

Levantando-se num salto, viu o atirador passar pela porta.

Ele correu e empurrou o portal de bronze.

A escuridão havia chegado.

A chuva continuava a cair.

Ele viu o homem descer os degraus da igreja, andando a passos rápidos em direção à Fleet Street.

Seis

GARY MALONE FOI capturado na ponte e forçado a entrar no Mercedes. Suas mãos foram atadas às costas, e a cabeça, coberta com uma touca de lã.

Ele ficou com medo. Quem não ficaria? Mas estava ainda mais preocupado com seu pai e com o que poderia ter acontecido naquela garagem. Nunca deveria ter fugido, mas havia seguido as ordens do pai. Deveria ter ignorado Ian e ficado por perto. O garoto tinha pulado da ponte. Claro, ele havia lhe dito que pulasse também. Mas quem em sã consciência teria feito isso? Norse tentou ir atrás dele e não conseguiu. Depois, todo molhado, passou o percurso praguejando dentro do carro.

Ian Dunne tinha coragem, isso Gary admitia.

Mas ele também tinha.

No dia anterior, estava em casa fazendo a mala, sentindo-se muito confuso. Duas semanas antes, sua mãe havia lhe contado que o homem que ele havia chamado de pai a vida toda não era seu pai biológico. Ela explicou o que aconteceu antes de seu nascimento — um caso, uma gravidez —, confessou seu erro e desculpou-se. A princípio, Gary aceitou e decidiu que não importava. Afinal, seu pai era seu pai. Mas não demorou a começar a questionar essa decisão.

Importava *sim*.

Quem *era* ele? De onde era? Qual era seu lugar? Com sua mãe, como um Malone? Ou com outra pessoa?

Ele não fazia ideia.

Mas queria saber.

Ainda faltavam dez dias para voltar à escola, e Gary estava ansioso para passar o feriado de Ação de Graças em Copenhague, bem longe da Geórgia. Era preciso se afastar.

Pelo menos por algum tempo.

Foi invadido por uma porção de pensamentos amargos, que ele estava achando cada vez mais difícil de controlar. Gary sempre fora respeitoso, obediente à mãe, não criava problemas, mas as mentiras dela começavam a se tornar um fardo para ele. Ela, que sempre lhe pedia que dissesse a verdade.

Então por que não tinha feito o mesmo?

— *Está pronto?* — *perguntou-lhe a mãe antes de saírem para o aeroporto.*

— *Eu soube que vocês vão para a Inglaterra.*

Seu pai havia lhe explicado que eles fariam uma parada em Londres para deixar um garoto chamado Ian Dunne com a polícia e depois pegariam uma conexão para Copenhague. Ele notou seus olhos vermelhos, lacrimejantes.

— *Você estava chorando?*

Ela fez que sim.

— *Não gosto quando você viaja. Sinto sua falta.*

— *É só uma semana.*

— *Espero que seja só isso.*

Gary sabia o que ela queria dizer, uma referência à conversa deles na semana anterior, quando, pela primeira vez, ele disse que talvez quisesse morar em outro lugar.

Ela mordeu o lábio.

— *Nós podemos resolver isso, Gary.*

— *Diga quem é meu pai biológico.*

— *Não posso.*

— *Você não quer. Essa é a diferença.*

— Prometi a mim mesma que ele nunca faria parte da nossa vida. Foi um erro ficar com ele, mas ter você, não.

Ele já ouvira essa explicação antes, mas estava achando difícil separar as duas coisas. Ambas baseadas em mentiras.

— Saber quem é esse homem não vai mudar nada — disse ela, a voz embargada.

— Mas eu quero saber. Você mentiu para mim a vida toda. Sabia da verdade, mas não contou a ninguém, nem ao papai. Eu sei que ele também aprontou. Sei que houve outras mulheres. Você me contou. Mas ele não mentiu para mim.

Sua mãe começou a chorar. Ela era advogada e defendia as pessoas no tribunal. Gary a vira em um julgamento e sabia o quanto ela podia ser durona e esperta. Achava que um dia talvez quisesse ser advogado também.

— Eu tenho 15 anos. Não sou mais criança. Tenho o direito de saber tudo. Se você não pode me contar de onde eu vim, nós dois temos um problema.

— Quer dizer que você vai embora e vai morar na Dinamarca? — perguntou ela.

Ele decidiu ser duro com ela.

— Talvez eu faça isso mesmo.

A mãe o fitou com os olhos cheios de lágrimas.

— Eu sei que estraguei tudo, Gary. Foi culpa minha. Aceito isso.

Ele não estava interessado em culpa. Apenas em acabar com a incerteza que parecia crescer a cada dia dentro de si. Não queria ficar ressentido com ela — era sua mãe, ele a amava —, mas ela não estava facilitando as coisas.

— Passe um tempo com seu pai — disse ela, enxugando as lágrimas. — Aproveite.

Isso Gary faria.

Estava cansado de brigas.

Seus pais haviam se divorciado fazia mais de um ano, pouco antes de seu pai deixar o Departamento de Justiça e se mudar para o exterior. Desde então, sua mãe tinha saído com alguns caras, não muitos. Ele sempre se perguntou por que ela não havia saído com mais. Mas não se sentia confortável de conversar sobre isso com ela.

A FARSA DO REI \ 61

Era assunto dela, ele não tinha nada a ver com isso.

Eles moravam em uma casa legal em um bom bairro. Gary frequentava uma escola excelente. Suas notas não eram extraordinárias, mas ficavam acima da média. Ele jogava beisebol e basquete. Nunca havia experimentado cigarro nem drogas, apesar de não terem faltado oportunidades. Já havia tomado cerveja, vinho e algumas bebidas fortes, mas não tinha certeza de se havia gostado de alguma delas.

Era um bom garoto.

Pelo menos tinha essa impressão.

Então por que se sentia tão incomodado?

Naquele momento estava deitado em um sofá, com as mãos atadas às costas, a cabeça encapuzada e apenas a boca exposta. O percurso no Mercedes levara uns trinta minutos. Tinham lhe avisado que, se emitisse algum som, seria amordaçado.

Ele ficou quieto.

O que o ajudou a controlar seu nervosismo.

Percebia movimentos, mas não ouvia vozes, apenas o badalar longínquo de sinos. Então, alguém se aproximou e se sentou ali perto. Houve um som semelhante ao de plástico sendo rasgado, seguido pelo de alguém mastigando.

Ele estava com fome.

Sentiu um cheiro. Bala de alcaçuz. Uma de suas favoritas.

— Tem mais dessas?

— Cale a boca, garoto. Você tem sorte de ainda estar vivo.

Sete

MALONE ACORDOU COM uma dor de cabeça latejante. O que devia ter sido um simples favor tinha se transformado em um grande problema.

Ele piscou os olhos e os focou.

Seus dedos encontraram sangue seco e um galo na testa. Estava com o pescoço doendo devido à agressão de Devene. A bagagem dele e de Gary tinha sido aberta, as roupas, espalhadas pela garagem. A sacola plástica que continha os pertences pessoais de Ian ainda estava lá, seu conteúdo espalhado também.

Levantou-se com esforço, as pernas rijas e cansadas.

Onde estava Gary?

Alguém tinha se dado o trabalho de garantir que Ian Dunne fosse encontrado. Ainda mais problemático era o alcance da rede de informações que esses caras possuíam. Alguém do governo havia permitido a entrada de Ian junto à imigração. É claro que Norse e seu colega eram impostores, mas a pessoa, ou grupo de pessoas, que conseguiu passar por cima das leis de imigração britânicas realmente trabalhava lá dentro.

Norse queria um pen drive que devia estar com Ian.

Malone precisava encontrar Gary. Ele havia mandado os garotos fugirem. Torcia para que estivessem por perto, esperando até que tudo se acalmasse.

A FARSA DO REI \ 63

Mas onde estariam?

Olhou para o relógio. Devia ter ficado desacordado por no máximo uns vinte minutos. Localizou seu celular entre as roupas. Será que devia chamar a polícia? Ou talvez Stephanie Nelle, na Magellan Billet? Não. Isso era problema dele. Certamente não ligaria para Pam. A última coisa que precisava era que sua ex-mulher soubesse disso. Já bastava ter arriscado a própria vida todos os dias no passado.

Mas envolver Gary?

Isso seria imperdoável.

Ao examinar a garagem, notou equipamento de jardinagem, dois galões para gasolina e uma bancada de ferramentas. A chuva caía lá fora. Malone ficou olhando para a entrada molhada de carros que levava à calçada arborizada, na esperança de ver os dois garotos aparecerem.

Precisava recolher as roupas.

Devia acionar a polícia metropolitana.

Era a melhor opção.

Um ruído chamou sua atenção na cerca viva que separava a garagem da propriedade vizinha.

Alguém estava passando.

Os garotos?

Cauteloso, decidiu deitar-se de novo.

Encostou o rosto na pedra fria e fechou os olhos, deixando as pálpebras entreabertas, só o suficiente para conseguir enxergar.

IAN HAVIA PASSADO pelas ruas secundárias e usado a tempestade, as árvores e as cercas das casas nos bairros mais chiques para passar despercebido. Levou poucos minutos para encontrar o pátio onde o Mercedes tinha estacionado antes. A porta da garagem continuava aberta, mas o carro não estava mais lá.

Olhou em volta.

Não parecia haver ninguém nas casas vizinhas.

64 \ STEVE BERRY

Entrou na garagem aberta e viu o conteúdo das malas de Malone espalhado pelo chão. Na penumbra junto à parede, Malone estava deitado com as pernas afastadas. Ian se aproximou em silêncio, ajoelhou-se ao lado dele e ouviu sua respiração pesada. Teve vontade de sacudi-lo, ver se estava bem, mas não tinha pedido a ele para se envolver nisso e não havia necessidade de envolvê-lo ainda mais.

Foi procurar o que viera buscar e encontrou a sacola plástica embaixo de uma blusa embolada. Pelo jeito, não a consideraram importante. Por que seria? Aqueles homens estavam procurando um pen drive. Não uns livros, um canivete e outros itens insignificantes.

Enfiou tudo de volta na sacola e olhou novamente para Cotton Malone. O americano parecia ser um sujeito legal. Talvez seu pai tivesse sido assim, mas, graças a uma mãe desprezível, ele nunca saberia quem ele era. Ian havia notado uma preocupação genuína nos olhos de Malone quando ele percebeu que Norse não era da Scotland Yard. Ele temeu pelos *dois* garotos. Ian até tinha se sentido um pouco melhor com a presença de Malone no carro. Não havia muitas pessoas que se importavam com ele, assim como ele nunca se importava com ninguém.

E não era agora que isso ia mudar.

A vida era dura, e Cotton Malone compreenderia.

Ou pelo menos foi isso o que disse a si mesmo ao sair correndo da garagem.

MALONE SE SENTOU e perguntou em voz alta:

— Onde está Gary?

Ian se virou, e o choque no rosto do garoto rapidamente se transformou em alívio.

— Minha nossa! Eu achei que estivesse desacordado.

— É, deu para ver a sua preocupação. Você só voltou para pegar suas coisas.

A resistência retornou aos olhos do garoto.

— Eu não pedi que viesse para cá. Não o envolvi nisso. Você não é problema meu.

Mas uma pontada de resignação permeava a frase, a expressão meio defensiva, meio exasperada. Então Malone perguntou de novo:

— Onde está Gary?

— Aqueles policiais o pegaram.

Tonto, Malone se levantou.

— Eles não são policiais, e você sabe disso. Como eles pegaram Gary e não você? É você que eles querem.

— Eu escapei. Ele, não.

Malone agarrou Ian pelos ombros.

— Você o deixou para trás?

— Eu disse a ele que pulasse comigo, mas ele não quis.

Pular?

Malone ouviu o que havia acontecido em Little Venice, como Ian tinha saltado da ponte.

— Aqueles homens estão com Gary — disse Ian.

Malone arrancou a sacola de plástico da mão do garoto.

— Onde está o pen drive que eles querem?

Ian não respondeu. O que ele esperava? Ali estava apenas um garoto de rua que tinha aprendido a sobreviver ficando de boca fechada.

— Vamos fazer assim. Vou deixar que a polícia cuide de você. E depois vou encontrar Gary. — Malone agarrou o braço esquerdo de Ian. — Qualquer movimento e eu apago você com um soco.

E ele falava sério.

Estava mais que zangado. Estava furioso. Com aquele delinquente e consigo mesmo; sua raiva era um misto paralisante de frustração e de medo. Quase tinha levado um tiro por causa desse garoto, e agora seu filho estava em perigo.

Disse a si mesmo que se acalmasse.

— O que pretende fazer comigo? — perguntou Ian.

— Você está sob minha custódia.

— Você não manda em mim.

— Que bom! Se mandasse, nosso papo seria muito mais direto.

Ele viu que o garoto entendeu o que ele queria dizer.

— Última chance. Por que aqueles caras estão atrás de você?

— Eu estava lá, na Oxford Circus, naquele dia, um mês atrás, quando o homem morreu.

Oito

PARADO NO FINAL da passarela, embaixo de um sinal luminoso que indicava a saída, Ian analisava a multidão na plataforma do trem.

Quem seria o próximo?

Sua primeira escolha foi uma mulher idosa de casaco de tweed cinza que andava a passos lentos, curvada para a frente como um cachorro aleijado. Carregava a bolsa pendurada na curva do braço, com o fecho dourado aberto, a aba batendo a cada passo. A oportunidade era irresistível, e ele chegou a pensar que ela fosse uma armadilha. Às vezes, a polícia colocava iscas na estação. Mas, após alguns instantes de cuidadosa observação, concluiu que não era o caso e foi abrindo caminho entre os passageiros da hora do rush.

A Oxford Circus era seu local predileto. As linhas de Bakerloo, Central e Victoria paravam ali. Todas as manhãs e todo fim de tarde, milhares de pessoas passavam por ali, a maioria frequentadora das butiques e lojas localizadas na Oxford e na Bond Street. Muitas, como a nobre matrona que ele agora seguia, vinham carregadas de sacolas de compras — alvos fáceis para alguém como ele, que havia passado cinco dos quinze anos de vida aperfeiçoando suas habilidades.

O fato de poucos o considerarem uma ameaça ajudava. Ian tinha cerca de um metro e meio de altura e cabelos louros, grossos, que mantinha curtos com uma tesoura roubada da Harrods no ano anterior. Na verdade, era bem talentoso no corte de cabelo e considerava a profissão de cabeleireiro uma

68 \ STEVE BERRY

possibilidade — um dia, quando deixasse as ruas. No momento, o talento servia para manter uma imagem que os estranhos achavam atraente. Felizmente, os bazares de caridade da cidade lhe ofereciam muitas opções de roupas a baixo preço ou de graça. Ele gostava de calças de veludo cotelê e camisas de botão, um visual despojado que lembrava uma de suas histórias favoritas, Oliver Twist. A imagem ideal para um batedor de carteiras arrojado.

Sua mãe, escocesa, dera-lhe o nome Ian, e o nome foi a única coisa que ela lhe deu além da vida. Desapareceu quando ele tinha três meses, e uma tia inglesa a substituiu, concedendo-lhe o sobrenome Dunne. Ian não via essa tia fazia três anos, desde que havia fugido por uma janela do segundo andar e sumido nas ruas de Londres, onde sobrevivera devido a um misto de caridade e pequenos crimes.

A polícia o conhecia. Fora preso várias vezes em outras estações e uma vez na Trafalgar Square. Mas nunca tinha ficado muito tempo sob custódia. Havia passado por três abrigos para menores, que tentaram colocá-lo na linha, mas fugiu de todos. A idade era um fator a seu favor, assim como o drama que fazia. Pena era um sentimento fácil de se manipular.

Ele se aproximou da senhora, passando despercebido no meio da multidão. Seu método de abordagem era resultado de muita prática; devia apenas dar um leve encontrão nela.

— Desculpe — disse, acrescentando um breve sorriso.

Ela instantaneamente foi cordial e deu um sorriso gentil.

— Tudo bem, meu jovem.

Os três segundos entre o cérebro registrar a colisão e a reação da idosa foram o suficiente para que ele colocasse a mão dentro da bolsa e pegasse o máximo possível. Ele imediatamente ocultou a mão, enfiando-a no bolso da jaqueta, e se embrenhou no meio da multidão. Uma rápida olhada para trás confirmou que a mulher não tinha percebido nada. Desviando-se da multidão, ele deu uma olhada no que havia pegado.

Um pequeno cilindro marrom com uma tampa de plástico preta.

Torceu para que fosse um isqueiro ou algo que pudesse penhorar ou vender. Em vez disso, era um tubo de spray de pimenta. Ele já havia roubado alguns antes. Balançando a cabeça frustrado, enfiou o objeto no bolso.

Seu olhar encontrou uma segunda oportunidade.

O homem devia ter uns 50 anos e usava um paletó de lã. A lapela do bolso direito do paletó estava enfiada para dentro, o que lhe oferecia uma chance. Alguns de seus melhores saques tinham vindo dos bolsos de homens bem--vestidos. Este alvo específico era alto, desengonçado e tinha nariz adunco, como o bico de um pássaro. Ele estava olhando para o outro lado, para os trilhos, e consultava repetidamente o relógio de pulso e o quadro de avisos eletrônico que anunciava a chegada do trem em menos de um minuto.

Uma rajada de ar soprou do túnel escuro, seguida de um som que aos poucos se tornava mais alto. As pessoas se acotovelaram, dirigindo-se até a beira da plataforma, prontas para entrar nos vagões assim que as portas se abrissem. A voz eletrônica alertava que os passageiros deveriam prestar atenção no espaço entre o trem e a plataforma.

Em sua segunda oportunidade, Ian se uniu à multidão e conseguiu se posicionar de forma a ser um dos primeiros a entrar. Esse era o momento de máxima distração. Todo mundo estava cansado e louco para chegar em casa. Todos baixavam a guarda.

Sua primeira oportunidade não lhe rendera nada.

Ele esperava mais dessa vez.

Aproximando-se do homem bem-vestido, enfiou a mão no bolso direito do seu paletó. O empurra-empurra propiciava a camuflagem perfeita. Seus dedos envolveram um pedaço retangular de plástico, e Ian o puxou no exato instante em que o trem surgia na estação.

Em seguida, duas mãos empurraram o homem bem-vestido para os trilhos do trem que chegava.

Gritos ecoaram pela estação.

Um rangido seco de freios transformou-se em um estrondo.

O encanamento rangeu.

Vozes se elevaram, incrédulas.

Subitamente, Ian se deu conta de que estava parado na plataforma, se-gurando o objeto que havia tirado do bolso do homem, exposto para todos verem. Mesmo assim, ninguém prestava atenção nele — exceto um cara alto, de cabelos grisalhos e bigode eriçados.

70 \ STEVE BERRY

Foi quando se deu conta.

Aquele demônio podia ter empurrado o homem da plataforma.

Seus olhares se encontraram.

Grisalho esticou o braço para pegar o que Ian segurava, mas, por algum motivo, Ian não quis entregar-lhe o objeto.

Puxou a mão e se virou para fugir.

Dois braços imediatamente o agarraram por trás. Ele pisou nos pés de Grisalho, esmagando seus dedos através do couro fino.

O homem gritou e soltou Ian.

O garoto saiu correndo, empurrando as pessoas, rumo à saída.

Ninguém o deteve. A atenção de todos voltava-se para o trem e o homem que caíra nos trilhos. As portas dos vagões se abriram e os passageiros começaram a sair para a plataforma.

Ian continuou a avançar sem saber se Grisalho o seguia. Essa investida na Oxford Circus tinha se transformado em uma loucura, e ele só queria sair dali.

Ele encontrou a saída e seguiu pela passagem ladrilhada.

Havia poucas pessoas ali, a maioria ainda estava na plataforma. Ao ouvir o som de apitos adiante, ele rapidamente deu um passo para o lado, deixando dois policiais passarem correndo. Ainda não sabia o que havia tirado do bolso do homem antes que ele caísse da plataforma, então parou um instante para analisar o objeto.

Um pen drive.

Ele balançou a cabeça. Não valia nada. Teria de jantar em um dos abrigos. Justo hoje, que estava tão a fim de uma pizza.

Pôs o pen drive no bolso e correu até a escada rolante. Chegou ao topo e passou pela roleta usando um bilhete de metrô que havia roubado de um homem em Chelsea. Passou pelas portas de vidro sujas e saiu na calçada sob uma garoa. O ar frio o obrigou a fechar o zíper da jaqueta e enfiar as mãos nos bolsos. Alguns dias atrás tinha perdido as luvas em algum lugar do East End. Caminhou pela calçada repleta de gente e virou em uma esquina. Passou por jornaleiros e bancas de venda de cigarros, os olhos voltados para a calçada irregular.

— *Veja só quem está aqui. Eu estava procurando você* — disse uma voz simpática.

Ian ergueu os olhos no exato instante em que Grisalho passou o braço por seus ombros e o conduziu a um carro parado no meio-fio. A ponta de uma lâmina surgiu de baixo de se seu paletó e pressionou a carne macia da coxa do garoto.

— *Quietinho, ou veremos a cor do seu sangue* — sussurrou o homem.

Três passos e eles chegaram à porta de trás de um Bentley de cor escura. Ian foi empurrado para dentro, e Grisalho entrou em seguida, sentando-se no banco que ficava de costas para o motorista.

A porta se fechou e o carro arrancou.

Ian continuou com as mãos dentro dos bolsos da jaqueta, imóvel.

Sua atenção voltou-se para o outro homem, sentado ao lado de Grisalho. Idoso, usava um terno cinza-escuro com colete. Sentava-se ereto e olhava para Ian com olhos verdes salpicados de marrom que pareciam dizer que ele não estava acostumado a ser desobedecido. Uma abundante cabeleira branca cobria sua cabeça e caía sobre a testa enrugada.

— *Você tem uma coisa que eu quero* — disse o velho em voz baixa, gutural, pronunciando perfeitamente as palavras.

— *Não negocio com desconhecidos.*

O olhar altivo de aristocrata se dissolveu num sorriso divertido.

— *E eu não negocio com pivetes. Passe o pen drive.*

— *O que ele tem de tão importante?*

— *Eu também não dou explicações.*

Uma gota de suor frio desceu pelas costas de Ian. Algo nos dois homens que o encaravam indicava desespero.

E ele não gostou disso.

Então, mentiu.

— *Joguei fora.*

— *Ladrõezinhos como você não jogam nada fora.*

— *Não guardo porcaria.*

— *Mate-o* — ordenou o velho.

Grisalho se inclinou para a frente com a faca, pronto para usá-la.

— Tudo bem, tudo bem — disse Ian. — Eu estou com o lance.

A mão direita do velho deteve Grisalho.

O Bentley começou a frear em meio ao tráfego.

Pelos vidros molhados, dava para ver os outros veículos lá fora freando diante de um sinal de trânsito. Era hora do rush em Londres, e ninguém andava em alta velocidade. Ele revisou rapidamente suas opções, concluindo que eram limitadas. Grisalho ainda segurava a faca e estava alerta. O outro homem parecia igualmente atento. Além disso, o espaço limitado no interior do carro não dava muita margem de manobra.

Tirou a mão esquerda do bolso e mostrou o pen drive.

— É isso que o senhor quer?

— Bom garoto — disse o velho.

Então a mão direita de Ian antecipou o próximo movimento, e ele quase sorriu.

Seus dedos seguravam o spray de pimenta que ele havia achado inútil. Agora seu valor era incalculável.

O velho estendeu a mão para pegar o pen drive.

Ian ergueu a mão direita e apertou o spray.

Os dois homens uivaram, levando as mãos aos olhos numa vã tentativa de aliviar a dor.

— Mate-o agora — ordenou o velho.

Grisalho, de olhos fechados, largou a faca e levou a mão ao bolso interno do paletó.

Uma pistola surgiu.

Ian apertou o spray de novo.

Grisalho gritou.

Ian abriu a porta e se jogou no asfalto molhado entre dois carros parados. Antes de fechá-la, pegou a faca no chão do veículo.

Uma mulher no carro ao lado lançou-lhe um olhar espantado.

Que ele ignorou.

Ian seguiu entre os veículos parados, chegou à calçada e desapareceu na noite escura.

A FARSA DO REI \ 73

MALONE ESCUTOU A história do garoto.

— Quer dizer que você estava lá roubando?

— É, eu roubei algumas coisas. Depois peguei o pen drive do cara, justo antes que aquele idiota o empurrasse na frente do trem.

— Você viu o cara ser empurrado?

Ian fez que sim.

— Foi algo totalmente inesperado, e eu saí correndo, mas acabei sendo pego e jogado dentro de um Bentley.

Malone levantou a sacola plástica e perguntou novamente:

— Onde está o pen drive?

— Depois de sair do carro, eu o guardei. Achei que poderia valer alguma coisa.

— Ladrões como você não jogam fora objetos que podem ter algum valor.

— Não sou ladrão.

Sua paciência estava se esgotando.

— Onde está a droga do pen drive?

— No meu esconderijo. Onde guardo minhas coisas.

O celular de Malone tocou.

Ele teve um sobressalto.

Então se deu conta de que poderia ser Gary. Empurrou Ian para dentro da garagem, impedindo que o garoto escapasse.

Malone pegou o celular e o atendeu.

— Gary?

— Estamos com seu filho — disse a voz, que ele reconheceu. Devene.

— Você sabe o que nós queremos.

Malone estava olhando exatamente para o que eles queriam.

— Estou com Dunne.

— Então podemos negociar.

Já estava de saco cheio daquilo, e perguntou:

— Onde e quando?

Nove

ANTRIM LEVANTOU A gola do sobretudo, preparando-se para enfrentar a chuva fria. O homem que ele seguia por aquela noite terrível tinha acabado de matar um agente secreto americano. Era preciso saber quem estava por trás disso e por quê.

Tudo podia depender disso.

O ritmo das pessoas apressadas na calçada combinava com a agitação do tráfego. Era a hora do rush em uma cidade de oito milhões de habitantes. Ele sabia que, no subsolo, os trens seguiam em todas as direções, e onde houvesse um círculo vermelho atravessado por uma barra azul, indicando uma estação do metrô, havia pessoas descendo para embarcar. Tudo isso lhe era familiar, pois ele havia morado em Londres até os 14 anos. Na época, seu pai trabalhava para o Departamento de Estado como funcionário de carreira do serviço diplomático e assim permaneceu por trinta anos, até a aposentadoria. Seus pais alugavam um apartamento perto de Chelsea, e ele sempre perambulava por Londres.

Quem ouvia seu pai falar até pensava que ele tinha a chave para o fim da Guerra Fria. A realidade era bem diferente. Seu pai era um homem sem importância, em um emprego sem importância, um minúsculo dente da engrenagem de uma imensa roda diplomática. Tinha morrido havia quinze anos nos Estados Unidos, depois de

A FARSA DO REI \ 75

viver apenas com metade de sua aposentadoria. Sua mãe recebia a outra metade, cortesia de um processo de divórcio no qual ela dera entrada depois de trinta e seis anos de casamento. Nenhum dos dois teve a gentileza de sequer lhe comunicar que iriam se separar, o que era um ótimo sinal de como era a vida deles em família.

Três estranhos.

Em todos os aspectos.

Sua mãe passou a vida tentando agradar o marido, com medo do mundo, hesitante em tudo. Motivo pelo qual aceitava os gritos, os insultos e os murros do pai de Antrim. O que deixou marcas não apenas nela, mas também na memória do filho.

Até hoje ele detestava que tocassem seu rosto.

Começou com seu pai, que dava tapas na cara dele por qualquer motivo ou por nenhum. O que sua mãe permitia. E por que não permitiria?

Ela fazia pouco de si e ainda menos do filho.

Blake Antrim percorrera muitas vezes a Fleet Street. A primeira vez havia quase quarenta anos, quando tinha 12; era seu modo de escapar do pai e da mãe. Aquela rua tinha o nome de um dos rios subterrâneos que passavam pela cidade, e antigamente era a sede da imprensa londrina. Os jornais se mudaram para a periferia da cidade na década de 1980. Mas os tribunais e os escritórios de advocacia permaneceram ali, com suas salas ocupando o aglomerado de prédios e quarteirões. Ele havia pensado em cursar direito, mas acabou optando pelo serviço público. Porém, em vez de trabalhar no Departamento de Estado, dera um jeito de ser contratado pela CIA. Seu pai tinha vivido por tempo suficiente para saber disso, mas nunca lhe fez um elogio sequer. Fazia muito tempo que sua mãe havia perdido contato com a realidade e vivia em outro mundo. Ele a visitara uma vez na casa de repouso, mas a experiência tinha sido deprimente demais para ser lembrada. Antrim gostava de pensar que seus medos vinham dela, e sua audácia, do pai, mas às vezes acreditava que o contrário podia ser verdadeiro.

76 \ STEVE BERRY

Seu alvo estava uns três metros adiante, andando a passos firmes.

Ele estava em pânico.

Alguém finalmente demonstrava interesse na Operação Farsa do Rei.

Antrim olhou ao redor.

O Tâmisa corria poucos metros à sua esquerda, e o Palácio Real de Justiça ficava poucas quadras adiante. Estava na City, um distrito autônomo, administrado de forma independente desde o século XIII. Alguns o chamavam de Square Mile; era habitado desde o século I e os romanos. As grandes guildas dos artesãos medievais foram fundadas ali, seguidas pelas companhias de comércio. A City continuava a ser fundamental para a economia da Grã-Bretanha. Será que seu alvo tinha conexão com essa área?

O homem virou à esquerda.

Antrim apressou-se, a chuva pinicando seu rosto, e viu o agressor entrar nos Inns of Court, passando pela famosa entrada de pedra.

Aquele lugar ele conhecia.

No passado, aquela havia sido a sede dos templários, e os cavaleiros ali ficaram até o início do século XIV. Duzentos anos depois, Henrique VIII dissolveu todas as ordens religiosas e permitiu que os advogados ocupassem as dependências do Templo e formassem suas associações educacionais e profissionais, os Inns of Court. Jaime I finalmente assinou um decreto real garantindo que eles permanecessem ali em definitivo. Quando criança, Antrim vagou muitas vezes por aquele labirinto de prédios e pátios. Lembrava-se dos plátanos, dos relógios de sol e dos gramados verdes que desciam até Embankment. Seus pórticos e seus becos eram lendários, cenários de livros e de filmes, muitos com nomes elegantes, como King's Bench Walk e Middle Temple Lane.

Ao olhar pela entrada, viu seu alvo caminhar apressado por uma ruazinha estreita de paralelepípedo. Quatro homens passaram por Antrim e atravessaram os portões, e ele os seguiu, mantendo-se alguns passos atrás, usando-os para se esconder. A luz vinha de poucas janelas e das arandelas nas paredes, iluminando as entradas dos prédios.

Seu alvo virou novamente à esquerda.

Apressando-se, Antrim passou pelos homens que andavam à sua frente e encontrou um claustro emoldurado por arcadas. Um pátio se abria do outro lado, e ele viu o homem entrar na Temple Church.

Hesitou.

Já estivera dentro daquela igreja. Pequena, com poucos lugares onde se esconder.

Por que ir até lá?

Só havia uma maneira de descobrir.

Voltou para a chuva e foi até a porta lateral da igreja. Lá dentro, seu olhar percorreu as sombras difusas provocadas pela parca iluminação. O silêncio reinante o irritou. Sob o telhado circular jaziam as efígies de mármore dos cruzados com suas armaduras. Ele observou as colunas de mármore, os arcos, a solidez de um belo trabalho em pedra. A rotunda da igreja era adornada por seis janelas e seis colunas de mármore. No coro retangular à sua direita, atrás de outras três arcadas, o altar estava iluminado por um leve brilho acobreado. Seu alvo não estava em nenhum lugar à vista, e o local estava vazio.

Aquilo não era nada bom.

Ele se virou para sair.

— Fique mais um pouco, Sr. Antrim.

A voz era de uma pessoa de idade e tinha um tom inexpressivo.

Ele se virou de novo.

Na rotunda, entre as efígies, apareceram seis figuras encobertas pelas sombras. Não era possível ver os rostos, apenas as silhuetas. Homens. De terno. De pé, como abutres no escuro.

— Precisamos conversar — disse a mesma voz.

A três metros de distância, outro homem apareceu à sua esquerda, o rosto também coberto pelas sombras, mas Antrim conseguiu ver uma arma apontada em sua direção.

— Por favor, venha até a rotunda — disse a primeira voz.

Não havia escolha.

Então ele, como ordenado, aproximou-se das efígies e foi cercado pelos seis homens.

— Vocês mataram meu homem só para me trazer aqui?

— Nós o matamos porque era preciso dar um recado.

O queixo do homem parecia feito do metal de uma armadura.

O que Wells havia dito? *Não devia acontecer.*

— Como souberam que eu estaria na catedral?

— Nossa sobrevivência sempre se baseou na eficácia de nosso serviço de inteligência. Estamos monitorando suas ações em nosso país há muitos meses.

— Quem são vocês? — Ele realmente queria saber.

— Nosso fundador nos chamou de Sociedade Dédalo. Conhece a história de Dédalo?

— Nunca me interessei por mitologia.

— Logo o senhor, o caçador de segredos? Devia considerar a mitologia um assunto bem importante...

Antrim não gostou do tom condescendente, mas não disse nada.

— O nome Dédalo significa "trabalhador astucioso" — disse o homem.

— Então o que vocês são? Uma espécie de clube?

As outras cinco sombras não haviam se mexido nem dito uma palavra sequer.

— Somos guardiões de segredos. Protetores de reis e rainhas. Só Deus sabe o quanto eles precisam de proteção, principalmente de si mesmos. Fomos criados em 1605, por causa do segredo específico que o senhor está querendo descobrir.

Agora Antrim se interessou.

— Está dizendo que é real?

— Por que está atrás disso? — perguntou outra voz das sombras, grave, que parecia vir de um homem idoso.

— Diga — disse outra voz. — Por que se meter em nossos assuntos?

— Isso é um interrogatório? — perguntou Antrim.

O primeiro homem riu.

— De modo algum. Mas estamos curiosos. Um agente da inteligência americana revolvendo a obscura história britânica, investigando algo de cuja existência poucas pessoas têm conhecimento... Na catedral, o senhor perguntou a seu agente o que aconteceu a Farrow Curry. Nós o matamos. Esperávamos que o senhor abandonasse a investigação. Mas isso não aconteceu. Então matamos mais um de seus homens hoje. Será que precisaremos matar um terceiro?

Antrim sabia quem seria esse, mas, mesmo assim, disse:

— Tenho um trabalho a fazer.

— Assim como nós — disse uma das sombras.

— Nós o impediremos — completou uma terceira.

O primeiro homem levantou uma das mãos, silenciando os outros.

— Sr. Antrim, até agora o senhor não foi bem-sucedido. Acredito que, uma vez tendo fracassado, seus superiores vão abandonar para sempre este projeto. A única coisa que precisamos fazer é garantir que isso aconteça.

— Mostre seu rosto.

— O sigilo é nosso aliado — argumentou a primeira voz. — Trabalhamos à margem da lei. Não somos subordinados a ninguém. *Nós* é que decidimos o que é melhor e mais apropriado. — Uma pausa. — E não damos a mínima para política.

Antrim sentiu um nó na garganta, tamanho seu nervosismo.

— Não permitiremos que aquele assassino líbio seja solto. Não sem que haja consequências.

— Como eu disse, Sr. Antrim, não ligamos para política. Mas estamos curiosos. O senhor acha que o que procura vai impedir isso?

A sensação de impotência que crescia dentro dele era detestável.

— Vocês mataram um agente da inteligência americana. Não vão ficar impunes.

O homem riu.

— Acha que isso nos assusta? Garanto ao senhor que já enfrentamos ameaças muito maiores, de fontes muito mais poderosas. Cromwell e seus puritanos decapitaram Carlos I. Tentamos evitar isso, mas não conseguimos. Finalmente, porém, engendramos a queda de Cromwell e o retorno de Carlos II. Estávamos lá para garantir que Guilherme e Maria protegessem a coroa. Conduzimos Jorge III ao trono, mesmo com toda sua insanidade, evitando uma revolta. Foram tantos os reis e as rainhas, cada um mais autodestrutivo que o anterior... Mas sempre estivemos lá, para vigiá-los e protegê-los. Não temos medo dos Estados Unidos da América. E nós dois sabemos que, se as suas investigações forem descobertas, ninguém no outro lado do Atlântico vai assumir a responsabilidade. O senhor será repudiado. Esquecido. Abandonado à própria sorte.

Ele não disse nada porque o babaca estava certo. Isso tinha sido uma condição expressa para a Farsa do Rei. Faça uma tentativa. Vá em frente. Mas, se for pego, estará por conta própria. Ele já havia recebido esse aviso antes, mas também nunca fora descoberto.

— O que vocês querem?

— Podíamos matá-lo, mas isso só despertaria mais curiosidade e chamaria atenção de outros agentes. Então queremos pedir ao *senhor* que deixe tudo como está.

— Por que eu faria isso?

— Porque está com medo. Vejo em seu rosto, em seus olhos. Medo é um sentimento paralisante, não é?

— Eu vim atrás do seu homem.

— É verdade. Mas sejamos honestos um com o outro. Seu passado não inclui muito heroísmo. Sua ficha de serviço demonstra cautela e deliberação. Aprendemos muito a seu respeito, Sr. Antrim, e devo dizer que nada foi muito impressionante.

— Seus insultos não me atingem.

— Nós pagaremos — disse uma voz vinda das sombras. — Cinco milhões de libras, depositados onde o senhor quiser. Basta dizer aos seus superiores que não havia nada a ser encontrado.

Ele fez a conta. Sete milhões de dólares. Seus. Apenas para ir embora?

— Sabíamos que a oferta interessaria ao senhor — disse a primeira voz. — O senhor possui poucos bens e não tem economias. A certa altura, seu empregador não precisará mais dos seus serviços, se já não for o caso, e então o que o senhor vai fazer?

Parado entre as efígies e sob a luz fraca, Antrim se sentiu derrotado. Seria assim mesmo?

A chuva continuava a cair lá fora.

Aqueles homens haviam pensado em tudo, e, era preciso admitir, a oferta era tentadora. Ele estava com 52 anos e ultimamente andava pensando muito em sua vida. Os agentes geralmente se aposentavam aos 55, e viver de uma magra aposentadoria pública nunca lhe parecera atraente.

Sete milhões de dólares.

Isso era tentador.

Mas o fato de esses homens conhecerem suas fraquezas o incomodava.

— Pense nisso, Sr. Antrim — disse a primeira voz. — Pense bem.

— Vocês não podem matar todos os agentes do governo americano — sentiu-se compelido a dizer.

— Isso é verdade. Mas, ao fazer esse pagamento ao senhor, nós garantimos o insucesso da Farsa do Rei, e isso significa que não enviarão outros agentes. O senhor vai relatar o fracasso e assumir toda a culpa. Acreditamos que isso seja mais simples do que o uso da força. Sorte nossa que alguém negociável como o senhor seja o responsável pela operação.

Outro insulto que ele deixou passar.

— Queremos que isso acabe. E, com a sua ajuda, será possível.

A mão direita do porta-voz do grupo se ergueu, e ele estalou os dedos.

O homem armado deu um passo à frente.

Antrim ficou paralisado, incapaz de reagir.

Ele ouviu um estampido.
Algo atingiu seu peito.
Como uma picada.
Suas pernas ficaram bambas.
E ele caiu no chão entre os cavaleiros mortos.

Dez

KATHLEEN ESTACIONOU o carro na Tudor Street, do lado de fora do portão. No cartão providenciado por seu supervisor estava escrito MIDDLE TEMPLE HALL, que ficava bem no meio da antiga área que pertencia aos templários e que hoje faz parte dos Inns of Court, onde os advogados de Londres prosperavam havia quatrocentos anos. Duas das maiores associações legais, o Middle Temple e o Inner Temple, tinham sede ali, datando sua presença da época de Henrique VIII. O próprio Dickens fora integrante do Middle Temple, e Kathleen sempre gostara do que ele tinha escrito sobre a vida dentro daqueles muros.

Aquele que aqui entra deixa o barulho do lado de fora.

A visão da ossada de Henrique VIII ainda a incomodava. Nunca tinha imaginado que tomaria conhecimento de um segredo desses. Quem teria arrombado o túmulo? Quem quer que tivesse sido, era ousado, pois a segurança do Castelo de Windsor era reforçada. E por quê? O que achavam que havia lá? Todas essas perguntas passavam por sua cabeça no percurso de volta a Londres e a deixavam ansiosa para saber o que a aguardava no Middle Temple Hall.

A chuva caía forte, e seus cabelos castanhos e curtos, que já haviam secado da chuva anterior, estavam novamente úmidos. Não havia ninguém para abrir o portão para carros, e o estacionamento do outro

84 \ STEVE BERRY

lado estava vazio. Eram quase sete e meia da noite, e o expediente nos Inns of Court naquela sexta-feira estava encerrado.

Mas o dela parecia estar apenas começando.

Kathleen atravessou o famoso King's Bench Walk, passou por uma sequência de prédios com fachada de tijolinhos, todos com as luzes apagadas, e entrou no pátio da famosa Temple Church. Apressou-se em direção ao claustro na outra extremidade, cruzando outra alameda de paralelepípedo, e encontrou o Middle Hall. Uma placa na frente proclamava FECHADO PARA VISITANTES, aviso que ela ignorou, abrindo as portas.

O salão iluminado se estendia por trinta metros de comprimento e metade disso de largura, com um teto gótico de vigas de madeira que, pelo que Kathleen sabia, tinha uns novecentos anos. Suas janelas imponentes enfileiradas em ambos os lados eram decoradas com figuras de armaduras e registros heráldicos em homenagem aos antigos integrantes. Assim como Dickens, também fizeram parte do Middle Temple Sir Walter Raleigh, William Blackstone, Edmund Burke e John Marston. Quatro longas fileiras de mesas de carvalho com cadeiras estavam dispostas em paralelo de uma extremidade a outra do salão. Ao fundo, embaixo de cinco imensas pinturas a óleo, ficava a mesa dos anciãos, onde os oito advogados mais antigos faziam suas refeições desde o século XVI. Os retratos acima dela não haviam mudado em duzentos anos. Carlos I, Jaime II, Guilherme III, a rainha Ana e, à esquerda, impossível de se ver da entrada do salão, Elizabeth I.

Um homem surgiu na outra extremidade.

Era baixo, tinha 60 e poucos anos, um rosto envelhecido e redondo como uma lua cheia. Seu cabelo prateado estava penteado com tanto esmero que quase pedia para ser desarrumado. Quando ele se aproximou, ela percebeu que os óculos de lentes grossas e aros metálicos não só ocultavam seus olhos, mas também eliminavam a simetria natural de suas feições neutras. Ele usava um terno escuro bem-cortado com colete, e uma corrente prateada de relógio pendia de um bolso. Com a ajuda de uma bengala, andava arrastando a perna direita rija. Apesar de nunca o ter encontrado antes, ela sabia quem ele era.

Sir Thomas Mathews.

Chefe do SIS, o Serviço Secreto de Inteligência.

Apenas dezesseis homens haviam chefiado essa agência, responsável por todos os assuntos de inteligência estrangeira desde o início do século XX. Os americanos gostavam de chamá-la de MI6, um nome que lhe fora atribuído durante a Segunda Guerra.

Kathleen parou sobre o piso de tábuas de carvalho sem saber o que fazer.

— Pelo que sei, a senhorita é integrante do Middle Temple — disse Mathews, a voz baixa e gutural.

Ela assentiu, captando um sotaque *cockney* nas vogais.

— Depois de cursar direito em Oxford, fui admitida na associação. Já vim a muitos jantares nesse salão.

— Depois decidiu que aplicar a lei seria mais fascinante do que interpretá-la?

— Algo assim. Gosto do meu trabalho.

Ele apontou um dedo fino na direção de Kathleen.

— Soube do que a senhorita fez há alguns anos com os peixes.

Ela se recordou dos lotes de peixes tropicais importados da Colômbia e da Costa Rica para serem vendidos às lojas de animais na Grã-Bretanha. Os contrabandistas dissolveram cocaína em saquinhos plásticos, que ficavam invisíveis ao flutuarem com os peixes.

Mas Kathleen havia descoberto o esquema.

— Muito esperto da sua parte — elogiou Mathews. — Pena que agora sua carreira esteja em perigo.

Ela não respondeu.

— Francamente, eu entendo seus superiores. Agentes que se recusam a demonstrar bom senso acabam provocando a própria morte ou a de outros.

86 \ STEVE BERRY

— Queira me desculpar, mas já fui insultada o suficiente por um dia.

— A senhorita é sempre tão direta?

— Como o senhor mencionou, é provável que eu já tenha perdido meu emprego. O que eu ganharia sendo mais comedida?

— Talvez meu apoio para salvar sua carreira.

Isso era inesperado. Então, ela perguntou:

— Sendo assim, poderia me dizer o que deseja?

Mathews gesticulou com a bengala.

— Quando foi a última vez que esteve aqui, no Middle Hall?

Kathleen pensou. Fazia quase um ano. Uma festa vespertina para um amigo que havia se tornado um integrante sênior, um dos poucos escolhidos para administrar o Middle Temple.

— Faz algum tempo — respondeu ela.

— Eu sempre gosto de vir aqui — declarou Mathews. — Esse prédio testemunhou muito da nossa história. Imagine. Essas paredes, esse teto, tudo estava aqui na época de Elizabeth I. Ela esteve aqui pessoalmente. A primeira apresentação de *Noite de reis*, de Shakespeare, foi neste lugar. Isso me impressiona. À senhorita não?

— Depende. Se isso me permitir continuar no meu emprego.

Mathews sorriu.

— Algo extraordinário está acontecendo, Srta. Richards.

Kathleen manteve a fisionomia impassível.

— Posso contar uma história?

O PRÍNCIPE HENRIQUE entrou nos aposentos particulares do Palácio de Richmond. Havia sido chamado a Westminster por seu pai, o rei Henrique VII, e devia ir ao seu encontro imediatamente. Um pedido incomum, considerando o relacionamento estranho que eles haviam forjado nos últimos sete anos, desde a morte de seu irmão, Arthur, quando Henrique se tornou o herdeiro do trono. Tinha sido convocado outras vezes, a maioria delas para receber instruções. Seu pai estava desesperado para saber se seu reino ficaria em segurança nas mãos de seu segundo filho.

O rei estava deitado sobre um pano vermelho e dourado, entre travesseiros e almofadas. Clérigos com tonsura, médicos e cortesãos cercavam o dossel. Aquela visão o chocou. O príncipe sabia das enfermidades anteriores. Primeiro, uma infecção na garganta, depois febre reumática, fadiga crônica, perda de apetite e períodos de depressão. Mas não fora informado desse último mal-estar, que parecia muito grave.

Junto ao pé da cama havia um confessor, que ministrava os últimos sacramentos, ungindo os pés nus com óleo sagrado. Um crucifixo foi levado até os lábios de seu pai, que o beijou, e depois Henrique ouviu a voz áspera que tantas vezes o criticara.

— Com toda a Sua força e poder, peço ao Senhor uma morte misericordiosa.

Henrique ficou olhando para o homem ardiloso e calculista que havia governado a Inglaterra por vinte e três anos. Henrique VII não havia herdado sua coroa. Conquistara-a no campo de batalha, derrotando o desprezível Ricardo III em Bosworth Field, acabando com a era dos Yorks e dos Lancasters e criando uma nova dinastia.

Os Tudors.

Seu pai acenou para que ele se aproximasse.

— A morte é um inimigo que não pode ser comprado nem derrotado. Não aceita subornos nem comete traição. Para mim, finalmente, ela chegou.

O príncipe não sabia o que dizer. A experiência lhe ensinara que o silêncio era a melhor opção. Ele era o segundo filho, o duque de York, nunca pretendeu ser rei. Esse dever era de seu irmão mais velho, Arthur, seu nome romântico um esforço para legitimar ainda mais a reivindicação dos Tudors ao trono inglês. Arthur teve todos os privilégios, incluindo um casamento com a majestosa Catarina de Aragão, parte de um tratado com a Espanha que fortalecia a crescente posição da Inglaterra na Europa. Porém, o irmão havia morrido cinco meses após o casamento, com apenas 16 anos, e muita coisa tinha mudado naqueles últimos sete anos.

88 \ STEVE BERRY

O papa Alexandre VI, um Bórgia, também havia morrido. Pio III durou apenas vinte e seis dias no trono de Pedro. Júlio II, gabando-se de ter o Sagrado Colégio dos Cardeais a seu favor, foi eleito vigário de Cristo. Ele deu voz à razão, e no dia seguinte ao Natal de 1503, a pedido de Henrique VII, expediu uma bula afirmando que não seria incesto Catarina de Aragão se casar com o irmão de seu falecido marido.

Então Henrique e Catarina ficaram noivos.

Mas não houve casamento.

Em vez disso, o rei moribundo no leito à sua frente havia usado essa possibilidade como isca para a Espanha e o Sacro Império Romano, deixando-a em suspenso para obter mais vantagens.

— Precisamos conversar — disse o pai. Um som agonizante escapava de sua garganta a cada palavra, os pulmões arfavam em busca de ar. — Sua mãe, a quem devo ver em breve, o tinha em grande estima.

E o príncipe adorava Elizabeth de York. Por ser o segundo filho, fora criado pela própria mãe, que o ensinara a ler, escrever e pensar. Uma mulher linda e bondosa, que tinha morrido havia seis anos, antes que tivesse se passado um ano da morte do primogênito, Arthur. Ele sempre se perguntava se alguma mulher estaria à altura de sua perfeição.

— Eu amava a sua mãe mais do que qualquer coisa neste mundo — declarou seu pai. — Talvez muitos não acreditem, mas é verdade.

Henrique sempre manteve os ouvidos atentos. Ele escutava as conversas da corte e sabia que o pai — firme, frio, duro e sovina — não era popular. Henrique VII considerava a Inglaterra propriedade sua, já que a conquistara sozinho no campo de batalha. A nação tinha uma dívida com ele. E ele havia acumulado grandes rendimentos de suas muitas propriedades, a maioria confiscada de seus opositores. Seu pai compreendia o valor da extorsão e os benefícios de se concederem favores àqueles que podiam pagar pelos privilégios de que desfrutavam — graças a ele.

— Nós somos cristãos, meu filho, e devemos ter uma consciência ainda mais limpa do que a do próprio Santo Padre. Lembre-se disso.

Mais lições? Henrique tinha 18 anos — era alto, forte, de constituição vigorosa, um homem em todos os aspectos — e estava cansado de receber

A FARSA DO REI \ 89

lições. Ele era erudito, poeta e músico. Sabia como escolher homens habilidosos e colocá-los a seu serviço, e cercava-se daqueles de grande intelecto. Nunca evitava o prazer nem negligenciava o trabalho e os deveres. Não tinha medo de fracassos.

Já havia desejado ser padre.

Agora seria rei.

Ultimamente sentia certo clima de tensão e arrependimento no palácio — a morte sempre era um momento de contrição real. Haveria libertação de prisioneiros, distribuição de esmolas, missas pelas almas. O gabinete da chancelaria de Westminster ficaria cheio de gente querendo pagar pelo perdão. Eram tempos de absolvição.

— Seu maldito de coração de pedra — disse seu pai de repente. — Está me escutando?

Ele estremeceu diante da raiva do rei, uma reação familiar, e voltou a atenção para o leito.

— Sim, estou escutando.

— Saiam todos — ordenou o rei.

As pessoas que cercavam o leito se retiraram do aposento.

Permaneceram apenas pai e filho.

— Existe um segredo que você precisa saber — contou o pai. — Algo que nunca contei a você.

Um olhar sonhador cruzou a fisionomia do pai.

— Você herdará de mim um reino com riquezas abundantes. Mas faz tempo que aprendi a não confiar inteiramente nos outros. Você deve fazer o mesmo. Deixe que acreditem que confia neles, mas confie apenas em si mesmo. Acumulei uma fortuna particular, por direito pertencente apenas ao sangue Tudor.

É mesmo?

— Eu a escondi em um lugar conhecido pelos templários.

Fazia tempo que ele não ouvia o nome daquela ordem. Houve uma época em que sua presença foi marcante na Inglaterra, mas ela já tinha sido extinta há mais de duzentos anos. Suas igrejas e suas sedes ainda existiam, espalhadas por todos os cantos, e ele já visitara várias delas. Qual teria o segredo?

Precisava saber.

Portanto, ele concedeu um último gesto de submissão.

Um último olhar obediente.

— *Seu dever* — prosseguiu seu pai — *é salvaguardar nossa riqueza e passá-la para seu filho. Lutei para colocar nossa família no trono, e, por Deus, é seu dever garantir que permaneçamos lá.*

Nisso eles concordavam.

— *Você vai gostar desse lugar. Eu usufruí dele de bom grado, e assim será com você.*

KATHLEEN FICOU OLHANDO para Mathews.

— Isso é verdade?

Ele assentiu.

— Pelo que sabemos, sim. Isso consta em arquivos que não estão disponíveis para o público.

— É uma informação de quinhentos anos.

— Que surpreendentemente ainda tem muita relevância hoje em dia. E é por isso que estamos aqui.

Como era possível? Mas ela ficou calada.

— Sir Thomas Wriothesley registrou o que aconteceu naquele dia, 20 de abril de 1509. Henrique VII morreu no dia seguinte. Infelizmente, não consta nos registros de Wriothesley o que o pai contou ao filho. Isso foi relatado pelo próprio Henrique VIII muitas décadas depois. O que sabemos é que ele passou a informação sobre esse lugar especial para sua sexta esposa, Catarina Parr, pouco antes de morrer, em 1547. Sabemos também que a fortuna de Henrique VII quando ele morreu era de aproximadamente quatro milhões e meio de libras. Nos valores atuais, seria incalculável, visto que a maior parte se tratava de metais preciosos, e não sabemos nem a quantidade nem a qualidade desses metais. Mas é provável que tenha chegado a bilhões de libras.

Então Mathews lhe contou sobre o que havia acontecido no leito de morte de Henrique VIII, em janeiro de 1547. Uma conversa entre marido e mulher, em vários aspectos semelhante àquela ocorrida trinta e oito anos antes entre pai e filho.

— Henrique VIII era um tolo quando se tratava de mulheres — disse Mathews. — Ele se enganou ao confiar em Catarina Parr, que o odiava. A última coisa que ela faria seria passar essa informação a Eduardo VI. — O homem fez uma pausa. — Você sabe alguma coisa sobre Catarina Parr?

Ela fez que não.

Mathews explicou que ela era filha de uma das damas da corte de Henrique VIII e recebeu seu nome em homenagem à primeira esposa do rei, Catarina de Aragão. Altamente instruída, a rainha falava francês, espanhol e italiano. Henrique se casou com ela em 1543. Quando ele morreu em 1547, ela havia acabado de completar 36 anos. Pouco depois se casou, pela quarta vez, com Thomas Seymour e acabou engravidando. Mudou-se para o Castelo de Sudeley, em Gloucestershire, e deu à luz uma filha em agosto de 1548, que morreu seis dias depois. O próprio Seymour viveu até março de 1549, quando foi executado por traição. Depois disso, Catarina Parr, Thomas Seymour e a filha deles, Mary, caíram no esquecimento.

— Mas agora talvez não seja mais assim — anunciou Mathews.

Algo muito grave está acontecendo, foi o que seu supervisor lhe disse em Windsor. Toda aquela conversa sobre o fim de sua carreira na Soca e seu retorno ao Middle Hall fizeram-na lembrar de quando se sentava à mesa com outros advogados e estudantes durante os jantares da instituição, um dever de todos os integrantes. No passado, eles tocavam uma corneta nos degraus do salão meia hora antes do jantar. Mas a corneta não podia ser ouvida na outra margem do Tâmisa, onde as pessoas caçavam lebres, razão pela qual acabou sendo abandonada no porão.

Muitas vezes Kathleen imaginava como devia ter sido, centenas de anos atrás, morar ali, estudar direito. Talvez ela voltasse em breve, como ex-agente, para ver por si mesma.

Hora de se fazer de difícil.

— Por que estou aqui?

Seu supervisor havia lhe dito: *eles pediram você.*

— Blake Antrim.

Um nome que ela não ouvia havia muito tempo. Ao escutá-lo ali, no Middle Hall, foi pega de surpresa.

— Pelo jeito, o senhor sabe que Antrim e eu já fomos próximos.

— Tínhamos a esperança de que alguém de uma de nossas agências o conhecesse. Uma busca revelou uma recomendação bastante elogiosa escrita por Antrim como parte de sua candidatura a uma vaga de emprego na Soca.

— Faz dez anos que não o vejo nem falo com ele.

E não queria encontrá-lo novamente.

— Seu pai foi um integrante do Middle Temple — disse Mathews. — Assim como seu avô e seu bisavô. Todos advogados. Seu bisavô foi juiz. Era para a senhorita ter seguido os passos deles, mas abandonou o direito e se tornou policial. Mesmo assim, mantém sua filiação ao Middle Temple e nunca se esquiva de nenhum de seus deveres como integrante da instituição. Por quê?

A vida de Kathleen fora completamente investigada. Parte dessas informações não constava em sua ficha no departamento de recursos humanos.

— O motivo que me levou a não exercer o direito é irrelevante.

— Não concordo. Na verdade, pode se tornar um fato que nenhum de nós deve ignorar.

Ela não disse nada, e ele percebeu sua hesitação.

Com sua bengala de mogno, Mathews fez um gesto indicando o salão. Só agora Kathleen notava a esfera de marfim no cabo, os continentes gravados em preto na superfície polida.

— Este prédio está aqui há quinhentos anos e é uma das últimas construções da era Tudor. Supostamente, a Guerra das Rosas começou logo ali fora. Em 1430, as pessoas escolheram seus lados colhendo uma flor do jardim. Os de Lancaster arrancaram uma rosa vermelha, os de York, uma branca, e assim começaram cinquenta e cinco anos de guerra civil. — Ele fez uma pausa. — Esses prédios já viram tanto da nossa história... e ainda permanecem de pé, mais relevantes a cada ano que passa.

Mathews ainda não havia respondido sua primeira pergunta.

— Por que me pediu que viesse aqui?

— Posso mostrar?

Onze

MALONE RECOLHEU SUAS roupas e as de Gary e recolocou-as nas malas. Notou que o filho havia trazido pouca coisa, exatamente como ele lhe havia ensinado. Sua cabeça ainda doía, e sua visão continuava desfocada. Ian o ajudou, sem fazer nenhuma tentativa de ir embora. Mas, por segurança, Malone manteve o garoto encurralado entre ele e a parede dos fundos da garagem.

Voltou a se sentar no chão e esperou que sua cabeça desanuviasse. A chuva lá fora havia abrandado, tornando-se uma névoa. O ar era fresco, o que o ajudava, e ele se sentiu feliz por estar com seu casaco de couro.

— O senhor está bem? — perguntou Ian.

— Não muito. Levei uma pancada na cabeça.

Esfregou o couro cabeludo, evitando o galo. Só conseguia pensar em Gary, mas precisava de informações, e sua fonte principal estava bem ali.

— Não tive intenção de deixar seu filho para trás — disse Ian. — Eu mandei ele pular.

— Ele não é como você.

— No avião, ele me disse que você não é o pai dele de verdade.

Malone ficou abalado ao ouvir isso.

— Eu não sou o pai *biológico* dele, mas sou o pai dele de verdade.

— Ele quer saber quem é.

A FARSA DO REI \ 95

— Ele disse isso a você?

Ian fez que sim.

Não era hora de entrar nesse assunto.

— Qual é o tamanho da sua encrenca?

— Não se preocupe. Vou ficar bem.

— Não foi isso que eu perguntei. Qual é o tamanho da encrenca?

Ian não disse nada.

Malone precisava de respostas. Havia peças faltando no quebra-cabeça. Isso podia não ser importante antes, mas agora, com Gary sumido, ele precisava saber.

— Como você foi de Londres para a Geórgia?

— Depois que eu fugi do carro com o pen drive, os homens começaram a procurar por mim. Alguns foram até a Srta. Mary, mas ela não disse nada a eles.

— Quem é ela?

— Ela tem um sebo em Piccadilly. Os homens foram lá e a outros lugares que eu frequento e fizeram perguntas. Finalmente, encontrei um cara que me ofereceu uma viagem para os Estados Unidos, e eu aceitei.

Stephanie havia lhe dito que Ian fora detido em Miami, tentando entrar no país com um passaporte falso. Seu companheiro de viagem, um irlandês com vários mandados de prisão, também foi detido. Ninguém sabia que planos aquele homem teria para Ian. Viagens *gratuitas* nunca são gratuitas.

— Você sabia que aquele cara não presta?

— Sabia. Eu estava planejando fugir dele quando a gente saísse do aeroporto. Sei me cuidar.

Malone duvidou disso. É óbvio que o garoto estava com medo, por isso havia fugido. Stephanie lhe contou que a CIA estava procurando Ian desde meados de outubro. Quando foi detido em Miami — o nome que usava chamou atenção das autoridades —, a agência imediatamente assumiu sua custódia e ele foi mandado para Atlanta.

Só precisavam de alguém que pudesse escoltar o rapaz até a Inglaterra.

Função que atribuíram a Malone.

— Por que você tentou fugir de mim no aeroporto de Atlanta?

— Eu não queria voltar para cá.

— Você tem família?

— Não preciso de família.

— Já frequentou a escola?

— Não sou nenhum tapado. Sei ler. Não seria mais esperto se fosse à escola todos os dias.

Pelo jeito ele havia tocado em uma questão delicada.

— Quantas vezes esteve na cadeia?

— Algumas, depois de uma encrenca ou outra.

Malone se perguntou até onde ia toda aquela marra do garoto. Havia notado o medo em sua voz lá na Geórgia, quando Ian se deu conta de que eles estavam indo para Londres.

Da mesma forma que havia notado a confusão na fisionomia do filho.

Duas semanas atrás, a vida de Gary era repleta de certezas. Ele tinha uma mãe e um pai, uma família, ainda que dividida em dois continentes. Agora haviam lhe dito que também tinha um pai biológico. Gary queria saber quem era esse homem. Pam estava errada em ocultar o nome. É claro que não ser um Malone, pelo menos de sangue, assustava Gary. Querer conhecer suas origens era algo natural.

— Gary comentou que você era um agente secreto do governo. Como James Bond.

— Mais ou menos. Mas não era bem assim. Você chegou a conhecer seu pai?

— Não, nunca o vi.

— Pensa nele?

— Não dou muita bola. Ele nunca me procurou. Nem minha mãe. Nunca me fizeram falta. Bem cedo já entendi que precisava me virar sozinho.

Mas isso não podia ser bom. Crianças precisam de mãe e de pai. Ou pelo menos era isso que Malone achava.

A FARSA DO REI \ 97

— Deve ser difícil viver nas ruas, não ter uma casa.

— Eu tenho uma casa. Eu tenho amigos.

— Quem, por exemplo?

Ian gesticulou para a sacola plástica.

— A moça dos livros. A Srta. Mary. Foi ela quem me deu aquelas histórias para ler. Às vezes ela me deixa ficar na livraria à noite, quando está frio. E então posso ler qualquer livro que eu quiser.

— Eu também gosto de ler. Sou dono de uma livraria.

— Gary me contou.

— Vocês dois conversaram bastante.

— O voo foi longo, e nós não dormimos muito.

Malone não ficou surpreso. Com quem mais Gary podia conversar? Não com a mãe. Ela não lhe ofereceu grande coisa. Nem com o pai, que até recentemente também não sabia a verdade.

— O que você contou a Gary sobre o pai biológico dele?

— Eu disse a ele que não agisse como criança. Tudo está bem até que algo dá errado.

Ian franziu o rosto, intrigado.

— Criança. Eu e ele somos crianças. E a gente sempre se mete em encrencas. Tudo dá errado. E nessa hora sempre tem quem nos diga o que fazer.

Os dois ficaram alguns instantes em silêncio.

— Eu disse a ele que fizesse alguma coisa — disse Ian. — Que pedisse sua ajuda.

Malone supôs que aquilo era o mais próximo de um elogio que o garoto poderia fazer.

— Por que você não queria voltar a Londres?

Não houve resposta.

Norse e Devene invadiram seus pensamentos ainda confusos.

— Você corre algum risco se ficar aqui?

Ian olhou para a noite lá fora.

Era a resposta que ele temia.

Doze

ANTRIM ABRIU OS olhos.

Estava deitado na rotunda, ao lado das efígies templárias. Seu corpo doía, e ele sabia o que havia acontecido. Dois projéteis atingiram seu peito e 50 mil volts o deixaram inconsciente. Fora atingido por um taser. Melhor que ser baleado, mas, de qualquer maneira, uma experiência desagradável.

Sociedade Dédalo.

Que diabos era aquilo?

Adoraria pensar que não passavam de um bando de malucos e excêntricos, mas aqueles velhos haviam matado Farrow Curry e seu agente na catedral. Além disso, sabiam praticamente tudo o que ele andava fazendo. Eram claramente poderosos e não podiam ser ignorados Era evidente também que Antrim havia descoberto algo. Seus homens haviam obtido artefatos e manuscritos históricos de maneira metódica em toda a Inglaterra. Conseguiram fotografai textos relevantes na British Library. Chegaram até a violar o túmulo de Henrique VIII. Não havia nenhum indício de que alguém estivesse ciente desses esforços. Ainda assim, essa Sociedade Dédalo sabia que ele estaria na catedral aquela noite. Será que também sabia do mais importante? Não haviam feito qualquer menção a Ian Dunne, ao pen drive e a seu possível conteúdo.

Isso lhe dava esperanças.

A FARSA DO REI \ 99

Os últimos três anos tinham sido uma sequência de reveses lamentáveis, o mais notável deles na Polônia, onde seu fracasso havia tido consequências. Se havia uma coisa que Langley detestava eram *consequências*, especialmente para sua unidade de contraoperações especiais. Seu trabalho era ir atrás de informações, não piorar as coisas. Washington estava buscando uma maneira de impedir que a Escócia devolvesse à Líbia um assassino condenado, um homem que matou centenas de pessoas. A Grã-Bretanha era aliada dos Estados Unidos. Portanto, suas instruções estavam bem claras desde o começo.

Aja. Mas. Não. Seja. Pego.

Antrim massageou o peito dolorido e esfregou os olhos com a palma das mãos.

O que havia acontecido ali e na catedral certamente se qualificava como ser pego.

Não seria melhor colocar um ponto final nisso?

Cinco milhões de libras.

Ele se levantou devagar, o casaco molhado farfalhando no silêncio da igreja. A rotunda e o coro continuavam vazios, com a mesma iluminação fraca. Antrim ainda não se sentia capaz de formar pensamentos coerentes, mas percebeu que, quem quer que *eles* fossem, tinham ligações com o Middle Temple ou com o Inner Temple. Caso contrário, como teriam conseguido tanta privacidade ali?

Massageou a cabeça, dolorida devido à queda. Já tivera uma boa cabeleira castanho-avermelhada. Agora estava quase careca, restando-lhe cabelos grisalhos apenas nas laterais. Aos 40 e poucos anos, seu pai já era careca. Herdou quase tudo dele, por que não herdaria isso também?

Encontrou seu celular e verificou a caixa de mensagens.

Nenhuma mensagem nova.

O que estaria acontecendo com Cotton Malone e Ian Dunne?

Precisava saber.

Algo no chão entre as efígies chamou sua atenção.

Um cartão de visita

Abaixou-se e pegou-o.

Era um dos cartões que usava na Bélgica, parte de seu disfarce no Departamento de Estado, onde constava o telefone de seu escritório e o endereço da embaixada, juntamente com seu cargo, OFICIAL DE ASSESSORIA DE INFORMAÇÃO.

Atrás, escrito em tinta azul, constava:

A cela da penitência

Ele sabia do que se tratava. Era ali. Uma sala minúscula no alto das escadas, onde os cavaleiros templários que desobedeciam à lei da Ordem ficavam presos. Antrim já havia entrado lá quando criança.

Voltou-se para o coro.

O que havia lá?

Caminhou na penumbra e encontrou a escadaria: Ainda restavam as dobradiças e os fragmentos de uma porta há muito inexistente. Ele subiu até a cela. Duas pequenas aberturas deixavam a luz entrar, uma de frente para o altar, a outra abrindo-se para a rotunda. O espaço não tinha mais de um metro e vinte de comprimento e sessenta centímetros de largura, sendo impossível deitar-se ali com algum conforto, o que, pensou ele, devia ser proposital.

Seu agente, que usava a alcunha de Gaius Wells, o homem baleado na catedral, estava junto à parede, o corpo contorcido no espaço minúsculo, a cabeça inclinada sobre o ombro de forma pouco natural.

Eles o haviam trazido até ali?

É claro.

Queriam mostrar do que eram capazes.

No peito do cadáver, envolto por seus braços, havia um livro.

Mitologia do mundo antigo.

Antrim tirou o volume dos braços do morto.

Outro de seus cartões de visita marcava uma página. Ele devia verificar os bolsos de Wells e garantir que não havia nenhuma identificação, mas deu-se conta de que o corpo nunca seria encontrado.

Segurando o livro, desceu as escadas e parou ao lado de uma das lâmpadas do coro. Abriu a página marcada e viu uma passagem circulada.

Ovídio conta a história, em seu *Metamorfoses* (VIII: 183-235), de como Dédalo e seu jovem filho, Ícaro, foram presos em uma torre em Creta. A fuga por terra ou por mar era impossível, visto que o rei controlava ambos. Então, Dédalo fabricou asas para si e para o filho. Entrelaçou penas, fixou-as com cera e curvou-as como as asas de um pássaro. Ao terminar, ensinou Ícaro a usá-las, mas lhe deu dois avisos: não voe muito alto, senão o sol vai derreter a cera, nem baixo demais, senão o mar vai encharcar as penas. Com as asas, eles conseguiram fugir, passando por Samos, Delos e Levinthos. De tão empolgado, Ícaro se esqueceu das advertências do pai e subiu em direção ao sol. A cera derreteu e as asas se desfizeram, fazendo Ícaro cair no mar, onde se afogou.

No fim da página, abaixo do texto circulado, estava escrito com caneta azul:

Preste atenção ao aviso de Dédalo e evite o filho do sol

Antrim imediatamente notou o jogo de palavras.
Filho em vez de *brilho*.
Esses homens eram realmente inteligentes.
Abaixo havia outra linha escrita à mão:

Telefone quando estiver pronto para negociar

102 \ STEVE BERRY

E um número de telefone da Inglaterra.

Eram seguros de si. Não telefone *se* quiser negociar, mas *quando*.

Antrim respirou fundo algumas vezes e se preparou. Estava quase entrando em pânico, mas o medo e a ansiedade fortaleceram seus músculos debilitados.

Talvez eles tivessem razão.

Isso estava fugindo do controle, ia além daquilo com que estava acostumado.

Arrancou a página do livro e a enfiou no bolso.

Treze

KATHLEEN SEGUIU MATHEWS, saindo do salão para a chuva. Eles atravessaram a Middle Temple Lane, viraram à esquerda e entraram em um dos vários prédios comerciais, este com as janelas voltadas para o Pump Court. O pequeno pátio tinha esse nome por causa das bombas de água que haviam ali para combater incêndios. O reservatório se localizava logo abaixo do pavimento e era alimentado por um dos rios subterrâneos de Londres. O antigo poço continuava ali, mas as bombas tinham sido retiradas havia muito tempo. No lado norte do pátio, ela avistou os contornos escuros de um relógio de sol, lendário por sua inscrição. Somos sombras, e como sombras partimos.

As portas de todos os escritórios dentro do prédio estavam fechadas, e o corredor, silencioso. Mathews foi na frente e subiu as escadas até o quarto andar, sua bengala batendo nos degraus de madeira. O nome Inns of Court se devia ao fato de que, no passado, seus integrantes estudavam e moravam naquelas dependências, que já haviam abrigado faculdades de direito. Uma vez formado, o aluno era advogado, capaz de defender plenamente seu cliente no tribunal.

Mas sempre sob a disciplina da instituição.

Portanto, era costume que os clientes consultassem seus advogados não em suas salas, mas na entrada da Temple Church ou em Westminster Hall, onde ficavam os tribunais até o fim do século XIX. Todas essas práticas, respeitadas por muitas gerações, agora pertenciam ao passado, e os diversos prédios do Middle Temple e do Inner Temple tinham se convertido em escritórios. Somente os andares superiores permaneciam residenciais e eram usados pelas duas instituições.

Mathews abriu a porta de um dos apartamentos. Estava escuro lá dentro. Havia um sofá e poltronas no estilo Regência. Uma cristaleira antiga se destacava na escuridão. Ganchos nus eram evidentes nas paredes onde antes devia haver quadros pendurados. O cheiro de tinta fresca era forte.

— Estão reformando — disse ele.

Mathews fechou a porta e conduziu Kathleen até uma janela na parede oposta. Logo abaixo estava a Temple Church diante de seu pátio molhado, sufocada pelos prédios que a cercavam.

— Esse lugar já foi palco de muitos acontecimentos históricos — comentou Mathews. — Essa igreja existe há cerca de um milênio.

Ela sabia que, para fazer a cessão real do terreno, Jaime I impusera uma condição: a de que conservassem a Temple Church como lugar de peregrinação. A igreja adquirira um ar de mistério e romance, dando origem a lendas improváveis, mas Kathleen só a conhecia como a capela particular dos Inns of Court.

— Nós, britânicos, sempre nos orgulhamos do estado de direito — disse Mathews. — Era aqui que os estudantes aprendiam o ofício. Como chamavam este lugar? *O mais nobre berçário da liberdade e da humanidade do reino.* E é verdade.

Ela concordou.

— A Magna Carta foi o começo de nossa crença no direito — observou Mathews. — Que ato monumental, se pensarmos bem. Os barões exigiram e obtiveram de seu soberano trinta e sete concessões que restringiam o poder real.

— A maioria delas nunca entrou em vigor e acabou sendo anulada — retrucou Kathleen.

— Verdade. Apenas três permanecem válidas. Mas um princípio predominante vem da Carta Magna. Nenhum homem livre pode ser punido, exceto pela lei vigente no território. Esse conceito mudou o curso dessa nação.

A chuva tornou-se um mero chuvisco no pátio lá embaixo.

A porta lateral que levava à igreja se abriu, e um homem saiu. Ele abotoou seu sobretudo e seguiu em direção ao King's Bench Walk e ao portão que levava à saída da região do Templo.

— Aquele é Blake Antrim — informou Mathews. — Ele está no comando de uma operação da CIA conhecida como Farsa do Rei, que está em andamento em nosso país.

Ela viu Antrim se afastar sob as luzes fracas dos postes de ferro.

— Vocês foram muito próximos? — perguntou Mathews.

— Ficamos juntos por um ano apenas, na época em que eu estudava direito em Oxford e me afiliei ao Middle Temple.

— E Antrim mudou o rumo de sua carreira?

Ela deu de ombros.

— Não diretamente. Na época em que estávamos juntos, eu já pensava em trabalhar com segurança pública. E me candidatei à vaga na Soca antes de terminarmos.

— A senhorita não me dá a impressão de ser o tipo de mulher que se deixaria influenciar por um homem. Tudo o que li e que me contaram a seu respeito me passou a ideia de uma mulher durona, inteligente e independente.

— Ele era... difícil — disse Kathleen.

— Precisamente o que os seus supervisores dizem da senhorita.

— Eu tento não ser.

— Notei que a senhorita não tem praticamente nenhum sotaque e que sua dicção e sua sintaxe são basicamente britânicas.

— Meu pai era britânico e morreu quando eu tinha 8 anos. Minha mãe era americana. Ela nunca voltou a se casar e, embora morássemos aqui, ela manteve a cidadania americana.

— Conhece um americano chamado Cotton Malone?

Ela fez que não.

— É ex-agente da inteligência. Muito conceituado, competente. Bem diferente de Antrim. Aparentemente, Antrim o conhece e deu um jeito de trazê-lo para cá, para Londres. Ele andava procurando um adolescente, Ian Dunne, que chegou com Malone algumas horas atrás.

— O senhor deve saber que Blake e eu não terminamos o relacionamento de forma amigável — precisou dizer.

— Mesmo assim, ele fez uma recomendação elogiosa para que você entrasse na Soca.

— Isso foi antes de nos separarmos — disse Kathleen, sem fornecer mais detalhes.

— Eu a escolhi, Srta. Richards, por causa do seu relacionamento com Antrim. Se ele foi hostil ou inexistente, a senhorita não tem utilidade para mim. E, como já sabe, é uma pena, mas a senhorita também não tem utilidade para a Soca.

— E o senhor pode consertar isso?

— Sim, se puder me ajudar com meu problema.

— Posso retomar contato com Blake.

— Era o que eu queria ouvir. Ele não pode desconfiar de nada. Em nenhum momento a senhorita poderá revelar seu envolvimento conosco.

Kathleen assentiu.

Sob o feixe de luz que entrava pela janela, ela analisou o grande mestre da espionagem inglesa. Uma lenda da Guerra Fria. Já ouvira histórias, as façanhas, e muitas vezes sonhara em fazer parte do SIS. Mas ver e falar com Blake Antrim novamente? Que preço a pagar por essa admissão...

— Faço parte do Inner Temple — disse Mathews. — Sou integrante há cinquenta anos. Estudei direito bem ali. — Pela janela, ele apontou para a cúpula da Temple Church.

— E também optou por trabalhar na segurança pública.

— É verdade. Está vendo, nós dois temos algo em comum.

— O senhor ainda não me disse de que se trata tudo isso.

Mathews se dirigiu até uma escrivaninha. Puxou uma cadeira e fez sinal para que ela se sentasse. Kathleen obedeceu e só então notou os contornos de um laptop à sua frente.

Mathews o abriu e apertou uma das teclas. A tela ganhou vida, e uma claridade desagradável inundou o rosto de Kathleen. Ela semicerrou os olhos, dando-lhes tempo para se adaptar.

— Leia isso e depois siga as orientações.

Mathews foi para a porta.

— Como vou encontrar Antrim? — perguntou Kathleen.

— Não se preocupe, receberá outras informações quando for necessário.

— Como o senhor vai me encontrar?

Ele parou, virou-se e balançou a cabeça.

— Não faça perguntas idiotas, Srta. Richards.

E foi embora.

Catorze

Malone conduziu Ian para fora da garagem, e eles voltaram a Little Venice, onde poderiam pegar um táxi. Devene não havia ligado novamente. O fato de Gary estar em perigo deixava seu coração dilacerado. Como permitira que isso acontecesse? Isso era o oposto do que tinha em mente ao se aposentar do Departamento de Justiça.

— *Pedi demissão* — *anunciou ele a Gary.*

— *Pensei que você adorasse seu trabalho.*

— *Os riscos se tornaram grandes demais.*

Aconteceu na Cidade do México. Ele estava lá para ajudar a promotoria no processo contra três homens que haviam matado um agente do DEA, órgão de repressão a narcóticos. Durante um intervalo para o almoço, Malone acabou no meio do tiroteio, uma tentativa de assassinato em um parque que se transformou em um banho de sangue. Sete mortos, nove feridos. No fim, ele conseguiu pegar os atiradores, mas não sem antes levar um tiro no ombro esquerdo. Depois, passou um mês se recuperando e tomando decisões sobre sua vida.

— *Você tem 13 anos* — *disse ele a Gary.* — *Talvez seja difícil de entender, mas, às vezes, a vida tem de mudar.*

Ele já havia apresentado sua carta de demissão a Stephanie Nelle, pondo fim aos doze anos de carreira na Magellan Billet e a um período ainda mais longo na Marinha. Chegara a ser primeiro-tenente e teria gostado de ser promovido a capitão, mas isso agora era coisa do passado.

— Então, você está indo embora? — perguntou Gary. — Vai se mudar para outro país?

— Não vou abandonar você.

Mas foi isso que ele fez.

Na época de sua demissão, Malone e Pam já estavam separados havia cinco anos. Certo dia, ele voltou para casa depois de uma missão, e Pam tinha ido embora. Havia alugado uma casa do outro lado da cidade, levando apenas alguns itens essenciais dela e de Gary. Um recado o informava do novo endereço deles e de que o casamento estava acabado. Pragmática e fria. Pam era assim. Decidida também. Nenhum deles, porém, deu entrada no divórcio de imediato, embora só se falassem quando era necessário por causa de Gary.

Os dois tinham passado por muita coisa juntos. Malone trocou a Marinha pela carreira de advogado e, mais tarde, tornou-se agente do Departamento de Justiça. Ela também iniciou sua carreira de advogada. Ele passava o tempo viajando pelo mundo. Ela percorria os corredores dos tribunais de Atlanta. O casal se via quase todas as semanas e passava seu tempo com Gary, que crescia mais rápido do que eles se davam conta. Viviam em um bairro com amigos que realmente não conheciam. Mas *viver* era o termo errado. Era mais existir. Levar aquele tiro na Cidade do México finalmente o fizera questionar — era essa a vida que queria? Nem ele nem Pam estavam felizes. Isso os dois sabiam. E Pam passou rapidamente da infelicidade para a raiva.

— *Algum dia você vai se dar por satisfeito?* — *perguntou ela.* — *A Marinha, depois a escola de aviação, o curso de direito, a advocacia, a Billet. Agora essa súbita aposentadoria. Qual é a próxima?*

— *Vou me mudar para a Dinamarca.*

A fisionomia dela não demonstrou nada. Malone podia muito bem ter dito que estava se mudando para a Lua.

— *Você está em busca de quê?*

—— *Estou cansado de levar tiros.*

— *Desde quando? Você adora a Billet.*

— Está na hora de amadurecer.

— Então você acha que se mudar para a Dinamarca vai fazer esse milagre?

Ele não pretendia se explicar. Ela não se importava. Nem ele queria que ela se importasse.

— É com Gary que eu preciso falar. Quero saber se ele vai lidar bem com isso.

— Desde quando você se importa com o que ele pensa?

— Ele é o motivo de eu ter saído. Quero que o pai dele continue vivo...

— Isso é bobagem. Você saiu por si mesmo. Não use o garoto como desculpa. O que quer que esteja planejando, é por você, não por ele.

— Não preciso que você me diga o que penso ou deixo de pensar.

— Então quem vai dizer? Nós fomos casados por muito tempo. Acha que era fácil ficar esperando você voltar sabe-se lá de onde? Imaginando que você poderia voltar em um caixão? Eu paguei o preço, Malone. Gary também. Mas esse garoto ama você. Não, ele o idolatra, incondicionalmente. Nós dois sabemos o que ele vai dizer, porque a cabeça dele está menos confusa do que a nossa. Tivemos muitos fracassos juntos, mas ele foi um sucesso.

Pam tinha razão.

— Olhe só, Malone. O motivo para você querer se mudar para o outro lado do oceano é problema seu. Mas não use Gary como desculpa. A última coisa que ele precisa é de um pai deprimido tentando compensar uma infância triste.

— Você adora me insultar, não é?

— A verdade precisa ser dita, e você sabe.

A verdade? Como assim? Ela havia omitido a parte mais importante.

Gary não é seu filho biológico.

Típico de Pam. Um conjunto de regras para ela, outro para as outras pessoas.

Agora ambos estavam com um problema sério.

Ian andava ao seu lado na calçada. O garoto permanecia em silêncio. Interessante como a sobrevivência dependia do instinto, mesmo na adolescência. Malone tinha ficado furioso com Ian na garagem, mas também havia percebido que o garoto parecia concordar tacitamente que ele tinha deixado Gary em maus lençóis. Prometeu a si mesmo que o acesso de raiva não se repetiria. Ian necessitava de compaixão, não de hostilidade.

E Gary? De que ele precisava?

De conhecer seu pai biológico?

Que bem isso poderia fazer a ele depois de quinze anos? Infelizmente, Pam não se preocupou com nada disso. Em que ela estava pensando?

A resposta era óbvia.

Ela não pensou.

Apenas agiu.

As mulheres não eram seu ponto forte. Ele não as conhecia direito nem sabia lidar com elas. Portanto, evitava-as. Era muito mais simples assim.

Mas, às vezes, se sentia solitário.

Gary era a única coisa que ninguém poderia tirar dele.

Ou poderia?

De repente, percebeu por que ficara tão apreensivo desde que soubera a verdade. Ele já não assumia o papel irrevogável de pai. Fazer parte da vida de uma criança é algo que marca uma pessoa para sempre. A menos que um tribunal o despoje de todos os direitos, não importa quantos erros você tenha cometido — e Malone cometera muitos —, você nunca deixa de ser pai.

Mas isso agora poderia mudar.

Pelo menos em parte.

Gary poderia conhecer seu pai biológico. Ele poderia ser um grande sujeito. Surpreso por descobrir que tinha um filho. Eles criariam laços. O amor de Gary ficaria dividido. Tudo que Gary sentia por ele seria compartilhado com outra pessoa.

Ou talvez deixaria de existir?

Essa possibilidade o deixava arrasado.

Quinze

Os OLHOS DE Kathleen percorreram a tela do laptop. Os relatos de Sir Thomas sobre o que acontecera no leito de morte de Henrique VII e no de Henrique VIII eram intrigantes, e ali no computador havia mais informações.

Henrique VII, o primeiro rei Tudor, acumulou uma fortuna que foi passada para seu filho, Henrique VIII. Nos últimos cinco dos trinta e oito anos do reinado de Henrique VIII, a maior parte da fortuna Tudor ficou guardada em baús de ferro em Westminster e em várias câmaras secretas localizadas em seus palácios. Henrique aprendeu com o pai e acumulou enormes somas originárias de multas e impostos reais, do pagamento por cargos na corte e de prestações de dívidas pagas pelos franceses. A dissolução dos mosteiros trouxe ainda mais riqueza. Existiam mais de oitocentos e cinquenta em 1509, quando Henrique foi coroado. Em 1540, restavam apenas cinquenta. Todos os outros tiveram suas riquezas confiscadas. Qualquer estimativa razoável dessa reserva devia totalizar dezenas de milhões de libras (bilhões hoje em dia). Porém não existe registro completo de todo o tesouro de Henrique VIII. Os inventários que sobreviveram são discrepantes, na melhor das hipóteses. Sabe-se que pouco dessa fortuna chegou ao filho de Henrique, Eduardo VI, que o sucedeu em janeiro de 1547.

A FARSA DO REI \ 113

Eduardo tinha 10 anos quando o pai faleceu, e o testamento de Henrique nomeava um conselho regente que governaria pelo voto da maioria. Em março de 1547, Edward Seymour, irmão da rainha falecida, Jane Seymour, e tio do rei, assegurou o título de Protetor até que Eduardo VI atingisse a maioridade. Imediatamente, Seymour assumiu o controle das cinco salas do tesouro deixado por Henrique para seu herdeiro. No final de 1547, uma comissão indicada pelo conselho regente fez uma busca e encontrou o que restava do tesouro de Henrique. Meras 11.435 libras no total, em anjos, soberanos e reais espanhóis.

Não se sabe o que aconteceu com o restante.

No entanto, o destino dos Seymour é conhecido.

Os sentimentos de Henrique VIII foram mais intensos por Jane Seymour do que por qualquer outra de suas cinco mulheres. Ela lhe deu o filho legítimo que o rei desesperadamente queria, mas morreu de forma inesperada poucos dias depois. A família Seymour, que desfrutava de muitos favores quando Henrique VIII era vivo, sofreu incessantes derrotas após a morte do rei. Edward Seymour foi tirado do poder em 1549 e finalmente executado por traição em 1552. Seu irmão mais novo, Thomas, levou ligeira vantagem. Casou-se com Catarina Parr, a última rainha de Henrique VIII, em abril de 1547. Também foi executado por traição em 1549, pouco antes de seu irmão cair em desgraça.

Eduardo VI morreu em 1553, nunca chegando à maioridade.

Há muito tempo sabemos que Henrique VIII contou a Catarina Parr sobre um lugar secreto onde a maior parte de sua riqueza aguardava seu filho. Essa informação, contudo, foi pouco mais que uma nota de rodapé na história. Sem importância. Recentemente, no entanto, agentes da inteligência americana se tornaram obcecados por essa informação. Passaram o ano inteiro vasculhando o país em busca de sua localização. Seu supervisor já deve ter lhe falado a respeito de uma série de furtos, e a senhorita viu pessoalmente a violação do túmulo de Henrique VIII. A chave para encontrar esse local secreto encontra-se em um diário obscuro, inteiramente escrito em código. Um homem chamado Farrow Curry, contratado pelos americanos, pode tê-lo desvendado. Infelizmente, ele morreu algumas semanas atrás em um *acidente no metrô, mas temos informações de que os resultados de sua pesquisa ainda podem ser encontrados. Estamos requisitando seu auxílio, Srta. Richards, para obter essa pesquisa. No momento, Blake Antrim também a está procurando. Para deixá-la totalmente preparada, providenciamos novas instruções. Por favor, dirija-se imediatamente ao salão da Jesus College, em Oxford, onde essas informações lhe serão passadas.*

O texto acabou.

Sentada no escuro, Kathleen ficou olhando para a tela.

Seus pensamentos se voltaram para Blake Antrim. Eles haviam namorado por um ano; ela era estudante de direito, e ele supostamente trabalhava no Departamento de Estado. Mas um dia ele acabou lhe contando a verdade.

— *Trabalho para a CIA* — disse Antrim.

Kathleen ficou surpresa. Nunca imaginaria isso.

— *O que você faz?*

— *Analista sênior de campo, mas em breve serei líder de equipe. Minha área é a da contrainteligência.*

— *Você podia estar me contando isso?*

Ele deu de ombros.

— *Duvido que você seja uma espiã.*

Ela se ressentiu com a conclusão dele.

— *Não me considera capaz?*

— *Acho que esse tipo de coisa não desperta seu interesse.*

Os dois haviam se conhecido em um pub londrino, tinham sido apresentados por uma amiga em comum. O fim chegou quando ele a pegou com outro homem. Na época, Kathleen já havia se cansado dele. Especialmente de sua raiva, que podia vir à tona sem qualquer aviso. Ele detestava seu emprego e seus superiores. Ela passou a vê-lo como um homem triste, fraco, agraciado com uma boa aparência, mas incapaz de ser sincero.

E aquele último dia...

— *Sua vadia.*

A FARSA DO REI \ 115

Os olhos de Antrim estavam injetados. Ela já o tinha visto furioso, mas nada como aquilo. Ele chegou ao apartamento dela cedo, sem avisar. Kathleen tivera uma visita na noite anterior, que saíra fazia poucos minutos. Ao ouvir a batida na porta, ela pensou que fosse seu amante, voltando para lhe dar outro beijo, mas era Antrim que estava parado lá fora.

— Acabou — disse Kathleen. — Está tudo acabado entre nós.

Ele entrou e bateu a porta.

— E é assim que você faz? — indagou Antrim. — Outro homem? Aqui? Onde nós dois passamos tanto tempo juntos?

— Eu moro aqui.

Ela só queria que ele fosse embora. A visão daquele sujeito revirava seu estômago. Não conseguia lembrar exatamente em que momento a atração tinha se transformado em repugnância. Mas, quando outro homem, o extremo oposto da pessoa calculista com quem havia passado o último ano, demonstrou interesse por ela, a oportunidade lhe pareceu irresistível.

Ela pretendia ligar para ele mais tarde e lhe contar tudo.

— Acabou — repetiu ela. — Agora vá embora.

Antrim se lançou sobre ela de forma abrupta. A mão dele apertou seu pescoço, e suas costas bateram no tampo da mesa, o roupão aberto, expondo seu corpo nu. A força do ataque ergueu seus pés do chão, e agora Kathleen estava presa na mesa, as pernas suspensas.

Era a primeira agressão que sofria na vida.

O rosto de Antrim se aproximou do dela. Kathleen não conseguia respirar direito. Pensou em resistir, mas tudo o que sabia sobre aquele homem lhe dizia que ele era um covarde.

Ele não iria além daquilo.

Era o que ela esperava.

— Apodreça no inferno — disse ele.

Depois a empurrou para o chão e foi embora.

Fazia muito tempo que ela não pensava naquele dia. Seu quadril ficou dolorido por uma semana. Antrim tentou falar com ela por telefone, deixou mensagens pedindo desculpas, mas ela as ignorou. Um mês antes daquele último encontro, ele havia escrito uma

116 \ STEVE BERRY

recomendação para sua candidatura à Soca. Oferecera-se para fazer isso, revelando em seguida seu emprego na CIA e dizendo que uma recomendação da parte dele não seria má ideia. Na época, Kathleen não tinha certeza de se devia abandonar o direito e se tornar uma policial, mas aquela separação violenta a convenceu.

Isso nunca mais aconteceria com ela.

Então Kathleen aprendeu a se defender, a portar um distintivo e a atirar.

Também se tornou um pouco imprudente e muitas vezes se perguntava se isso tinha acontecido por causa de Antrim ou apesar dele.

Homens como Blake Antrim acreditam que todo mundo é inferior a eles. *Acreditar* que está no topo é muito mais importante do que realmente estar lá. E, quando essa fantasia entra em conflito com a realidade, eles partem para a violência. Havia algo doentio nele. Ele nunca voltava atrás. Não podia. Não só fechava portas, como as trancava e jogava a chave fora, tornando-as intransponíveis para sempre.

Para ele, a única opção era seguir em frente.

Mathews podia ter se enganado.

Aproximar-se de Antrim após dez anos podia ser mais difícil do que eles pensavam.

Parte Dois

Dezesseis

20H30

KATHLEEN SEMPRE GOSTAVA de voltar a Oxford, onde havia estudado por quatro anos. Portanto, ficou feliz quando as instruções no laptop a fizeram dirigir quase cem quilômetros a noroeste de Londres.

A cidade existia desde o século X, e os normandos foram os primeiros a erguer um castelo ali. No século XIII, foi fundada uma universidade. Atualmente, trinta e nove faculdades independentes ocupam os prédios góticos cor de mel. Atendem por nomes como Corpus Christi, Hertford, Christ Church, Magdalen e Trinity e, juntas, formam uma federação, a mais antiga da Inglaterra, conhecida como Universidade de Oxford.

O rio Tâmisa e o rio Cherwell encontram-se ali, e Kathleen havia passado muitas tardes remando naquelas águas tranquilas, o que a tornou bastante habilidosa com aqueles barcos de casco plano. O rei Haroldo morreu ali, e foi ali que nasceu Ricardo Coração de Leão. Henrique V estudou em Oxford, e Elizabeth I fazia festas entre seus pináculos, torres, claustros e pátios. Aquele era um lugar repleto de história, de teologia e de conhecimento, onde grandes políticos, clérigos, poetas, filósofos e cientistas se formaram. Ela havia lido que

120 \ STEVE BERRY

Hitler supostamente havia poupado a cidade de seus bombardeios com o intuito de torná-la sua capital inglesa.

Oxford era exatamente como Mathews Arnold a definia.

A cidade das torres sonhadoras.

Durante o trajeto, ela ficou pensando em Blake Antrim. A perspectiva de encontrá-lo novamente era repugnante. Ele não era o tipo que entregava os pontos. Era fraco demais para pedir perdão. Quantas mulheres teriam passado por sua vida desde então? Será que ele havia se casado? Tido filhos?

Mathews não lhe dera informações relevantes sobre essa segunda etapa; disse apenas que fosse direto ao salão da Jesus College, que ficava no coração da cidade, em meio a lojas e pubs. Fundada por um galês, mantida por Elizabeth I, era a única faculdade de Oxford criada durante seu reinado. Era pequena, com talvez seiscentos alunos entre os de graduação e pós-graduação. Kathleen sempre adorou seu inconfundível ar elisabetano. Conhecia seu salão, que lembrava o do Middle Temple. A mesma forma retangular, os painéis de madeira entalhados, as cártulas e os retratos pintados a óleo, um deles da própria Elizabeth, que dominava a parede acima da mesa principal. Porém não havia ali o teto de madeira em estilo gótico tão característico dos Tudors, apenas gesso.

Ela pensou em como poderia acessar o campus, já que era noite de sexta-feira, mas o portão da Turl Street com a Ship Street estava aberto, o salão, iluminado, e uma mulher a aguardava lá dentro — pequena, os cabelos louros meio grisalhos presos em um coque. Usava um terno azul-marinho conservador, saltos baixos, e apresentou-se como Dra. Eva Pazan, professora de história na Lincoln College, outra das centenárias instituições de Oxford.

— Na verdade, eu estudei na Exeter, e pelo que sei você frequentou a St. Anne's — disse Pazan.

As duas faculdades faziam parte das trinta e nove instituições de Oxford. A St. Anne's sempre foi mais acessível aos estudantes que, como ela, vinham de escolas públicas, e não das escolas preparatórias particulares. Ser admitida ali tinha sido um dos pontos altos de sua vida. Kathleen ficou curiosa a respeito da idade de Pazan, pois sabia que a Exeter tinha sido exclusivamente masculina até 1979.

— A senhora deve ter sido uma das primeiras mulheres lá, não?

— É, fui. Mudamos a história.

Kathleen queria saber por que estava ali, e Pazan notou sua ansiedade.

— Sir Thomas quer que eu passe a você alguns detalhes que não foram fornecidos em Londres. Informações que não são encontradas em registros por motivos óbvios. Ele acha que eu sou a melhor pessoa para explicar tudo a você. Sou especialista na era Tudor. É isso que ensino na Lincoln. Porém às vezes também forneço informações históricas para nossas agências de inteligência.

— E foi Sir Thomas quem escolheu este local?

— Foi, e eu concordei. — Eva apontou para o outro lado do salão. — Aquele retrato, de Elizabeth I, foi um presente do cônego de Canterbury à faculdade em 1686. Ele ilustra o assunto que vamos abordar.

Kathleen olhou para a imagem da rainha, que usava um vestido de gala. A padronagem geométrica das mangas bufantes combinava com a da túnica, e a bainha era debruada com pérolas. Dois querubins seguravam uma grinalda sobre a cabeça de Elizabeth.

— Foi pintado em 1590, quando a rainha tinha 57 anos.

Mas o rosto era de uma mulher muito mais jovem.

— Foi mais ou menos nessa época que todos os retratos de Elizabeth I considerados impróprios foram confiscados e queimados. Qualquer retrato da rainha que evidenciasse sua mortalidade era terminantemente proibido. O homem que pintou este quadro, Nicholas Hilliard, concebeu uma estrutura facial que todos os pintores deviam seguir ao retratá-la. Uma Máscara da Juventude, era assim que a corte chamava, que a representava eternamente jovem.

— Nunca imaginei que ela fosse tão consciente de sua idade.

— Elizabeth era um enigma. Sua fisionomia era fortemente marcada por rugas, ainda que sempre majestosa. Ela xingava, falava de modo grosseiro, era inteligente, astuciosa, perspicaz... era realmente filha de seus pais.

Kathleen sorriu, relembrando a história de Henrique VIII e Ana Bolena.

— O que sabe sobre Elizabeth? — perguntou Eva.

— Apenas o que contam os livros e os filmes. Ela governou por muito tempo. Nunca se casou. Foi a última monarca Tudor.

— Sim. Foi uma pessoa fascinante. Deu a essa faculdade o título de primeira instituição protestante de Oxford. E ela levou isso a sério. Trinta padres, todos integrantes do corpo docente, foram executados durante seu reinado por praticar o catolicismo ou se recusar a reconhecê-la como chefe da Igreja.

Olhando novamente para o retrato, Kathleen agora teve a impressão de que era mais uma caricatura do que a representação fiel de uma mulher morta havia mais de quatrocentos anos.

— Como o pai dela, Elizabeth cercou-se de homens competentes e ambiciosos, mas, ao contrário dele, manteve-se leal a esses homens durante toda a vida — continuou Eva. — Você já ouviu falar de um deles.

Ela não entendeu.

— Disseram-me que você viu a página de um diário escrito em código.

— Mas não me contaram de quem era.

— Aquele diário foi escrito por Robert Cecil.

Ela conhecia o nome Cecil, um dos mais antigos da Inglaterra.

— Para entender Robert, você precisa conhecer o pai dele, William — disse Eva.

Eva explicou a Kathleen que William Cecil havia nascido em uma modesta família galesa que lutara ao lado de Henrique VII, o primeiro rei Tudor. Fora criado na corte de Henrique VIII para exercer algum cargo burocrático no governo. A morte de Henrique VIII em 1547 deu origem a dez anos de crise política. Primeiro reinou o menino, Eduardo VI, até morrer aos 15 anos. Depois, sua meia-irmã,

Maria, filha da primeira esposa de Henrique, ocupou o trono. Ela ganhou o apelido de *sanguinária* porque mandava protestantes para a fogueira. Durante o reinado de cinco anos de Maria, Cecil abrigou a jovem princesa Elizabeth, filha da segunda mulher de Henrique VIII, Ana Bolena. Ela cresceu em sua casa, longe da corte. Em 1558, quando finalmente se tornou rainha, Elizabeth imediatamente nomeou William Cecil como seu principal secretário e, mais tarde, seu secretário de Estado, uma posição que o transformou em principal conselheiro da monarca e o tornou mais próximo a ela que qualquer outra pessoa. Elizabeth nunca se decepcionou com a confiança que depositava em Cecil. *Nenhum príncipe na Europa tem um conselheiro como o meu.* Por mais de quarenta anos, Cecil foi o grande arquiteto do reinado de Elizabeth. *Ganhei mais com minha virtude e comedimento do que com minha sagacidade.* Um cronista da época destacou que ele *não tinha amigos íntimos, como os grandes homens costumam ter, e ninguém sabia de seus segredos; algumas pessoas apontam isso como algo ruim, mas a maioria considera essa característica louvável e um exemplo de sua sabedoria. Como não confiava seus segredos a ninguém, ninguém poderia revelá-los.*

O primogênito de Cecil, Thomas, tinha mais aptidão para o serviço militar do que para o governo. William, por sua vez, tinha pouco apreço pelo serviço militar. *Um reino ganha mais com um ano de paz do que em dez de guerra.* Finalmente, William tornou-se tesoureiro-mor, recebeu o título de cavaleiro e acabou barão, lorde Burghley. Serviu a rainha até a morte, em 1598, quando seu segundo filho, Robert, se tornou lorde Burghley e assumiu o cargo de conselheiro de Elizabeth.

— William Cecil era um ótimo administrador — informou Eva. — Um dos melhores de nossa história. Elizabeth deve a ele grande parte de seu sucesso. Ele fundou o baronato Cecil, que existe até hoje. Dois primeiros-ministros vieram dessa família.

— Mas não são todos formados em Cambridge? — questionou Kathleen com um sorriso.

— Vamos perdoá-los por isso. Robert Cecil era como o pai — continuou Eva —, porém mais dissimulado. Morreu em 1612, jovem, aos

48 anos. Foi secretário de Estado nos cinco últimos anos do reinado de Elizabeth e nos nove primeiros anos do reinado de Jaime I. Foi também chefe dos espiões do rei Jaime. Descobriu a Conspiração da Pólvora e salvou a vida do rei. O grande Francis Walsingham foi seu tutor.

Ela conhecia esse nome, o homem considerado pai da inteligência britânica.

— Walsingham era um homem estranho — prosseguiu Eva. — Só usava roupas escuras e era envolto em mistério. Era rude e às vezes até grosseiro, mas, como a rainha valorizava seus conselhos e respeitava sua competência, acabou tolerando suas excentricidades. Foi Walsingham quem descobriu a traição que obrigou Elizabeth a executar sua prima, Mary, rainha da Escócia. Foi Walsingham quem criou as bases para a derrota da armada espanhola. Por fim, Elizabeth deu a ele o título de cavaleiro. Estou contando isso a você porque quero que compreenda que tipo de pessoa foi responsável pela educação de Robert Cecil. Infelizmente, como o pai, Robert deixou poucos escritos. Por isso é difícil dizer o que exatamente ele sabia e o que de fato fez. Mas uma coisa a história confirma.

Kathleen escutava com atenção.

— Ele garantiu que Jaime I sucedesse a Elizabeth.

Ela não sabia como tudo isso estava relacionado a Blake Antrim, mas obviamente havia uma ligação. Mathews a havia mandado até lá por um motivo.

Então Kathleen continuou escutando.

— Elizabeth nunca se casou nem teve filhos — continuou Eva. — Foi a última de cinco monarcas Tudor e reinou por quarenta e cinco anos. No fim de seu reinado, todos estavam nervosos. Quem a sucederia? Havia vários candidatos à Coroa, e a perspectiva de uma guerra civil crescia. Robert Cecil assegurou que Jaime, rei da Escócia, filho da falecida prima de Elizabeth, Mary, ocupasse o trono. Há uma série de cartas entre Robert e Jaime que detalham como isso foi feito. Isso aconteceu entre 1601 e a morte de Elizabeth em 1603. Foi chamado

A FARSA DO REI \ 125

de A União das Coroas. Esse ato reuniu a Escócia à Inglaterra. Foi o início da Grã-Bretanha. Quando Jaime assumiu os dois tronos, este país mudou. Para sempre.

— Foi Robert Cecil quem causou tudo isso?

— Exatamente, mas a própria Elizabeth deu seu aval.

ROBERT CECIL e o lorde almirante aproximaram-se. Robert se posicionou aos pés do leito, o almirante e vários outros lordes o cercaram.

— Majestade, precisamos perguntar — começou o lorde almirante. — Quem deseja que a suceda?

Elizabeth abriu os olhos. No dia anterior, eles pareciam fracos e moribundos, mas agora Robert via neles o ardor que tinham antes que aquela velha senhora ficasse acamada.

— Digo-lhes que meu trono foi o trono de reis. Não aceitarei que nenhum crápula me suceda, e quem deveria me suceder senão um rei?

As palavras não passaram de meros sussurros, mas todos ali as ouviram claramente. Alguns poucos lordes pareceram confusos com a resposta enigmática, mas Cecil a entendeu perfeitamente, e então perguntou:

— Um nome, Majestade.

— Quem senão nosso primo da Escócia?

O esforço era tão grande que parecia acabar com toda a energia que lhe restava.

— Peço que vocês não me incomodem mais — disse ela.

Os lordes se retiraram e discutiram o que tinham ouvido. Muitos ainda tinham dúvidas, como Cecil previra. Portanto, no dia seguinte, um grupo maior, mais representativo, retornou ao leito de Elizabeth. Infelizmente, a rainha não era capaz de falar. Estava morrendo de forma muito rápida.

Cecil se curvou e disse:

— Majestade, estes cavalheiros pedem mais um sinal de que seu primo, o rei Jaime da Escócia, é a sua escolha. Peço-lhe encarecidamente que satisfaça esse pedido.

Os olhos de Elizabeth indicaram que ela havia entendido, e os homens aguardaram. Lentamente, seus braços se ergueram até a cabeça. Os dedos unidos em círculo formaram uma coroa, e ela os manteve assim por um instante.

Não restou mais nenhuma dúvida sobre sua intenção.

Poucas horas depois, Elizabeth, rainha da Inglaterra, França e Irlanda, Defensora da Fé, morreu.

— Cecil estava pronto — prosseguiu Eva. — Ele reuniu o conselho e informou seus integrantes da escolha da rainha. As testemunhas confirmaram. Na manhã seguinte, no Palácio de Whitehall, depois de ter sido anunciado pelas trombetas, ele leu pessoalmente a proclamação que afirmava que Jaime VI da Escócia seria rei Jaime I da Inglaterra. A mesma proclamação foi lida em todo o país ao longo do dia. Não houve qualquer oposição. Com um único movimento resoluto, Robert Cecil assegurou a sucessão rápida, sem derramamento de sangue, de uma rainha que não havia deixado herdeiros diretos. Muito habilidoso, não acha?

— Mas a senhora precisa me explicar o que tudo isso tem a ver com a tarefa que Sir Thomas me atribuiu.

— Eu sei. E pretendo fazer isso. Parece que a chuva finalmente parou lá fora, vamos até o pátio.

As duas saíram do salão para um dos pátios gramados da faculdade, cercado pelos prédios góticos, a maioria das salas com as luzes apagadas. Arcadas e portas garantiam o acesso na escuridão. A chuva havia parado, o céu noturno estava limpo.

Elas estavam sozinhas.

— Embora os dois Cecils fossem muito reservados e não tenham deixado quase nenhum registro pessoal, há um artefato deles que sobreviveu ao tempo, e me disseram que você já viu uma cópia desse objeto.

Kathleen se lembrou da página escrita em código.

— O diário codificado de Robert foi conservado na Hatfield House, onde ele viveu até morrer, em 1612. Infelizmente, ele foi roubado há quase um ano.

Um dos furtos que seu supervisor havia descrito.

— Fui informada de que um homem chamado Farrow Curry pode ter decifrado o código.

— Talvez. E por isso é imperativo que você recupere qualquer dado que Curry possa ter descoberto.

— A página que eu vi era incompreensível.

— Exatamente como Cecil queria que fosse. O código nunca foi desvendado. Mas temos pistas de como isso pode ser feito. Gostaria de ver mais imagens daquele diário?

Ela assentiu.

— Estão lá dentro. Espere aqui que vou buscar.

A professora se virou e voltou para o salão iluminado.

Kathleen ouviu um estampido, como se alguém batesse palmas.

Em seguida outro.

Virou-se.

Um buraco irrompeu no tecido no ombro direito de Eva. A mulher soltou um gemido sufocado.

Outro estampido.

O sangue verteu.

Eva tombou no piso de pedra.

Kathleen virou-se novamente e avistou a silhueta de um atirador no telhado do prédio em frente, talvez a uns trinta metros de distância.

Ele estava reajustando a mira de seu rifle.

E ela era o alvo.

Dezessete

ANTRIM APROXIMOU-SE DA Torre de Londres. A antiga fortaleza cinza situava-se às margens do Tâmisa, perto da Tower Bridge. No passado, um enorme fosso circundava o castelo, mas agora em seu lugar havia um gramado cor de esmeralda iluminado que se estendia pelo espaço entre o imponente muro e a rua. Uma brisa noturna vinha do rio, soprando o temporal para longe.

Ele conhecia aquela área desde criança e se recordou das lojas de roupas baratas e restaurantes bengalis dos arredores. No passado, o East End era o local onde os imigrantes se estabeleciam. O dia seguinte, sábado, era dia de feira, e os becos estariam repletos de ambulantes vendendo frutas frescas e roupas usadas. Ele se lembrou de vagar por essas ruas quando era garoto, de conhecer os vendedores ambulantes, de ouvir suas histórias.

O alvo andava à sua frente a passos rápidos, mas parou por uns instantes diante de uma casa de espetáculos que anunciava um show de cabaré.

Em seguida, o homem atravessou a rua.

Um edifício-garagem erguia-se à direita, mas o cavalheiro de cabelos pretos continuou a caminhar, e a bandeira britânica, iluminada por refletores, tremulava lá em cima, bem no alto da Torre. O local já havia fechado, e os guichês estavam vazios e escuros. Mais adiante, às margens do Tâmisa, as pessoas andavam de um lado para o outro, com a Tower Bridge iluminada à distância, o tráfego intenso. O homem de cabelos pretos dirigiu-se até a margem do rio e sentou-se em um dos bancos.

Antrim se aproximou e se sentou ao lado dele.

O inverno já dava sinais de que estava se aproximando, e ele sentiu a pedra fria do assento. Ainda bem que usava luvas e um sobretudo forrado.

— Espero que seja importante — disse o outro homem. — Eu tinha planos para hoje.

— Um dos meus agentes acabou de ser assassinado.

O homem continuou a olhar para o rio.

Antrim explicou o que havia acontecido na Catedral de St. Paul. O homem, embaixador adjunto dos Estados Unidos no Reino Unido, encarou-o.

— Os britânicos sabem o que estamos fazendo?

O encontro tinha sido marcado pela CIA depois de Antrim relatar parte do que havia ocorrido. Omitira especificamente quem havia matado o homem na catedral e os acontecimentos da Temple Church.

— Não sei — respondeu ele. — Mas está tudo sob controle.

— É mesmo, Antrim? Sério? Sob controle?

Como estavam em público, era necessário decoro.

— Você entende o que está em jogo aqui? — perguntou o homem.

Claro que ele entendia, mas achou melhor fingir boa vontade.

— Por que não me explica?

— O governo escocês está prestes a soltar al-Megrahi. Isso é loucura. Quarenta e três cidadãos britânicos morreram naquele avião. Onze escoceses morreram em terra. Mas parece que todo mundo se esqueceu disso.

— A CIA perdeu um de seus chefes de operações no voo 103 da Pan Am. Assim como a Agência de Inteligência da Defesa e o Serviço de Segurança Diplomático. Quatro agentes estavam voltando para casa. Eu sei o que está em jogo — retrucou Antrim.

— E fomos informados de que você poderia resolver essa situação. Isso, é claro, faz um ano. Contudo, aqui estamos, ainda muito longe de evitar o que quer que seja. A libertação desse prisioneiro só vai servir para mostrar nossa fraqueza no cenário geopolítico atual. Você é capaz de imaginar? Kadafi vai rir da nossa cara. Vai exibir al-Megrahi em todos os noticiários. O recado será bem claro. Não conseguimos nem que um de nossos aliados mantenha um assassino preso, um homem que matou muitos de seus cidadãos. Então preciso saber. Você será capaz de impedir isso?

Antrim ainda aguardava notícias sobre Cotton Malone e Ian Dunne e estava preocupado por não ter recebido mais nenhuma informação.

— O único jeito de impedir isso é forçar os britânicos a intervir. Normalmente, os escoceses não podem nem se coçar sem o consentimento de Londres. Eles praticamente não têm legislação própria. Por isso, nós dois sabemos que o governo escocês está agindo com o aval britânico. Basta uma palavra de Londres e esse trato com os líbios deixa de existir.

— Como se eu não soubesse disso.

— Estou à frente de uma operação que pode forçar os britânicos a agir — disse Antrim.

— Sobre a qual não fomos informados.

— E não serão até obtermos sucesso. Mas estamos perto. Muito perto.

— Infelizmente, seu tempo está praticamente esgotado. Soubemos que a libertação vai acontecer nos próximos dias.

Isso era novidade para Antrim. Langley havia omitido esse pequeno detalhe, muito provavelmente porque a Farsa do Rei estava prestes a ser abortada. A morte de um agente havia tornado essa decisão ainda mais imperativa. Será que estavam tramando para que ele fracassasse? Já tinha visto isso acontecer. Ninguém da diretoria assumiria a culpa, não quando ela poderia recair sobre alguém que estava mais abaixo na hierarquia.

Você é um homenzinho desprezível.

Palavras de Denise, em Bruxelas, que ainda o incomodavam.

— Aquele líbio filho da puta devia ter sido enforcado ou fuzilado — praguejou o diplomata. — Mas os idiotas dos escoceses não têm pena de morte. Progressistas, é assim que eles se denominam. O cúmulo da idiotice, se quer saber.

Por algum motivo, neste assunto, os britânicos queriam afrontar seu aliado mais próximo. Se não fosse pelas escutas da CIA, ninguém teria tomado conhecimento da libertação do terrorista líbio até o último instante. Por sorte as negociações haviam se prolongado, mas tudo levava a crer que estavam chegando ao fim.

— É com você — disse o homem. — Não temos meios de forçar Londres a intervir. Pedimos, oferecemos algo em troca, até imploramos. Downing Street diz que não vai se envolver. A única coisa que nos resta é a sua operação. Você vai conseguir fazer com que seja bem-sucedida?

Antrim já trabalhava na CIA havia tempo suficiente para saber que, quando um político frustrado, em posição de poder, pergunta se ele consegue fazer algo, há somente uma resposta.

Mas sabia também que seria uma mentira.

Antrim não estava mais perto de solucionar o problema do que há um mês. Ian Dunne lhe dava alguma esperança, mas a essa altura não tinha como saber se ele seria sua salvação.

Então, respondeu da única forma possível.

— Não sei.

O diplomata voltou a olhar para o rio. O último barco turístico do dia passou rumo ao oeste, vindo de Greenwich.

— Pelo menos você está sendo honesto.

— Eu gostaria de saber uma coisa — começou Antrim. — Por que os britânicos não querem intervir? Não parece algo típico deles. O que eles têm a ganhar soltando aquele assassino?

O diplomata se levantou.

— É complicado e não é da sua conta. Simplesmente faça seu trabalho. Ou pelo menos o que ainda resta dele.

E o homem saiu andando.

Dezoito

OXFORD

KATHLEEN SE ESCONDEU atrás de um banco úmido de pedra no exato instante em que o atirador mirou nela. Ficou agachada, pronta para agir. Sua expiração se condensou no ar frio da noite.

Ela viu o atirador, que usava as ameias no telhado para se esconder, sua sombra incidindo na ardósia escura. Parecia haver um silenciador no rifle — ela tinha notado algo na ponta do cano longo. Kathleen estava desarmada. Os agentes da Soca raramente portavam armas. Se houvesse necessidade de usá-las, deviam envolver a polícia local. Não havia muitos lugares para se esconder no pátio, exceto pelos poucos bancos de concreto nos caminhos transversais. Seis postes emitiam uma luz âmbar. Ela olhou para Eva Pazan, deitada de bruços, imóvel, nos degraus que levavam à arcada.

— Professora Pazan — chamou Kathleen.

Nada.

— Professora Pazan.

Ela viu o atirador desaparecer.

Aproveitou a oportunidade e dirigiu-se rapidamente à entrada do prédio. Havia uma maçaneta e uma aldrava de metal reluzente na porta de mogno.

A FARSA DO REI \ 133

Tentou abri-la. Trancada.

Bateu a aldrava, na esperança de haver alguém lá dentro.

Não houve resposta.

Encostou-se na parede, fora da mira do atirador, protegida pela arcada de pedra. Mas, com a porta fechada e sem ninguém respondendo ao seu apelo, ela continuava encurralada. A dez metros dali havia outro vão, este mais elaborado, com um frontão decorado de palmeiras e de querubins. As luzes fracas que vinham de dentro do prédio iluminavam as janelas em estilo gótico. Um canteiro verdejante e estreito estendia-se entre um caminho de concreto e a fachada. Glicínias subiam por uma pérgula e chegavam às paredes de pedra e ao telhado. Se ela fosse rápida e permanecesse junto à parede, poderia chegar lá. O atirador lá em cima teria de se curvar para conseguir acertar o alvo. Com um rifle isso levaria tempo.

Talvez fosse o suficiente.

Ainda junto à porta trancada, ela olhou para o pátio. Lembrou-se por um instante de seu treinamento, de ter aprendido que, ao ficar junto à parede, tornava-se um alvo mais difícil.

Sua mente acelerou.

Quem estaria tentando matá-las?

Quem sabia que ela estava aqui?

Kathleen respirou fundo e ficou imóvel. Com certeza já havia estado em situações difíceis, mas sempre pôde contar com reforços. Não tinha passado por nada parecido com isso.

Mas ela daria conta.

Uma rápida olhada para cima. Kathleen não viu nada.

Um.

Dois.

Movida pela adrenalina, ela correu os dez metros até o outro vão, buscando refúgio em seu frontão de pedra.

Nenhum tiro foi disparado.

Será que o atirador tinha ido embora?

Ou estaria descendo para o térreo?

Havia outra porta de carvalho fechada, mas o trinco estava aberto. Era a capela da faculdade, a nave longa e estreita, as laterais repletas de bancos de madeira entalhada sob as janelas de estilo gótico.

Era semelhante à Capela de São Jorge, mas menor.

O piso era de mármore trabalhado, e vitrais se assomavam acima do altar. Três arandelas emitiam um brilho alaranjado. Estava fora do alcance do atirador, mas uma rápida olhada em volta confirmou que não havia outra porta além daquela pela qual havia entrado. Na parede oposta havia um órgão, seus tubos próximos ao teto arqueado. Uma escadaria estreita levava até lá.

De trás do órgão, a uns três metros de Kathleen, apareceu um homem.

Seu rosto estava encapuzado, e ele usava um casaco escuro.

Ele apontou a arma e disparou.

No táxi com Cotton Malone, Ian segurava a sacola plástica com seus pertences.

Tirou os livros da sacola.

Ivanhoé e *Le Morte d'Arthur*.

Malone apontou para as páginas.

— Meus livros também têm o carimbo da loja, como esses.

— De onde você tirou esse nome, Cotton?

— É mais curto que meu nome completo. Harold Earl Malone.

— Mas por que Cotton?

— É uma longa história.

— Você também não gosta de responder perguntas, não é?

— Eu prefiro quando *você* faz isso — observou Malone. — Bom gosto para livros. *Ivanhoé* é um dos meus favoritos, e é difícil não gostar do rei Artur.

— Eu gosto de Camelot, dos Cavaleiros da Távola Redonda, do Santo Graal. A Srta. Mary me deu alguns livros com histórias de Merlin e Guinevere.

A FARSA DO REI \ 135

— Eu também gosto de livros.

— Eu nunca disse que gosto de livros.

— Não precisa. Dá para ver pelo jeito como os segura.

Ian nunca tinha percebido que havia um jeito especial de segurar um livro.

— Você aninha o livro na palma da mão. Mesmo que tenham sido bem usados, são preciosos para você.

— São apenas livros — retrucou Ian, mas sua negação soou falsa.

— Eu sempre achei que, na verdade, são ideias que ficaram ali registradas para sempre. — Malone apontou para um dos livros de bolso. — Malory escreveu o rei Artur na segunda metade do século XV. Você está lendo as ideias dele, ideias que têm quinhentos anos. Nunca o conheceremos pessoalmente, mas podemos conhecer sua imaginação.

— Você acha que Artur não existiu?

— O que você acha? Que ele foi real ou apenas um personagem criado por Malory?

— Foi real. — A intensidade de sua resposta o incomodou. Estava mostrando muito de si para esse estranho.

Malone abriu um sorriso.

— Vindo de um verdadeiro inglês, eu não esperaria nada menos.

— Eu sou escocês, não britânico.

— É mesmo? Pelo que sei, escoceses e ingleses são britânicos desde o século XVII.

— Talvez. Mas esses *sassenachs* metidos a besta são arrogantes demais para o meu gosto.

Malone deu uma risada.

— Fazia tempo que eu não ouvia alguém chamar um inglês de *sassenach*. Falou como um verdadeiro *jock*.

— Como você sabe que nós, escoceses, somos chamados de *jocks*?

— Eu também leio.

Ele percebeu que Cotton Malone prestava atenção nele, ao contrário da maioria das pessoas que havia conhecido. E não parecia ser um

136 \ STEVE BERRY

homem que se deixava abalar por trivialidades. Naquela garagem, ao enfrentar o falso policial e uma pistola, ele se manteve no comando da situação o tempo todo, forte e confiante como um cavalo de corrida que abre vantagem logo na largada. Seu cabelo ondulado e bem-cortado tinha o tom lustroso de uma pedra desgastada pelo tempo. Ele era alto e musculoso, mas sem excessos. Tinha um rosto bonito, feições harmoniosas. Não sorria muito, mas não havia muito com que se alegrar. Gary tinha dito que seu pai era advogado, como aqueles que Ian às vezes via nos tribunais de Londres, desfilando com perucas e togas. Mas aparentemente Malone não se deixara contaminar por toda aquela pompa.

Na verdade, Ian sentia que podia confiar nele.

E em sua vida ele havia confiado em pouquíssimas pessoas.

KATHLEEN NÃO TEVE tempo de reagir. O homem puxou o gatilho, e algo veio em sua direção. Ela levou um instante para perceber que não era uma arma de fogo, mas um taser.

Seu ombro foi atingido por eletrodos.

A eletricidade fez seu corpo se contorcer. Suas pernas fraquejaram, e ela tombou.

A descarga elétrica foi interrompida.

Sua cabeça ficou zumbindo. Todos os músculos se retesaram por alguns segundos torturantes. Então vieram os tremores. Incontroláveis.

Ela nunca havia sentido nada assim.

Deitada no piso xadrez, tentou reassumir o controle de seu corpo. Seus olhos estavam fechados, e de repente ela sentiu a pressão da sola de um sapato na lateral do rosto.

— Acho que a senhorita percebeu que foi guiada até aqui.

Sim, ela percebeu.

— Na próxima vez, Srta. Richards, serão balas.

A raiva tomou conta de Kathleen, mas não havia muito a fazer. Seus músculos ainda estavam retesados.

O homem tirou o pé do rosto de Kathleen.

— Fique paradinha aí e escute. — O homem estava atrás dela, bem próximo. — Não vire para trás, a menos que queira levar mais uma descarga elétrica.

Ela continuou ali deitada em silêncio, desejando que os músculos obedecessem a seu cérebro.

— Já dissemos a Antrim. Agora estamos dizendo a você. Não se meta nisso.

Ela tentou avaliar a voz fria, de fala rápida. Jovem. Masculina. Não muito diferente do tom de voz de Mathews, mas menos formal.

— Somos os guardiões dos segredos — disse o homem.

Do que ele estava falando?

— Pazan está morta — continuou ele. — Ela sabia demais. No momento, a senhora ainda sabe pouco. Um conselho. Continue assim. Saber demais pode ser fatal.

O corpo de Kathleen estava relaxado, a dor tinha passado, sua capacidade de raciocínio voltava ao normal, mas Kathleen manteve a cabeça no chão, o homem ainda atrás dela.

— *Domine, salvam fac Regnam.*

Ela havia estudado latim na escola e entendeu o que o homem disse.

Senhor, salve a rainha.

— Esse é o nosso dever — prosseguiu ele. — *Et exaudi nos in die qua invocaerimes te.*

E ouça-nos no dia em que o invocarmos.

— E essa é a nossa recompensa por essa tarefa. Esses são nossos princípios. Não se esqueça deles. Essa é nossa primeira e última advertência. Não se meta nisso.

Kathleen precisava olhar para aquele homem. Teria sido ele quem havia disparado o taser? Ou haveria outra pessoa ali?

Sentiu o toque de uma mão enluvada, e os eletrodos foram retirados de seu corpo.

Kathleen ouviu a porta da capela se abrir.

— Continue onde está, Srta. Richards. Espere alguns minutos antes de se levantar.

A porta se fechou.

Imediatamente, ela tentou se erguer. Sua pele toda coçava. Sentia-se tonta, mas forçou-se a ficar de pé, cambaleando um pouco. Recuperou o equilíbrio. Foi até a porta da capela e girou a maçaneta. Abriu-a com facilidade e espiou o pátio iluminado.

Vazio.

Ela deu um passo para fora. O ar frio da noite ajudou a clarear sua mente.

Como o homem havia desaparecido com tanta rapidez?

Ela olhou para a direita, para o vão que ficava a uns dez metros dali, onde havia se escondido antes. Era a saída mais próxima.

Foi até lá, girou a maçaneta novamente.

Ainda trancada.

Seus olhos voltaram-se para os degraus e a arcada que levava ao salão.

O corpo de Eva Pazan já não estava lá.

Dezenove

SENTADO NO BANCO, Antrim ficou olhando para o Tâmisa escuro. O cretino arrogante do Departamento de Estado já havia ido embora. Estava fazia vinte anos na CIA, era um veterano, e ficava ressentido de receber ordens como se fosse um empregado. Mas um de seus agentes tinha morrido, e Langley deixara claro que haveria repercussões.

Agora o prazo tinha se tornado mais curto.

Alguns dias.

Ninguém tinha falado nada sobre isso.

Será que estavam armando contra ele? Parecia ser assim que as coisas funcionavam. O valor de um agente era medido apenas por suas ações mais recentes, e eles não tinham sido nada memoráveis. Sua esperança de salvação recaía na Farsa do Rei.

Ele se deparou com a ideia ao ler um memorando da CIA da década de 1970. Um obscuro partido político irlandês investigara uma maneira radical de acabar com a presença britânica na Irlanda do Norte. Um método legal, sem violência, que se utilizava de bases legais. No entanto, as provas que confirmavam a teoria dos irlandeses não foram encontradas, embora o memorando detalhasse inúmeras pistas já descobertas. Assim que ele sugeriu a operação, informantes infiltrados na inteligência britânica, provavelmente os mesmos olhos e ouvidos que alertaram Langley sobre a libertação do prisioneiro líbio, providenciaram informações de arquivos da MI6 esquecidos fazia muito tempo. Foi o suficiente para que a Farsa do Rei fosse aprovada e designada à contrainteligência. Contudo, após um ano de trabalho, nada de significativo fora descoberto.

Exceto pela informação que havia morrido com Farrow Curry.

E essa Sociedade Dédalo.

Fatos que pareciam confirmar que havia algo mais a ser descoberto.

Estava com dor de cabeça, resultado dos meses de preocupação, planejamento e sonhos.

Cinco milhões de libras. Foi o que a Dédalo ofereceu apenas para ele encerrar a operação. Seria melhor aceitar? As coisas pareciam destinadas ao fracasso mesmo. Por que não sair dessa com alguma coisa?

Especialmente depois da mensagem que ele tinha acabado de receber.

Tenho um dos garotos. Dunne fugiu.

Idiotas. Como puderam se deixar ludibriar por um garoto de 15 anos? As ordens eram simples. Buscar Malone, o filho dele e Dunne em Heathrow e levá-los a uma casa próxima a Little Venice. Lá, Malone devia ser neutralizado, e seu filho e Dunne seriam conduzidos a outro local. Pelo jeito, tudo tinha dado certo, exceto a parte mais importante.

Encurralar Ian Dunne.

Outra mensagem.

A gravação de vídeo na garagem é interessante. Veja.

A casa em Little Venice tinha câmeras e escutas. Então Antrim acessou o vídeo da câmera da garagem pelo seu smartphone e viu Cotton Malone recolocando as roupas na sacola de viagem.

E Ian Dunne.

Observando.

Ele aproximou o telefone dos olhos.

Que oportunidade!

Malone e Dunne saíram juntos da garagem.

No dia anterior, Antrim formulou um plano, o qual considerou inteligente e funcional. Mas agora outra ideia veio à sua cabeça. Uma maneira de talvez ganhar os cinco milhões da recompensa.

Mas antes precisava saber uma coisa, e então enviou uma mensagem a seus homens.

Vocês conseguiram colocar um localizador no telefone?

Antrim havia recomendado que eles descobrissem o número do celular de Malone e tivessem certeza de que o aparelho pudesse ser rastreado.

Sim.

MALONE SAIU DO táxi com Ian. Por sorte, o motorista aceitou receber em moeda americana e ganhou uma gorjeta de 20 dólares pelo favor.

O esconderijo de Ian ficava atrás de um conjunto de prédios georgianos em uma região de Londres conhecida como Holborn. Os edifícios ficavam de frente para um parque, que era rodeado por uma rua estreita de mão única e construções com fachada de tijolinho. Pelas plaquinhas com nomes nas portas, Ian notou que a maioria delas era ocupada por advogados — os quais, ele sabia, ocupavam aquela área da cidade havia muito tempo. Uma rica mistura de claustros, pátios e travessas definiam o lugar. O que o Ricardo III de Shakespeare disse? *Meu senhor de Ely, a última vez que estive em Holborn vi belos morangos em seu jardim.* Os canteiros de morangos já não existiam mais, e o velho mercado dera lugar às joalherias e ao comércio de diamantes. Somente o parque iluminado do outro lado da rua parecia remanescente da Idade Média — um paisagismo meticuloso e pontilhado de árvores secas.

142 \ STEVE BERRY

Eram quase nove da noite, mas as calçadas continuavam movimentadas. Uma mãe tentava apressar os passos do filho, e a cena fez Malone pensar em Pam. Ela sempre tinha sido uma mulher calculista, cuidadosa com o que dizia, que não demonstrava seus sentimentos. Malone se ressentia por ela ter chegado a esse ponto com relação a Gary. É claro, Pam agiu sob o efeito da culpa que guardou consigo ao longo de todos esses anos. Mas será que ela não sabia que havia segredos que nunca deveriam ser revelados? Há seis meses, quando Pam conversou com ele sobre a paternidade de Gary, justificou-se dizendo que queria *ser justa*.

Desde quando?

Ela havia guardado esse segredo durante todos esses anos. Por que não guardá-lo para sempre? Nem ele nem Gary o teriam descoberto.

Então o que havia motivado sua súbita necessidade de dizer a verdade?

Havia muito tempo, quando Malone era apenas um insensato tenente da Marinha, ele a magoou. Fizeram terapia de casal, aprenderam a lidar com aquilo, e ele achou que seu sincero pedido de desculpas tinha sido aceito. Dez anos depois, quando Pam saiu de casa, ele percebeu que o casamento deles nunca havia tido uma chance.

Trair a confiança de alguém é perdê-la para sempre.

Ele havia lido isso em algum lugar, e era verdade.

Mas como teria sido para ela observar, dia após dia, pai e filho criando laços, sabendo que aquilo era, pelo menos em parte, uma ilusão?

Malone tateou o celular no bolso, desejando que tocasse. Não havia contado a Ian o conteúdo da conversa anterior. É claro, não pretendia entregar o garoto.

Mas precisava do pen drive.

Malone carregava sua sacola de viagem e a de Gary penduradas no ombro, e Ian o conduzia por um beco escuro que dava para um pátio interno, cercado pelas paredes de tijolos dos edifícios. A claridade vinda de algumas janelas fez com que ele notasse uma pequena estrutura de pedra em um canto. Ele sabia o que era. Um dos antigos poços de Londres. Muitos bairros da cidade levavam o nome das fontes que, no passado, supriam seus residentes de água. Camberwell. Clerk's. St. Clement's. Sadler's. E ainda havia as fontes consideradas milagrosas, com propriedades curativas, datadas da época dos celtas. A maioria delas tinha sido desativada havia muito tempo, mas não esquecida.

Malone foi até a estrutura de pedra do poço e olhou para baixo.

— Não há nada lá embaixo — disse Ian. — Foi aterrado, tem só um metro de profundidade.

— E o seu esconderijo, onde é?

— Aqui.

Ian se aproximou de uma grade em uma das paredes.

— É um duto de ventilação que leva ao porão. Sempre fica solta.

Malone observou Ian erguer a grade e pôr a mão do duto, tateando seu interior.

Outra sacola de plástico, da Selfridges, surgiu na mão do garoto.

— Há uma saliência aqui em cima da grade. Eu a encontrei outro dia.

Malone admirou a esperteza do garoto.

— Vamos voltar para a rua, lá está mais iluminado.

Saíram do pátio interno e encontraram um banco embaixo de um dos postes de luz. Esvaziaram o conteúdo da sacola de plástico, e Malone observou os itens. Dois canivetes, algumas joias, três relógios, vinte libras e um pen drive de 32GB. Muito espaço para dados.

— É isso? — perguntou Malone.

Ian confirmou.

— Quando eu o peguei, pareceu um isqueiro ou um gravador portátil.

Ele segurou o pen drive e fechou a mão.

— O que vamos fazer agora? — perguntou Ian.

Seria bom se resguardar.

— Vamos encontrar um computador e ver o que há nessa coisa.

144 \ STEVE BERRY

GARY ESTAVA DEITADO no sofá com o sujeito da bala de alcaçuz ainda por perto. Ele calculou que havia se passado meia hora desde que chegara ali. Seus braços estavam amarrados para trás e, por isso, começavam a doer, o rosto estava suado por causa da touca de lã, a camisa toda molhada. Se esses homens quisessem machucá-lo, já o teriam feito, e era com esse pensamento que tentava conter a tensão que crescia rapidamente dentro de si. Pelo visto, o queriam inteiro.

Mas por quanto tempo?

Ouviu uma batida, depois um estalo.

O som de madeira sendo estraçalhada.

— Mas que m...! — exclamou o homem perto dele.

— Largue isso — gritou uma voz que nunca tinha ouvido. — Agora.

Gary ouviu uma coisa dura bater em um tapete.

— No chão. Coloque suas mãos onde eu possa vê-las.

— Nós estamos com o outro — disse uma voz mais distante.

Som de passos, e então:

— No chão, ao lado do seu camarada.

O sotaque não era britânico. Esses caras eram americanos.

A touca de lã foi tirada de seu rosto, e a tira que atava suas mãos foi cortada. Gary esfregou os pulsos e piscou por causa da súbita claridade no cômodo. Quando finalmente focou os olhos, viu um carpete dourado e gasto, paredes marrons e duas poltronas iguais, uma de cada lado do sofá. A porta tinha sido estraçalhada, arrancada das dobradiças. Seus dois sequestradores, Devene e Norse, estavam deitados de bruços no chão. Havia três homens ali, todos armados. Dois deles mantinham as armas apontadas para os falsos policiais.

O terceiro estava sentado ao seu lado no sofá.

Sentiu um grande alívio.

— Você está bem? — perguntou o homem.

Ele fez que sim.

O homem era mais velho, aparentava ter a mesma idade de seu pai, mas com menos cabelo e alguns quilos a mais. Usava um sobretudo escuro, camisa social e calças escuras. Olhos cinza-claros o fitavam com preocupação.

— Estou bem — disse Gary. — Obrigado por me encontrar.

Já havia visto aquele rosto.

— Nós nos conhecemos em Atlanta, não é?

O homem sorriu.

— Isso mesmo. Sua mãe nos apresentou. No verão, quando eu estive lá a trabalho.

Gary se lembrou daquele dia, no shopping center, perto da praça de alimentação. Tinham ido comprar roupas. O homem chamou, aproximou-se e ficou conversado com a mãe dele enquanto ele fazia compras. Tudo pareceu cordial e agradável. Quando foram embora, a mãe disse que ele era um velho amigo que ela não encontrava havia muito tempo.

E ali estava o cara.

Ele tentou se lembrar do nome.

O homem lhe estendeu a mão.

— Blake Antrim.

Vinte

OXFORD

A CABEÇA DE Kathleen girava. Ela já havia enfrentado traficantes de drogas disparando mil e quatrocentos tiros de Uzis e de AK-47. E também um tiroteio em um quarto de hotel em Tenerife, provocado por um pedófilo que não queria retornar à Inglaterra. Kathleen já havia escapado de dentro de um carro após ele ter caído de uma ponte no rio. Mas ela nunca tinha passado por nada semelhante ao que havia acontecido nos últimos minutos. Uma mulher assassinada por um atirador de elite. Ela própria tinha sido atingida por um taser. E um homem que protege segredos da realeza a ameaçou e desapareceu em seguida.

Sozinha, ela estava de pé no pátio escuro.

Seu telefone vibrou no bolso do casaco.

Ela atendeu.

— Já terminou com a professora Pazan?

Thomas Mathews.

— Ela está morta.

— Explique.

Ela assim o fez.

— Estou aqui, em Oxford. Eu pretendia falar com a senhorita depois de sua conversa com a professora Pazan. Venha imediatamente ao Queen's College.

KATHLEEN PERCORREU OS poucos quarteirões, seguindo pela elegante High Street, conhecida como The High. Muitas das faculdades de Oxford ficavam naquela via que ia do centro da cidade até o rio Cherwell. Apesar de ser mais de nove horas da noite, havia bastante movimento por ali. Carros e ônibus lotados deixavam rastros de fumaça, transportando pessoas que chegavam ou saíam da cidade para o fim de semana. Ela estava com os nervos à flor da pele, mas dizia a si mesma que se acalmasse. Afinal, poderia estar sentada em seu apartamento à espera de sua demissão.

Aquele pé no rosto a deixara muito irritada. Teria sido esse o objetivo? Colocá-la em seu lugar? Nesse caso, tinha sido uma péssima ideia. Se cruzasse novamente com aquele sujeito, ele pagaria caro pelo insulto.

A Queen's College era uma das faculdades mais antigas de Oxford, fundada no século XIV. Seu nome era uma contrapartida à já existente King's College, na esperança de que futuras rainhas zelassem pela instituição. Seus prédios medievais já não existiam fazia muito tempo devido à ação do tempo e à falta de recursos para sua conservação. O que restava era uma obra de arte barroca, levemente deslocada em meio a tanto esplendor gótico, que tinha em uma cúpula a estátua da rainha Carolina, mulher de Jorge II. Muitos achavam que o nome da faculdade era uma homenagem a ela. Na verdade, era uma homenagem a uma benfeitora anterior — Filipa, mulher de Eduardo III.

Kathleen entrou no pátio principal pelo portal abaixo da cúpula, o caminho iluminado à sua frente emoldurado por um gramado invernal. As arcadas das galerias estendiam-se à esquerda e à direita, suas pedras rústicas ásperas e quebradiças, conferindo-lhe a aparência de um mosteiro nas montanhas.

148 \ STEVE BERRY

Ela viu Mathews do outro lado do pátio à sua direita e apressou-se até lá. Ele ainda parecia um diplomata bem-vestido, com seu terno impecável e sua bengala. Sob a luz incandescente, ela notou uma coisa que não havia percebido antes. A pele pálida, sombria, e uma papada flácida.

— Gosto de vir aqui — disse o velho. — A Queen's College é impressionante, mas sempre achei que a Pembroke tinha os alunos mais bonitos e talentosos.

Ele ergueu os cantos dos lábios finos, e ela entendeu que tinha sido uma piada. Sobre si mesmo. Kathleen pensou que aquilo devia ser um acontecimento raro.

— Eu devia ter adivinhado que o senhor estudou em Pembroke.

— Faz quarenta e dois anos que me formei. As coisas não mudaram muito por aqui desde então. Isso é encantador nesta cidade. É sempre a mesma.

Kathleen queria saber sobre Eva Pazan.

— Seu relato é perturbador— comentou ele. — Eu não havia percebido a real dimensão dos acontecimentos. O homem que a abordou na capela... Nós já lidamos com o bando dele antes. Eles também confrontaram Blake Antrim na Temple Church.

— O que o senhor obviamente sabia, visto que me trouxe até aqui.

— É verdade, mas não sabíamos que eles estavam a par do seu envolvimento. A ideia era que eu e a senhorita observássemos Antrim sem sermos notados. Isso significa que tenho um problema de segurança.

— O que é esse grupo?

— Nos últimos anos, eles não causaram nenhum problema significativo. A última vez que se mostraram insolentes assim foi antes da Segunda Guerra, quando Eduardo VIII abdicou.

Todo cidadão britânico conhecia a história do rei que havia se apaixonado por uma americana divorciada.

— O que é esse grupo?

— Chama-se Sociedade Dédalo. O máximo que podemos contar é que essa sociedade foi formada no início do século XVII por Robert Cecil.

— Pazan me contou um pouco sobre ele. Foi próximo de Elizabeth e de Jaime I.

— Ele foi responsável por Jaime ter se tornado rei, com a ajuda de Elizabeth, é claro. Os escoceses deviam seu trono a Robert Cecil.

— Não deveríamos estar procurando a professora Pazan?

— Não, Srta. Richards, não deveríamos. Temos um pessoal que vai lidar com isso, e eles já foram acionados. Nossa tarefa é seguir adiante. Nesse ramo, as pessoas não podem fazer tudo sozinhas.

Sua repreensão veio com uma voz dura e cortante, o tom de quem não queria ser desafiado.

— O que o senhor quer que eu faça?

— Essa Sociedade Dédalo complica as coisas. Recomendo que a senhorita não conte a ninguém o que sabe.

Essa é nossa primeira e última advertência.

Não se meta nisso.

— Acho que eu devo ter uma arma.

Mathews pôs a mão no bolso do sobretudo, tirou uma pistola automática e a entregou a Kathleen.

— Pegue a minha.

Ela verificou o pente para se assegurar de que a arma estava totalmente carregada.

— Não confia em mim? — perguntou ele.

— No momento, Sir Thomas, não sei o que pensar.

— Levando em consideração seu histórico, pensei que a senhorita já tivesse passado por situações mais emocionantes.

Ele estava começando a irritá-la.

— Eu faço o que é necessário quando é necessário.

— Já lidei com outros agentes com uma postura parecida com a sua. A maioria deles morreu ou já não trabalha comigo.

— Eu não pedi para participar dessa missão.

150 \ STEVE BERRY

— Verdade. Eu a escolhi e sabia o que me esperava, certo?

— Mais ou menos isso.

Ele assentiu.

— A senhorita está encarando a situação muito bem, admito.

Kathleen aguardou até que ele lhe dissesse o que viria a seguir.

— Não sei se a senhorita lembra — começou Mathews —, mas nos Inns of Court eu contei sobre os dois Henriques, Catarina Parr e o grande segredo que eles guardaram. Um santuário, talvez uma câmara subterrânea, onde a maior parte da fortuna Tudor foi escondida.

— Tudo isso é por causa de um tesouro enterrado?

Ela percebeu o aborrecimento dele.

— Só em parte, Srta. Richards. E por que parece tão incrédula? Essa câmara poderia guardar uma grande riqueza de informações. Sabemos que, na época, passagens secretas ligavam, e ainda ligam, muitos dos prédios governamentais de Whitehall. A senhorita deve saber disso.

Ela sabia. Atualmente, essas passagens eram acessíveis apenas por meio de portas com fechadura digital. Certa vez ela se aventurou por um dos túneis.

— Henrique VIII usava passagens semelhantes para ir à sua quadra de tênis e à cancha de bocha no Palácio de Whitehall. Acreditamos que haja outras passagens construídas ou descobertas por seu pai, Henrique VII. Passagens que permaneceram ocultas durante quinhentos anos.

O que fazia sentido, pois Londres possuía uma grande rede de túneis, construídos em diferentes momentos da história, e novas passagens subterrâneas eram descobertas o tempo todo.

— Catarina Parr foi incumbida de transmitir esse segredo ao filho de Henrique, Eduardo, mas não há provas de que tenha feito isso. Quase dois anos depois do falecimento de Henrique, ela morreu. Achamos que ela pode ter contado o segredo... *não* a Eduardo, mas a outra pessoa.

— A quem? Aos Cecils?

— Impossível. Henrique VIII morreu quinze anos *antes* de William Cecil ascender ao poder com Elizabeth, e trinta anos *antes* de Robert Cecil suceder a seu pai. Não, Catarina Parr contou a outra pessoa.

— Como o senhor sabe?

— Eu sei, simplesmente aceite isso. Pedimos à professora Pazan que a instruísse sobre o diário de Robert Cecil e suas várias possibilidades. A chave para tudo isso está na decodificação daquele diário. A fortuna Tudor nunca foi encontrada nem calculada. Valeria bilhões atualmente.

— E os americanos querem nosso tesouro?

— A senhorita sempre questiona tudo? Não consegue aceitar que há assuntos aqui de grande importância para a segurança nacional? Saber que assuntos são esses é irrelevante para o que esperamos do seu trabalho. Tenho algumas tarefas específicas para a senhorita. Não pode simplesmente fazer o que eu peço?

— Só estou curiosa a respeito de uma coisa. O SIS é encarregado de nos proteger de ameaças em solo estrangeiro. Por que não é o Serviço de Segurança, o MI5, que está cuidando dessa investigação? Eles são responsáveis por cuidar das ameaças internas.

— Por que o primeiro-ministro ordenou o contrário.

— Eu não sabia que o primeiro-ministro podia violar a lei.

— Você é mesmo impertinente.

— Sir Thomas, uma mulher morreu ainda há pouco. Eu gostaria de saber por quê. Mas o senhor não parece se importar.

Kathleen percebeu a irritação na fisionomia do homem. Ele claramente não estava acostumado a contestações.

— Se não necessitasse de sua assistência, eu me uniria aos seus supervisores e a dispensaria.

— Sorte minha ser tão valiosa nesse momento.

— E sorte sua que a situação tenha mudado. Antrim envolveu aquele ex-agente americano que mencionei antes. Cotton Malone. Ele se desviou do foco de suas ações para atrair Malone até aqui. Preciso que a senhorita descubra o motivo. Como eu já disse, decifrar o diário de Robert Cecil é essencial para a solução desse caso. Nas próximas horas, Antrim pode ter os meios necessários para fazer isso. Diga, ele é capaz de tirar proveito da própria sorte?

— Ele não é burro, se é isso o que está perguntando. Mas também não é brilhante. É desleal e traiçoeiro.

— É exatamente minha avaliação. A operação dele não deu certo. Antrim está frustrado. Seus superiores o pressionam por resultados. Felizmente, o tempo é curto, e o que ele procura é difícil de achar.

Mathews olhou para o relógio de pulso e, em seguida, para o pátio. As pessoas circulavam por ali, entrando e saindo da faculdade.

— Quero que volte para Londres — ordenou Mathews. — Imediatamente.

— A professora Pazan não me contou o que eu precisava saber. Ela estava voltando para o salão para me mostrar mais páginas codificadas.

— Nada foi encontrado no salão.

Por que Kathleen não estava surpresa?

— Parece que nada aqui é explicado, não estou acostumada a trabalhar assim.

— Em quantas operações de inteligência já trabalhou?

Outra repreensão, mas Kathleen não podia ficar calada.

— Já trabalhei em milhares de investigações. Admito, nenhuma delas envolvia a segurança nacional, mas vidas, propriedades e a segurança pública estavam em jogo. Entendo a gravidade dessas situações.

Mathews se apoiou na bengala, e Kathleen novamente notou o cabo, bastante original.

— Essa bengala é bem incomum.

— Um presente que me dei anos atrás. — Ele ergueu a bengala. — Uma peça sólida de marfim com o mundo entalhado na ponta. Eu a seguro todos os dias como lembrete do que está em jogo em nossa profissão.

A FARSA DO REI \ 153

Ela captou a mensagem.

Isso é importante. Trabalhe comigo.

— Tudo bem, Sir Thomas. Chega de perguntas. Vou voltar para Londres.

— Vou providenciar outra reunião para a senhorita. Nesse meio-tempo, fique alerta.

Vinte e um

NÃO MUITO DISTANTE de Holborn, Malone encontrou um cyber café e imediatamente analisou os frequentadores. A maioria de meia-idade. Uma clientela despretensiosa. Provavelmente advogados, o que fazia sentido, pois não estavam longe dos Inns of Court. Ele pagou para usar um dos computadores e fez o login. Ian ficou por perto e parecia interessado; não fez qualquer tentativa de fugir. O celular de Malone ainda não havia tocado, e ele estava ficando preocupado. Ele era acostumado à pressão, mas as coisas eram diferentes quando alguém próximo corria perigo. O fato de que os sequestradores sabiam que o garoto era sua única fonte de barganha o confortava.

Ele inseriu o pen drive.

Apareceram três arquivos.

Malone verificou o tamanho deles e notou que variava, um pequeno e os outros dois bem grandes.

Clicou primeiro no pequeno.

O arquivo abriu.

ELIZABETH I TINHA 14 anos quando seu pai, Henrique VIII, morreu, e seu meio-irmão, Eduardo VI, tornou-se rei. Catarina Parr, a viúva de seu pai, rapidamente descobriu o que significava não ser mais rainha, pois lhe foi negado qualquer envolvimento com o enteado. O conselho regente nomeado por Henrique VIII em seu testamento assumiu o governo. Edward Seymour, tio do rei, conseguiu ocupar o cargo de protetor do reino. Para acalmar os ânimos de Catarina, a jovem Elizabeth foi morar em sua casa em Chelsea, em uma mansão de tijolos vermelhos que dava para o Tâmisa, e ali ficou pouco mais de um ano.

Em 1547, ressurgiu um antigo pretendente de Parr — Thomas Seymour, irmão do protetor do reino e tio mais novo de Eduardo VI. Thomas havia perdido Catarina para Henrique VIII quando o rei decidiu que ela seria sua sexta esposa. Uma descrição quase contemporânea de Thomas dizia que ele era "intrépido, corajoso, cortês, de personalidade imponente e de voz magnífica... mas um tanto fútil". Também era ambicioso, implacável e egocêntrico. Hoje em dia, seria considerado um homem confiante, alguém que por meio de seu charme e astúcia convence suas vítimas a fazer o que talvez nunca fariam.

Como tio do novo rei, Thomas foi nomeado duque de Somerset e recebeu o título de lorde almirante. Isso devia ter aplacado suas ambições, mas, furioso por seu irmão ser o protetor do reino, Thomas decidiu mudar seu destino. Era solteiro, tinha opções, e um casamento poderia mudar radicalmente sua situação. O testamento de Henrique VIII especificava que suas filhas, Maria e Elizabeth, não poderiam se casar sem o consentimento do conselho regente. Thomas tentou obter permissão para se casar com uma das duas, mas não foi atendido. Então voltou sua atenção para a rainha viúva.

Catarina Parr tinha 34 anos em 1547 e ainda era muito bonita. Ela e Seymour já haviam sido amantes; portanto, quando ele foi a Chelsea e começou a cortejá-la, o desfecho foi previsível. Casaram-se secretamente na primavera, sem a permissão do jovem rei, que foi concedida apenas meses depois.

Foi depois disso que algo curioso aconteceu. Seymour, Parr e Elizabeth passaram a morar juntos em Chelsea, na casa de campo em Hanworth ou na residência de Thomas em Londres. A atmosfera era bastante alegre. Quando estavam em Chelsea, Seymour começou a visitar os aposentos de Elizabeth de manhã cedo para lhe dar bom-dia, e às vezes dava-lhe um tapa no traseiro. Ele também fazia isso com outras moças da casa. Se Elizabeth ainda estivesse deitada, ele abria as cortinas e tentava se enfiar na cama com ela.

Testemunhas relatam que Elizabeth se encolhia embaixo das cobertas, tentando se resguardar. Certa manhã, ele até tentou beijá-la, mas Kate Ashley, governanta de Elizabeth, o expulsou do quarto. Finalmente, a jovem começou a se levantar e a se vestir mais cedo, a fim de ficar pronta para as visitas. Lady Ashley acabou confrontando Seymour, que não expressou arrependimento por seus atos. A própria Catarina, a princípio, achou o episódio inofensivo, mas não demorou a mudar de opinião. Ela logo começou a se irritar com os flertes de seu marido com a princesa, percebendo que ele havia se casado com ela apenas porque suas tentativas de se casar com Maria ou Elizabeth foram recusadas pelo conselho. Em essência, ela foi a terceira opção. Agora, Seymour tentava seduzir Elizabeth.

Mas com que finalidade?

Em janeiro de 1548, Catarina estava grávida do primeiro filho de Seymour. Ela estava com 35 anos, e naquela época dar à luz com essa idade era bastante arriscado. Em fevereiro, Catarina flagrou Seymour e Elizabeth juntos, abraçados. A rainha viúva confrontou Lady Ashley sobre isso, e não havia qualquer registro histórico da conversa entre elas. Até agora.

A ira da rainha viúva voltou-se para Lady Ashley. Ela culpou a governanta por não zelar adequadamente pela jovem princesa, mas Lady Ashley deixou claro que apenas cumprira uma ordem do lorde almirante Seymour para deixá-los a sós.

— Você não entende? — perguntou a rainha viúva. — Você certamente deveria entender.

Fez-se silêncio, a pausa longa o bastante para que Catarina soubesse que Lady Ashley entendia tudo plenamente. A rainha viúva já se perguntara sobre o quanto aquela mulher dedicada sabia. Agora isso estava claro.

Essa passagem foi traduzida exatamente como aparece no diário de Robert Cecil (com alguns ajustes para o idioma moderno). Consegui decifrar o código que possibilita sua leitura. Essas palavras confirmam tudo de que suspeitávamos. Catarina Parr não só sabia o segredo que seu marido, Henrique VIII, lhe contara no leito de morte, mas também sabia o que havia acontecido antes disso. O que o próprio Henrique nunca soube. Sua reação às insinuações de Seymour foi mandar Elizabeth embora de sua casa em abril de 1548. Elizabeth e a rainha viúva nunca voltaram a se ver, pois, cinco meses depois, Catarina faleceu. Thomas Seymour sequer foi ao funeral de sua mulher. Em vez disso, foi imediatamente à procura da princesa Elizabeth, renovando seu interesse em se casar com ela. Mas seus esforços foram em vão.

Malone interrompeu a leitura.

Ao seu lado, Ian também estava lendo o arquivo.

— O que tudo isso quer dizer? — perguntou Ian.

— Boa pergunta. Parece que Farrow Curry andou fazendo uma pesquisa histórica bem interessante.

— É o homem que morreu na Oxford Circus?

— É. Estas são as anotações dele, provavelmente um relatório em que ele estava trabalhando.

Ele continuou a ler na tela.

AGORA SABEMOS PELO diário de Robert Cecil que Catarina Parr deixou uma carta para Elizabeth, que foi entregue no Natal de 1548, quatro meses depois de sua morte. Parece ter sido escrita antes do nascimento da filha, em setembro, e se trata de uma mensagem reveladora que, uma vez interpretada dentro de um contexto apropriado, responde a muitas perguntas. Traduzi e adaptei a ortografia para o idioma moderno.

Não houve escolha, a não ser mandá-la embora. Por favor, filha, perdoe-me, pois é isso que eu sempre a considerei, minha filha, apesar de não termos o mesmo sangue correndo em nós. Somos ligadas pelo vínculo com seu pai. Meu atual marido é um homem sem caráter, que não se importa com ninguém além de si próprio. Certamente, você percebeu isso e reconhece o mal e o perigo que ele representa. Ele nada sabe sobre o que procura e seria indigno de estar a par da verdade. Deus deu a você grandes qualidades. Cultive-as sempre e empenhe-se em aperfeiçoá-las, pois creio que o céu a destinou a ser rainha da Inglaterra.

Isso consta no diário de Cecil. Existem outras referências semelhantes, todas igualmente irrefutáveis. Todas confirmam que a lenda é, de fato, verdadeira.

O relatório continuava com uma série de referências abreviadas, como se Curry fosse retornar mais tarde para terminá-lo. Malone passou os olhos pelo arquivo, notando várias menções a Hatfield House, a propriedade campestre de Robert Cecil ao norte de Londres, e a um retrato de Elizabeth I conhecido como The Rainbow Portrait, que faz parte do acervo local. Não há outras menções à lenda, qualquer que seja ela. Mas uma anotação no fim explicava: *a única maneira de ter certeza é ir e ver.*

O segundo arquivo, o maior dos três, continha imagens de um diário escrito à mão, as páginas em verde e dourado preenchidas com um texto em código. Havia sido nomeado DIÁRIO DE CECIL ORIGINAL. Pelo jeito, era o que Curry tinha conseguido traduzir. Não havia comentários ou outras referências no texto.

Malone não conseguiu abrir o último arquivo.

Protegido por senha.

Obviamente, esse era o mais importante dos três.

— Como a gente consegue a senha? — perguntou Ian.

— Algum técnico pode dar um jeito nisso.

O celular de Malone tocou. Ele fechou o arquivo.

— Sr. Malone — disse uma voz diferente. — Resgatamos Gary. Ele ouviu direito?

— Estamos estacionando perto de onde você está agora.

Malone olhou imediatamente para as janelas do cyber café.

Um carro parava no meio-fio.

— Fique aqui — ordenou a Ian e dirigiu-se para a porta.

Lá fora, a porta de trás do carro se abriu, e Gary saiu.

Graças a Deus.

— Você está bem? — perguntou Malone ao filho.

— Estou.

Um homem saiu do carro. Alto, ombros largos, cabelo ralo. Mais ou menos 50 anos. Usava um sobretudo azul-marinho na altura dos joelhos, aberto. Contornou o carro e estendeu a mão a Malone.

— Blake Antrim.

— Foi ele que me encontrou — disse Gary.

Outros dois homens saíram dos bancos da frente, ambos também de sobretudo. Malone conhecia o estilo.

— São da CIA? — perguntou ele a Antrim.

— Podemos falar sobre isso mais tarde. Você está com Ian Dunne?

— Ele está aqui.

— Traga-o.

Malone se virou para o cyber café, mas não viu Ian pela janela. Entrou rapidamente e foi até o computador.

O pen drive havia sumido.

Ian também.

Seus olhos percorreram a sala, e ele viu uma porta que levava à cozinha. Correu até lá e, ao ver duas mulheres trabalhando ali, perguntou por Ian.

— Saiu pela porta dos fundos.

Foi até a porta, mas deparou-se com um beco escuro e vazio com uma curva a cinquenta metros de distância.

Ninguém à vista.

Vinte e dois

ANTRIM ENTROU COM Gary no cyber café e viu Malone passar pela porta da cozinha.

— Ian fugiu — disse Malone. — Sumiu.

— Nós precisamos dele.

— Isso eu já entendi.

— Ele está bem? — perguntou Gary.

Mas Malone não respondeu.

Os clientes já prestavam atenção no que estava acontecendo, e então Antrim fez sinal para que saíssem. Na calçada, perto do carro, enquanto seus homens ficavam de guarda, ele se aproximou de Malone.

— Esta é uma operação da CIA.

— Meio espalhafatosa para uma operação secreta.

— Porque precisamos resgatar seu filho.

— A operação é sua?

Ele assentiu.

— Há mais de um ano.

Malone o encarou com um olhar frio.

— Eu ia entregar Ian Dunne à polícia em Heathrow. Só isso. Quando dei por mim, estava de cara no chão, semiconsciente, e meu filho tinha sumido.

— Tudo que posso dizer é que surgiram alguns problemas. Mas ainda preciso encontrar Ian Dunne.

— Por quê?

— Isso é confidencial.

— Estou pouco me lixando. Como me encontrou?

— Gary nos deu seu número, e então o rastreamos na esperança de que ainda estivesse com você.

— E como encontrou Gary?

— Digamos que um passarinho nos contou, e é o máximo que posso dizer.

— Mais informações confidenciais?

Antrim captou o sarcasmo.

— Mais ou menos isso.

Gary ficou ao lado do pai, escutando.

— O que é tão importante? — perguntou Malone. — O que você está fazendo aqui em Londres?

— Quando você era um dos nossos, saía por aí falando de suas missões com estranhos?

Não, ele não fazia isso.

— Vamos embora. Obrigado por encontrar meu filho. — Malone olhou para Gary. — Nossa bagagem está lá dentro. Vamos pegá-la e encontrar um hotel para passar a noite.

Antrim analisou o ex-agente da Magellan Billet. De acordo com os registros do departamento de recursos humanos, Malone tinha 47 anos, mas ele parecia mais jovem, com uma cabeleira loura escura e uns poucos fios brancos. Ambos tinham mais ou menos a mesma altura e a mesma constituição física, e até as feições eram semelhantes. Malone parecia em boa forma para um homem que havia deixado o trabalho de campo fazia mais de um ano. Contudo, o que mais chamou atenção de Antrim foram os olhos. Como registrado na ficha do Departamento de Justiça, eram verde-claros.

Até agora ele havia feito tudo certo.

Havia chegado a hora do toque final.

— Espere.

MALONE FICOU SATISFEITO por ter adivinhado corretamente.

Blake Antrim estava em apuros. Ele pressentiu aquilo quase de imediato, especialmente quando Antrim se deu conta de que Ian havia fugido. O que quer que estivesse acontecendo, não estava dando certo.

Ele parou e se virou.

Antrim aproximou-se.

— Estamos com um grande problema. Um problema de segurança nacional. E Ian Dunne pode ter algo de que precisamos desesperadamente para o sucesso da operação.

— Um pen drive?

— Isso mesmo. Você o viu?

— Vi. Ian está com ele. Ele o levou quando fugiu.

— Você leu o conteúdo?

— Uma parte, sim.

— Importa-se de compartilhar o que há nele?

— Não lembro.

— É mesmo? E o que houve com sua fantástica memória?

— Andou me investigando?

— Sim, depois de saber que você estava aqui com Ian Dunne e que seu filho estava em apuros.

Malone tinha uma excelente memória para detalhes. Não era fotográfica. Ele conseguia lembrar os pormenores mais simples sempre que desejava. De vez em quando era uma maldição, mas no geral ele considerava esse dom uma bênção. Então Malone resumiu para Antrim o que Farrow Curry havia escrito e comentou que um dos arquivos estava protegido por senha.

— Alguma ideia de onde Dunne possa estar? — perguntou Antrim.

— Eu só o conheci ontem. Não é muito amigável.

— E com você, Gary? — perguntou Antrim. — Ele comentou alguma coisa?

O rapaz fez que não com a cabeça.

A FARSA DO REI \ 163

— Não muito. Ele mora nas ruas. Mas comentou alguma coisa no avião sobre uma livraria onde ele passa a noite de vez em quando. A dona, uma tal Srta. Mary, é legal com ele.

— Ele disse onde fica?

— Em Piccadilly Circus.

— Parece um bom lugar para começar — afirmou Antrim.

Malone não conseguiu resistir.

— Especialmente quando é a única pista que você tem.

— Isso faz você se sentir melhor? — perguntou Antrim. — Já disse que estou numa encrenca. Admiti o problema. O que mais você quer?

— Ligue para Langley.

— Assim como você ligava para Stephanie Nelle cada vez que estava em apuros?

Ele nunca tinha feito isso. Nunca.

— Foi o que eu pensei — prosseguiu Antrim. — Você sempre dava conta de tudo. Que tal outro favor? Vá até a livraria e veja se Dunne aparece. Vocês dois parecem ter criado um vínculo...

— Quem eram os caras no aeroporto? Aqueles que me atacaram e sequestraram Gary?

— Eles trabalham para um grupo obscuro, chamado Sociedade Dédalo. Faz algum tempo que estão interferindo nessa operação. Pensei que nós os tínhamos sob controle, mas me enganei.

— Ian teve permissão de entrar no país sem passaporte.

— Eu fui responsável por isso. Quando ele foi encontrado nos Estados Unidos, pedi à imigração britânica que autorizasse a entrada dele. Meus agentes estavam no aeroporto esperando vocês, mas aqueles dois homens foram mais rápidos. Só mais uma coisa que deu errado.

Malone percebeu que havia tocado em uma ferida, mas sabia como o homem se sentia. Ele também já havia passado por operações que simplesmente não tinham dado certo.

— Tudo que posso dizer é que estamos lidando com coisas importantes e o tempo é curto — afirmou Antrim. — Precisamos daquele pen drive.

164 \ STEVE BERRY

— Assim como aqueles dois homens que me atacaram.

— Como eu disse, a Sociedade Dédalo também está atrás dele.

— Pai, vá atrás de Ian — pediu Gary.

Isso surpreendeu Malone.

— Não temos nada a ganhar com isso. Precisamos ir para casa.

— Que diferença faz mais algumas horas? — argumentou Gary. — Já está tarde mesmo. Nós temos tempo. Tente encontrá-lo. Eu vou junto, se você quiser.

— De jeito nenhum. Sua mãe me mataria se soubesse o que aconteceu. E eu não a culparia.

— Eu tomo conta dele — sugeriu Antrim.

— Eu nem conheço você.

— Dê seus telefonemas. Verifique. Vai descobrir que tudo o que contei a você é verdade. Gary pode ficar conosco por algumas horas. Estou com alguns agentes e vou cuidar pessoalmente dele.

Malone hesitou.

— Algumas horas para tentarmos encontrar Dunne. É só o que estou pedindo.

— Aceite, pai — insistiu Gary.

— Preciso dar aqueles telefonemas — disse Malone a Antrim.

— Entendo. Eu faria o mesmo. Mas lembre-se, fui eu quem encontrou seu filho.

Bom argumento. Mas Malone se lembrou de que Ian estava com medo.

— Se eu for atrás de Dunne, vou fazer isso sozinho. Não quero nenhum dos seus agentes por perto.

— De acordo.

— Tudo bem por você? — perguntou ele a Gary.

O rapaz assentiu.

— Você precisa encontrá-lo.

A FARSA DO REI \ 165

IAN NÃO TINHA gostado da cara dos sujeitos que saíram do carro. Tinham jeito de autoridade. Muito confiantes. Ele ficou contente ao ver que Gary estava bem, junto com o pai. Mas os falsos policiais de Heathrow definitivamente o haviam deixado assustado, e então ele decidiu que era hora de cair fora.

Levou o pen drive por dois motivos.

O primeiro era porque queria mostrá-lo para a Srta. Mary. Ela era a pessoa mais inteligente que ele conhecia, e ele estava interessado no que ela teria para dizer.

E o segundo era porque talvez Cotton Malone viesse atrás dele.

Se isso acontecesse, ele saberia onde encontrá-lo.

Então seguiu para Piccadilly Circus.

Vinte e três

OXFORD

Kathleen estava irritada.

Sentia-se ofendida com a maneira como Mathews lhe dava ordens, tratando-a como se ela fosse uma novata. Ele ignorou a maioria de suas perguntas, foi evasivo nas poucas respostas e em seguida a dispensou sumariamente, mandando-a de volta para Londres.

Mas uma mulher morreu na Jesus College, e seu corpo desapareceu.

Quem teria feito isso? Por quê?

E Kathleen não acreditava que *outros agentes* estivessem investigando o assassinato.

Nada daquilo parecia certo.

Será que Mathews achava que ela estava tão ansiosa assim para manter seu emprego a ponto de não fazer questionamentos? Ou ele simplesmente estava acostumado a ser obedecido? Era verdade, ela estava contente de ainda ter um emprego. E, apesar de criar problemas de vez em quando, Kathleen não havia construído uma carreira sendo burra ou complacente. Portanto, antes de ir embora de Oxford, voltou à Jesus College e ao pátio. Lá, encontrou o mesmo cenário tranquilo, o zumbido enfadonho dos motores a diesel vindo das ruas próximas.

A FARSA DO REI \ 167

Foi até o banco de concreto onde havia se protegido dos tiros. Nos degraus que davam para o salão, onde o corpo de Pazan havia tombado, curvou-se e esfregou a superfície áspera da pedra, notando a ausência de qualquer mancha de sangue. Olhou para o telhado e para o parapeito onde o atirador havia se escondido. O ângulo estava livre. Não havia nada que o impedisse de atingir o alvo.

Kathleen foi até a porta de carvalho com maçaneta de metal e tentou abri-la.

Ainda estava trancada.

No interior da capela, que continuava vazia, subiu os degraus íngremes até o órgão e viu onde a pessoa que a atacou havia se escondido, próximo ao teclado, atrás dos tubos, entre o instrumento e a parede. Ou seja, ele permaneceu ali muito tempo. O que significava que ele ficou ali por um tempo, esperando que ela buscasse refúgio.

Com um taser?

Acho que a senhorita percebeu que foi guiada até aqui.

Foi isso que ele disse.

Então eles sabiam que Kathleen iria até a Jesus College, em Oxford, para se encontrar com Pazan. E com bastante antecedência, pois tiveram tempo de se preparar. Atiraram na professora Pazan, mas nela não.

Por quê?

Porque precisavam mandar uma mensagem?

Arrumaram uma grande confusão; havia muitas formas mais simples de se fazer isso.

E o que tinha acontecido com o corpo de Pazan?

Já estava sendo insubordinada, então decidiu que o seria por completo. Embora a Universidade de Oxford compreendesse trinta e nove faculdades independentes, havia uma administração central que era responsável pela segurança das ruas, dos pátios e dos edifícios. Ela se lembrou disso de sua época de estudante e foi até o gabinete central, que ficava perto da delegacia da cidade. Suas credenciais da

168 \ STEVE BERRY

Soca foram recebidas com admiração, e os funcionários de plantão ficaram mais que felizes em responder suas perguntas.

— Vocês têm uma lista dos funcionários da universidade?

A moça sorriu.

— Todos são registrados ao serem contratados. Eles recebem uma carteirinha, que devem levar sempre consigo.

Isso fazia sentido.

— Existe uma funcionária da Lincoln College chamada Eva Pazan?

A mulher digitou algo e passou os olhos pelo monitor.

— Não.

— Alguma Eva ou Pazan separadamente?

Uma pausa enquanto ela fazia a busca.

— Nada.

— Há alguma funcionária em qualquer uma das faculdades com esses nomes?

Mais toques no teclado.

Não.

Por que ela não ficou surpresa?

Kathleen saiu do prédio.

Pazan podia ter mentido. Mas por quê? Ela havia dito especificamente que lecionava história na Lincoln e que tinha sido aluna da Exeter College.

E que Mathews a havia enviado até ali.

O que ele confirmou.

E então ela foi baleada.

Será que havia morrido? Ou tinha conseguido escapar? Nesse caso, por que não havia sangue em lugar algum?

Parecia que a mulher sequer tinha existido.

Ela não estava gostando nada disso.

Há poucas horas, Kathleen fora despachada para os Inns of Court, precisamente no mesmo instante em que Blake Antrim saía de lá. Tudo havia sido coordenado, calculado com precisão.

O que não era tão surpreendente.

Afinal, Kathleen estava lidando com o Serviço Secreto de Inteligência.

No Middle Hall, ela havia se considerado um cavalo ou uma torre no tabuleiro de xadrez. Agora tinha a sensação de ser apenas um peão.

O que a deixou desconfiada.

De todos.

MALONE ESCUTAVA STEPHANIE Nelle.

Havia telefonado para ela vinte minutos antes e dito o que precisava saber. Agora ela retornava sua ligação.

— Antrim é da CIA, contraterrorismo. A maioria das operações não consta nos registros, uma porção delas permanece sob sigilo por questão de segurança nacional. Ele está na agência há vinte anos. É o responsável por essa operação. Chama-se Farsa do Rei, mas Langley não quis entrar em detalhes.

— O que aconteceu com toda aquela cooperação pós-11 de Setembro?

— Terminou em 12 de setembro.

Isso ele já sabia.

— Algum problema com Antrim?

— Não consegui descobrir isso em tão pouco tempo, mas acho que minha fonte teria me dito algo se ele fosse um irresponsável. Ele é o típico profissional que construiu uma carreira na agência.

As informações batiam. As contraoperações requeriam paciência, não heroísmo. E Antrim parecia mais hesitante do que um herói.

— Está tudo bem aí? — perguntou ela.

— Agora está, mas foi meio perigoso.

Malone a pôs a par dos detalhes.

— Eu devia ter viajado na classe econômica.

— Você sabe que pode ir para casa, não sabe? — perguntou ela.

Ele sabia.

— Mas antes de eu e Gary irmos dormir esta noite, vou dar uma chance a Ian Dunne.

170 \ STEVE BERRY

Além disso, ele queria saber por que o garoto havia fugido e por que tinha levado o pen drive.

— Eu não iria fundo nisso — aconselhou Stephanie.

— Não é minha intenção. Mas o conteúdo do pen drive me deixou curioso. O que está acontecendo aqui?

— Não sei, mas eu deixaria eles se divertindo aí e iria para casa. Bom conselho.

Eles tinham saído do cyber café e ido de carro até uma casa atrás da Portman Square. Malone conhecia essa parte de Londres, próxima da movimentada Oxford Street, pois sempre se hospedava no Churchill, que ficava à esquerda da praça. Gary, Antrim e os outros dois agentes estavam dentro da casa. Ele havia saído para atender o telefonema.

— Está ficando tarde aqui — comentou ele. — De qualquer maneira, só podemos ir embora amanhã de manhã. E Antrim achou Gary. Estou devendo uma a ele.

— Sinto muito por tudo isso. Eu achei que seria um simples favor.

— Não é culpa sua. Acho que eu sempre dou um jeito de arrumar encrenca.

Ele desligou o telefone.

A porta se abriu, e Gary veio até ele na calçada.

— O que você vai fazer? — perguntou o rapaz.

— Vou procurar rapidamente por Ian. As informações sobre Antrim conferem. Ele é da CIA. Você vai ficar bem aqui.

— Ele parece legal. Disse que eu posso ver algumas coisas em que ele está trabalhando.

— Não vou demorar. Só algumas horas. Depois vamos para um hotel e seguiremos viagem amanhã de manhã.

Ele falou sério quando relatou a situação a Stephanie. Farrow Curry realmente havia descoberto algo estranho, ainda mais considerando-se que ele estava trabalhando em uma operação de contrainteligência dentro das fronteiras de um aliado americano.

— Sabe por que eu queria passar o dia de Ação de Graças com você? Ele assentiu.

— Mamãe me contou sobre meu pai verdadeiro... quero dizer, meu pai biológico.

— Tudo bem, filho. Eu sei que não é fácil.

— Ela não quer me dizer quem ele é. Eu quero saber. Ela nunca falou nada mesmo com você?

— Sua mãe só me contou isso há alguns meses e nunca mencionou o nome dele. Se ela tivesse me dito, eu contaria a você.

Malone não estava tentando diminuir Pam aos olhos do filho, mas não se pode contar a história pela metade. Ainda mais uma tão impactante quanto essa.

— Quando a gente for embora daqui, eu gostaria que você me contasse tudo o que aconteceu antes de eu nascer — pediu Gary. — Tudo.

Não era seu assunto predileto. Quem gostava de relembrar os próprios erros? Mas, graças a Pam, ele não tinha escolha.

— Vou contar tudo o que você quiser saber.

— Eu bem queria que a mamãe fizesse o mesmo.

— Não seja tão duro com ela. Ela está sofrendo muito por causa dessa história.

Eles ficaram ali, parados na rua repleta de carros estacionados. Ouviram o tráfego em uma avenida movimentada ali perto.

— Você acha que Ian pode estar com problemas? — perguntou Gary.

Malone ouviu o tom de voz preocupado do filho e compartilhou sua aflição.

— Acho que sim.

Vinte e quatro

ANTRIM ESTAVA SATISFEITO. Tinha estabelecido contato com Malone e, depois de fingir certa frustração e dar a entender que sua operação não estava indo bem, conseguira convencê-lo a procurar Ian Dunne. Não fora tão difícil, pois sua operação, de fato, ia mal. Contudo, jamais teria contado isso a um estranho.

Mas ele queria passar um tempo sozinho.

Gary era o único motivo de ele ter trazido Malone a Londres.

— *Você mentiu para mim* — disse ele.

Atrás de sua mesa no décimo segundo andar de um prédio comercial de Atlanta, Pam Malone ficou olhando para ele. Dois dias antes, ele a havia encontrado por acaso em um shopping center da cidade. Fazia dezesseis anos que não se viam nem se falavam. Naquela época, ele era agente da CIA baseado em Wiesbaden, na Alemanha. O marido de Pam era advogado e tenente da Marinha, parte do contingente americano da OTAN. Eles se conheceram, tiveram um caso rápido, e depois ela acabou com tudo.

— *Não menti para você* — retrucou ela. — *Simplesmente não contei nada.*

— *Aquele garoto é meu filho.*

Ele soube disso assim que conheceu Gary Malone. Tudo nele o fazia lembrar de si mesmo quando adolescente. E...

— *Ele tem meus olhos cinza.*

— *Os do meu ex-marido também são dessa cor.*

A FARSA DO REI \ 173

— *Você está mentindo de novo. Eu me lembro do nome do seu ex-marido. Na verdade, passei a ouvi-lo muitas vezes desde que nosso relacionamento acabou. Ele era um grande agente. Mas eu vi a ficha dele ontem. Os olhos dele são verdes. Os seus são azuis.*

— *Você está delirando.*

— *É mesmo? Então por que você está tão trêmula?*

Antrim tinha encontrado o endereço do escritório de Pam depois de uma olhada rápida nos registros da Ordem dos Advogados da Geórgia. A conversa no shopping havia sido breve, e Pam tinha comentado que agora era advogada, o que facilitou sua localização. Ele apareceu sem avisar, pois queria pegá-la desprevenida. A princípio, ela mandou a recepcionista dizer que estava ocupada, mas, quando ele pediu à mulher que lhe dissesse que "a veria em casa", foi conduzido à sala.

— *Você é um cretino inútil que gosta de bater em mulher.*

A separação deles havia deixado marcas. Ela o dispensou sem motivo, de repente. E isso o magoou. Na verdade, ele gostava dela. Mais do que da maioria. Antrim se afeiçoava muito às mulheres casadas e infelizes. Eram tão generosas, mostravam-se tão agradecidas... A única coisa que precisava fazer era fingir que se importava com elas. Com Pam não foi diferente. Na época, tinha certeza de que o marido a traía e queria pagar na mesma moeda. Entregou-se ao relacionamento com avidez.

— *Cometi um erro grave quando me envolvi com você* — *disse ela.* — *Um erro que prefiro esquecer.*

— *Mas não consegue. Tem um lembrete diário, não é?*

Ele viu que sua avaliação estava certa.

— *Deus me perdoe; é a única coisa que desprezo em meu filho.*

— *Não há motivo para se sentir assim. Aliás, ele é nosso filho.*

Os olhos dela se inflamaram.

— *Não diga isso. Nunca diga isso. Ele não é nosso filho. É meu.*

— *E seu ex-marido? Tenho certeza de que ele não faz ideia disso.*

Silêncio.

— *Talvez eu conte a ele.*

Mais silêncio.

Ele riu.

— Sem dúvida, isso é uma questão delicada para você. Eu entendo. Deve ter sido um choque me ver naquele shopping.

— Eu tinha esperança de que você estivesse morto.

— Qual é, Pam! Não foi tão ruim assim.

— Você quebrou minhas costelas.

— Você partiu meu coração, sem mais nem menos, e disse que nunca mais queria me ver. E depois de todos os momentos que tivemos juntos... Você não esperava que eu simplesmente fosse embora.

— Saia da minha sala.

— Quanto tempo depois você descobriu que estava grávida?

— Isso importa?

— Você já sabia quando me dispensou?

Ela não disse nada.

— Eu... devia... ter interrompido a gestação naquele momento.

— Você não está falando sério. Abortar seu filho? Você não é assim.

— Seu idiota, você não faz ideia de quem eu sou. Você não entende? Até hoje eu olho para aquele garoto, que eu adoro, e vejo você. Tenho que lidar com isso todos os dias. Por pouco não interrompi a gravidez... Por muito pouco... Mas, em vez disso, fiquei com o bebê e menti para o meu marido, dizendo que era dele. Você faz alguma ideia do que é conviver com isso?

Ele deu de ombros.

— Você devia ter me contado.

— Saia.

— Já estou indo. Mas, se fosse você, eu contaria a verdade ao seu marido e ao seu filho. Porque, agora que eu sei, você vai ver do que eu sou capaz.

E ele falou sério.

Ele imediatamente contratou um detetive particular para vigiar Pam e Gary Malone. Isso lhe custou uns dois mil dólares por mês, mas valeu cada centavo saber de cada passo deles, de suas necessidades e de seus desejos. A pessoa que ele havia contratado não dava a mínima para a lei e até conseguiu grampear a linha fixa do telefone de casa de Pam. A cada dois dias, uma gravação dos telefonemas era enviada para Antrim por e-mail. Foi assim que ele soube que Cotton Malone havia tomado conhecimento de que Gary não era seu filho biológico. A conversa entre os dois tinha sido acalorada, e Pam disse que Gary estava chateado e queria passar o feriado de Ação de Graças com ele na Dinamarca. Melhor ainda, nem Gary nem Malone sabiam quem era Antrim. Pam havia deixado os dois no escuro.

Boa menina.

Ele nunca cumpriu a ameaça de entrar em contado com Malone ou Gary. Não parecia o melhor a ser feito. Em vez disso, manteve-se paciente, fazendo o que agentes secretos fazem: reunindo informações para decidir qual seria a estratégia mais inteligente. Sua intenção inicial era estabelecer contato com Gary em Copenhague na semana seguinte.

Mas o surgimento inesperado de Ian Dunne mudou esse plano.

Em Londres seria muito melhor.

Então ele deu ordens para que Dunne fosse transferido da Flórida para a Geórgia e informou Langley de que Malone estava em Atlanta, voltando para a Europa. Que tal um favor entre agências? Um agente, ou pelo menos ex-agente da Magellan Billet, ajudando a CIA. Um simples serviço de babá. *Assim teremos certeza de que Ian Dunne será entregue em segurança.*

E funcionou.

Graças à inquietação de todos a respeito do que o governo escocês pretendia fazer.

Durante o resgate, ele havia observado Gary de perto, notando o nariz, o queixo comprido, a testa alta e, o mais importante, os olhos cinza. Agora Gary era todo seu. Pam Malone não estava por perto. Cotton Malone claramente não fazia ideia da ligação entre os dois, e levando-se em consideração o comentário de Malone na frente do cyber café, Antrim duvidava de que ele fosse avisar à ex-mulher. A única coisa que precisava fazer era impedir Gary de ligar para a Geórgia.

E isso seria fácil.

As próximas horas seriam críticas.

Ele disse a si mesmo que precisava agir com muito cuidado.

Mas isso não seria um problema.

Afinal, ele era um profissional.

Vinte e cinco

23H02

MALONE SEMPRE GOSTOU da vibração de Piccadilly Circus. Era intensa e movimentada, e a comparação com a Times Square era inevitável. Mas aquela confusão de sons já existia séculos antes de sua versão americana. O encontro de cinco ruas em torno da estátua de Eros, um marco de Londres. O Palácio de St. James ficava a poucas quadras dali, um dos poucos edifícios da era Tudor que continuavam de pé. Depois de ter lido sobre Catarina Parr e Elizabeth I, Malone continuou pensando nos Tudors, que governaram de 1485 a 1603. Já havia lido muito sobre eles e até mantinha uma seção sobre esse tema em sua livraria em Copenhague, pois sabia que muitas pessoas compartilhavam seu interesse. Agora tomava conhecimento de algo que nunca tinha visto em nenhum daqueles livros.

Um segredo.

Tão importante que tinha chamado atenção da CIA.

Os carros começaram a parar no cruzamento movimentado, e Malone atravessou a rua, seguindo em direção à região de Londres que se estendia além de Piccadilly. Aquela área concentrava cinemas, teatros, restaurantes e pubs, que ocupavam os prédios antigos, todos lotados naquela sexta-feira à noite. As fachadas e os vidros laminados transportavam-no a outra época. Abrindo caminho em meio à multidão, ele rumou para o endereço que havia localizado em seu iPhone.

A Any Old Books tinha mais ou menos o mesmo tamanho da livraria de Malone e ficava em um edifício do início do século XX, espremida entre um pub e um armarinho. A porta era de carvalho com vidro e tinha uma maçaneta gasta de metal. O interior também era parecido com o da livraria na Dinamarca, repleto de estantes de madeira do chão ao teto cheias de livros usados. Até o cheiro, aquela combinação de poeira, papel e madeira velha, lembrava-o de Copenhague. Malone imediatamente notou que havia uma ordem no caos. Tabuletas destacavam-se nas prateleiras indicando os assuntos das seções. A organização parecia ser uma preocupação comum a todos os donos de livrarias bem-sucedidas.

A mulher que estava atrás do balcão era pequena, magra, e tinha cabelos prateados. Umas poucas rugas revestiam suas feições delicadas, como um tênue véu. Ela falava de forma gentil, e ele notou que seu tom de voz nunca se elevava, que cada palavra era acompanhada por um sorriso.

E não era um sorriso falso.

Ela parecia realmente gostar do negócio, de comprar livros para revender, dar o troco, agradecer aos fregueses.

— Srta. Mary? — perguntou Malone quando ela terminou de atender um cliente.

— Esse é o meu nome.

— Essa loja é sua?

— Sim, há muito tempo.

Ele notou as pilhas de livros que dominavam o balcão, os quais certamente ela havia acabado de comprar. Malone fazia o mesmo todos os dias, "comprava por centavos, vendia por euros". Esperava que seus dois funcionários estivessem tomando conta do negócio lá na Dinamarca. Esperava estar lá no dia seguinte para trabalhar.

— O sebo fica aberto até tarde?

A FARSA DO REI \ 179

— Sextas e sábados são dias muito movimentados. Depois que os espetáculos terminam, todos saem para jantar ou tomar um drinque. Já faz algum tempo que descobri que eles também gostam de comprar livros.

— Eu também tenho uma livraria. Em Copenhague.

— Então você deve ser Cotton Malone.

GARY FICOU OBSERVANDO Blake Antrim enquanto ele dava ordens a seus dois agentes e fazia as coisas acontecerem. Era a primeira vez que conhecia alguém que trabalhava na CIA. É claro, via-os na televisão e nos filmes, ou lia sobre eles nos livros. Mas conhecer um? Isso era uma raridade. Seu pai havia sido agente do Departamento de Justiça, mas até bem pouco tempo atrás Gary não sabia o que isso significava.

— Nós apreciamos muito a ajuda do seu pai — disse Antrim. — Será muito útil.

Gary estava curioso.

— O que está acontecendo?

— Faz um ano que estamos procurando alguns objetos muito especiais.

Eles haviam seguido de carro até um depósito localizado nas imediações do rio Tâmisa, que, segundo Antrim, era a base deles. Estavam agora em um escritório pequeno, uma sala apertada e pouco mobiliada que ficava junto à entrada do depósito, com uma janela voltada para o espaço cavernoso.

— O que há lá fora? — perguntou Gary.

Antrim se aproximou.

— Objetos que coletamos. Peças de um grande quebra-cabeça.

— Parece legal.

— Quer dar uma olhada?

MALONE SORRIU.

— Pelo visto, Ian já chegou.

— Ele me disse que o senhor viria e o descreveu perfeitamente.

— Preciso encontrá-lo. E logo.

— Há muita gente procurando Ian desde que aquele homem morreu no metrô.

— Ele falou sobre isso?

— Sim. Nós sempre fomos próximos, desde o dia em que ele entrou aqui pela primeira vez.

— E pôde ler os livros.

Ela sorriu.

— Exato. Ele ficou fascinado com todos eles, e então incentivei o interesse dele.

Mas Malone sabia que não era só isso.

— Como uma maneira de fazê-lo dormir aqui à noite, em vez de na rua?

— Se Ian sabia da minha verdadeira motivação, nunca disse nada. Eu falei que ele era meu guarda noturno, que ficaria aqui para cuidar das coisas.

Malone gostou imediatamente da Srta. Mary, uma mulher prática com um coração aparentemente bondoso.

— Nunca fui agraciada com filhos, e já passei muito da idade de tê-los — comentou ela. — Ian foi um presente. Então, nós passamos muito tempo juntos.

— Ele está encrencado.

— Isso eu sei. Mas ele tem sorte.

Malone ficou curioso.

— Como assim?

— Pela segunda vez ele encontrou alguém em quem pode confiar. — Ela lhe dirigiu um olhar penetrante.

— Eu não sabia que éramos amigos. Na verdade, nosso relacionamento tem sido um pouco instável.

— Com certeza o senhor sabe que ele trouxe aquele pen drive na esperança de que o senhor viesse atrás dele para pegá-lo. É uma forma de ele conquistar sua amizade. Dá para ver que Ian fez uma boa escolha. O senhor parece ser um homem confiável.

— Sou apenas um cara que não consegue dizer não quando alguém me pede um favor.

— Ele me contou que o senhor já foi agente secreto.

Malone sorriu.

— Apenas um humilde servidor do governo dos Estados Unidos. Agora sou livreiro, como a senhorita.

Ele gostou de dizer aquilo.

— Ian me contou isso também. Como eu disse, o senhor *é* um homem confiável.

— É verdade que outras pessoas já vieram procurar Ian?

— Há um mês, alguns homens percorreram as lojas aqui perto. Alguns proprietários conhecem Ian e disseram que ele frequentava o sebo, mas eu menti e disse que não o tinha visto por aqui. Infelizmente, Ian sumiu uma semana depois, e só voltou hoje. Rezei para que ele estivesse bem.

— Como eu disse, ele está encrencado. Ian tem uma coisa que esses homens querem.

— O pen drive.

Malone percebeu, pelo modo como a Srta. Mary falou, que ela havia lido o conteúdo.

— A senhorita leu?

— Li os mesmos arquivos que o senhor leu.

Ele captou alguma coisa nos olhos da Srta. Mary.

— E então?

ANTRIM CONDUZIU GARY ao depósito, o espaço muito iluminado por lâmpadas fluorescentes. Duas mesas continham pilhas de livros antigos, alguns enfiados dentro de sacos plásticos para protegê-los. Em outra mesa, havia três iMacs ligados a um roteador e uma impressora. Foi ali que Farrow Curry trabalhou no diário de Robert Cecil, tentando decifrar algo que parecia impossível de ser decodificado.

Contudo, Antrim havia mudado de ideia nas últimas vinte e quatro horas.

Não só era possível decifrar o diário como alguém estava disposto a lhe pagar 5 milhões de libras simplesmente para deixá-lo de lado.

Gary notou a placa de pedra que estava no chão.

— O que é?

— Encontramos isso num lugar muito interessante. Não fica longe daqui, perto de um palácio chamado Nonsuch.

— É um castelo grande?

— Sim, mas não existe mais. Henrique VIII o construiu, tornando-o a mais suntuosa de suas residências. Um lugar mágico. O rei o chamou de Nonsuch, inigualável, porque não havia nada que se equiparasse a ele. Hoje em dia só sabemos como era por meio de três aquarelas que sobreviveram às ações do tempo.

— E o que aconteceu com esse castelo?

— Séculos depois, Carlos II o deu a sua amante, que o vendeu para pagar suas dívidas de jogo. Por fim, não sobrou nada além do terreno. Recuperamos essa placa de pedra de uma fazenda próxima onde havia séculos era usada como pilar de uma ponte.

Gary se abaixou para examinar a pedra. O memorando da CIA da década de 1970 fazia menção à existência dessa peça.

Havia uma série de símbolos entalhados em sua superfície.

Antrim se aproximou.

— Basicamente, são marcas abstratas, mas algumas são letras do alfabeto grego e do romano. Acabaram sendo a chave para um mistério de quatrocentos anos.

Era possível ver que o garoto estava intrigado. Bom. Ele queria impressioná-lo.

— Como um tesouro perdido? — perguntou Gary.

— Mais ou menos... Temos esperança de que seja mais do que isso.

— O que significam esses símbolos?

— Eles são o único meio de decifrar um código criado muito tempo atrás por um homem chamado Robert Cecil.

Na década de 1970, quando aqueles advogados irlandeses começaram a investigar a fundo esse mistério, havia poucos computadores sofisticados, e os programas de decodificação eram quase rudimentares. Portanto, os segredos encerrados naquela placa de pedra permaneceram ocultos. Felizmente, a tecnologia moderna mudou esse cenário.

Ele ficou observando o garoto traçar os símbolos com os dedos.

— Quer ver a coisa mais importante que encontramos?

Gary fez que sim.

— Está aqui.

MALONE ACOMPANHOU A Srta. Mary por entre as estantes. O sebo era um pouco menor que o dele, mas a mulher tinha a mesma predileção por capas duras. Também não havia muitos exemplares repetidos, o que evidenciava o cuidado dela ao comprar os livros para revenda. Não havia o risco de ficar sem estoque, pois as pessoas adoram trocar livros. Essa era a melhor coisa desse ramo de negócio. Um estoque constante, sempre reposto a baixo custo.

A Srta. Mary entrou na seção de história, e seus olhos percorreram as lombadas.

— Acho que vou precisar da sua ajuda — disse ela, apontando para uma das prateleiras superiores.

Malone tinha um metro e oitenta. Ela devia ser uns trinta centímetros mais baixa.

— A seu dispor.

— É aquele livro ali. O quarto da esquerda para a direita.

Ele localizou o volume com encadernação vermelha e o pegou. Tinha mais ou menos vinte centímetros de altura por dez de largura,

184 \ STEVE BERRY

e uma lombada de dois centímetros. Estava em boas condições. Devia ser do fim do século XIX, calculou Malone.

Ele leu o título.

Impostores famosos.

Depois viu o nome do autor.

Bram Stoker.

Vinte e seis

KATHLEEN ESTACIONOU O carro. Durante a viagem de retorno de Oxford, teve certeza de que estavam brincando com ela. Não havia nenhuma Eva Pazan, ou pelo menos não que trabalhasse na Lincoln College. Talvez alguém tivesse mandado aquela mulher mentir. Mas por quê? Não estavam todos do mesmo lado? E Mathews a enviara especificamente para se encontrar com ela. Se Pazan fosse uma impostora, qual seria o sentido de tudo aquilo? Kathleen voltou à Jesus College e lá se deparou com uma armação. Agora estava de volta à Temple Church. As coisas que aconteceram ali também a deixaram aborrecida.

Ela novamente deixou o carro fora dos muros dos Inns of Court e entrou pelo portão de veículos. O chão do King's Bench Walk estava molhado e, graças ao adiantado da hora, sem carros.

Às vezes ela se arrependia de nunca ter exercido o direito. Seu pai e seu avô já haviam falecido quando ela optou pela Soca. Kathleen mal conhecera o pai — que havia morrido quando ela era pequena —, mas a mãe preservou a memória dele. A tal ponto que Kathleen também optou por fazer carreira como advogada. Estar ali novamente, nos Inns of Court, e recordar seus dias de estudante em Oxford havia definitivamente despertado alguma coisa nela. Aos 36 anos, ela poderia facilmente retomar seus conhecimentos e talvez voltar ao direito.

186 \ STEVE BERRY

Um caminho duro, com certeza, mas em breve talvez fosse a única opção. Sua carreira na Soca parecia ter acabado, e sua curta atuação no serviço de inteligência provavelmente acabaria antes mesmo de ter, de fato, começado.

Que bela confusão tinha feito em sua vida.

Mas não havia tempo para arrependimentos.

Na verdade, nunca houve.

Ela sabia que no dia seguinte, sábado, os visitantes estariam por todo o canto, passeando por aquela região e visitando a famosa Temple Church. Mas pouca coisa do antigo prédio era original. Séculos atrás, desejosos de apagar todos os símbolos do catolicismo, os advogados protestantes caiaram o interior e engessaram as colunas — uma limpeza puritana que destruiu toda a antiga beleza. A maior parte do que os turistas viam agora era uma reconstrução do século XX, consequência das bombas alemãs durante a Segunda Guerra.

A essa hora, a igreja estava escura e trancada. Era quase meia-noite. No entanto, havia luzes acesas na residência do zelador, um funcionário que era mantido pelo Middle Temple e pelo Inner Temple para cuidar da manutenção da igreja.

Kathleen se aproximou da porta e bateu.

O homem que a atendeu tinha cerca de 40 anos, cabelos escuros, e se identificou como o zelador. Ele pareceu confuso de vê-la ali, e então ela exibiu sua identificação da Soca e perguntou:

— Que horas a igreja fecha?

— A senhorita veio aqui, a uma hora dessas, para me perguntar isso?

Ela tentou um blefe.

— Levando em consideração o que aconteceu mais cedo, o senhor não devia estar surpreso.

Kathleen percebeu que suas palavras surtiram efeito.

— Varia — respondeu ele. — Na maioria dos dias, às quatro da tarde. Às vezes, bem cedo, à uma, quando há celebrações ou algum evento especial.

A FARSA DO REI \ 187

— Como hoje?

Ele assentiu.

— Fechamos a igreja às quatro, como foi requisitado.

— Ninguém esteve lá depois disso?

O zelador lhe dirigiu um olhar curioso.

— Eu mesmo tranquei as portas.

— E elas foram reabertas?

— Você quer dizer para o evento especial? — perguntou ele.

— Sim, é exatamente a isso que estou me referindo. Tudo saiu como esperado?

— Sim. As portas foram reabertas às seis da tarde e trancadas novamente às dez da noite. Nenhum funcionário permaneceu no local, como foi pedido.

Improvise. Pense. Não perca a oportunidade.

— Estamos tendo... algumas questões internas. Houve alguns problemas... Não com o seu trabalho. Mas com o nosso. Estamos tentando rastrear a origem deles.

— Ah, minha nossa. Fui informado de que tudo deveria sair perfeito nos mínimos detalhes.

— Pelo seu supervisor?

— Pelo próprio tesoureiro.

Os Inns of Court eram administrados por integrantes veteranos da associação. O mais antigo deles era o tesoureiro.

— Do Middle Temple ou do Inner Temple? — indagou Kathleen.

A igreja ficava entre as duas instituições, e ambas contribuíam para sua manutenção. Os bancos de um lado eram destinados ao Inner Temple, e os do outro lado, ao Middle Temple.

— Do Inner Temple. O tesoureiro foi bem enfático, assim como o homem que estava com ele.

— Foi isso o que vim descobrir. Quem era o outro homem?

— Muito distinto. Um senhor de idade, com uma bengala. Sir Thomas Mathews.

188 \ STEVE BERRY

MALONE COLOCOU O livro sobre o balcão. Alguns clientes entraram na loja e começaram a esquadrinhar as prateleiras.

— Eles vêm depois do teatro, não é? — indagou.

— Esse é o único motivo para eu ficar com a loja aberta até tão tarde nos fins de semana. Descobri que vale muito a pena. Por sorte, sou uma pessoa notívaga.

Ele não sabia em que período sua mente funcionava melhor. À noite. De dia. O dia todo. Talvez simplesmente a obrigasse a trabalhar quando fosse preciso. Agora ele estava bem, pois o fuso horário da Geórgia era de menos cinco horas e ele ainda não sentia os efeitos do fuso horário.

A Srta. Mary apontou para o livro no balcão.

— Foi publicado em 1910. Bram Stoker trabalhou com Sir Henry Irving, um dos mais importantes atores vitorianos. Stoker administrava o Teatro Lyceum, próximo da Strand. Além disso, era seu secretário pessoal. Stoker escreveu a maior parte de sua vasta obra, incluindo *Drácula*, enquanto trabalhava com Irving. Ele era um ídolo para Stoker. Muitos dizem que a inspiração para o personagem-título em *Drácula* veio dele.

— Eu não sabia disso.

— É verdade. Em 1903, quando estava procurando um terreno para Irving comprar, Stoker se deparou com uma lenda muito interessante. Em Cotswolds. Perto de Gloucestershire e do vilarejo de Bisley.

Ela abriu o livro no sumário.

— Stoker ficou fascinado por trotes e farsantes. Ele dizia que "enquanto a natureza humana for a mesma e a sociedade se mostrar disposta a ser enganada, os impostores continuarão a ser bem--sucedidos". Então ele escreveu este livro, revelando detalhes sobre alguns dos mais célebres farsantes da história e outros nem tão famosos assim.

Ele passou os olhos pelo sumário, que relacionava mais de trinta capítulos ao longo de quase trezentas páginas. O judeu errante. Feiticeiras. Mulheres disfarçadas de homens. O falso delfim. Doutor Dee.

— Além de romances e contos, Stoker escreveu quatro livros de não ficção — continuou a Srta. Mary. — Ele nunca deixou o emprego e trabalhou com Irving até a morte do grande ator em 1905. Stoker morreu em 1912. Este livro foi publicado dois anos antes disso. Quando li o que havia no pen drive, pensei imediatamente nele.

Ela apontou para a última parte do sumário, a que começava na página 283.

O Menino de Bisley.

Ele foi até a página e começou a ler. Após umas poucas linhas, ergueu os olhos.

— Isso não pode ser verdade.

— E por que não, Sr. Malone?

KATHLEEN DESEJOU BOA-NOITE ao zelador e saiu dos Inns of Court. Tanto ela quanto, possivelmente, Antrim haviam sido atraídos para lá. Depois a direcionaram para Oxford.

Faço parte do Inner Temple. Sou integrante há cinquenta anos.

Foi o que Mathews lhe disse.

Em seguida, em Oxford, ele falou sobre a Sociedade Dédalo.

O homem que a abordou na capela... Nós já lidamos com o bando dele antes. Eles também confrontaram Blake Antrim na Temple Church.

Contudo, tinha sido Mathews, por intermédio do tesoureiro do Inner Temple, quem reservara a igreja.

Não a tal Sociedade Dédalo.

O que estava acontecendo?

Suas suspeitas se transformaram em total desconfiança.

Seu celular vibrou.

Ela o pegou e viu o número.

Mathews.

— Já voltou a Londres? — perguntou ele.

— Como o senhor mandou.

190 \ STEVE BERRY

— Então vá até um sebo na Regent Street com a Piccadilly Circus. Chama-se Any Old Books. O agente americano Cotton Malone está lá, e provavelmente Ian Dunne, o rapazinho que estamos procurando, também. O pen drive deve estar com ele.

— E Antrim?

— As coisas mudaram. Tudo indica que o Sr. Antrim está usando Malone para encontrar Ian Dunne e o pen drive. Como parece claro que Antrim não está com o pen drive, quero que você entre em contato com Malone e o pegue. Faça o que for preciso para realizar a tarefa. Seja rápida.

Ela perguntou o porquê.

— Porque o Sr. Malone está prestes a ter problemas.

GARY ACOMPANHOU ANTRIM até outra mesa, onde havia um livro em uma redoma de vidro, semelhante à que sua mãe usava para cobrir bolos e tortas.

Antrim a ergueu.

— Esse aqui fica protegido. É onde está a essência da coisa.

— Sr. Antrim, por que...

— Pode me chamar de Blake.

— Meus pais me ensinaram que eu devo me dirigir aos mais velhos de forma apropriada.

— Bom conselho, até que o mais velho em questão diga o contrário.

Gary sorriu.

— É, acho que sim.

— Tudo bem.

Gary não se sentia à vontade com a mudança de tratamento, mas guardou isso para si enquanto olhava para o livro antigo.

— Este é o diário de Robert Cecil, o homem mais importante da Inglaterra entre 1598 e 1612. Ele foi o principal conselheiro da rainha Elizabeth I e de Jaime I. Vá em frente. Pode abri-lo.

As páginas verdes e douradas, com seus cantos desgastados e que-bradiços como batatas chips, eram preenchidas com símbolos e letras.

— Existem 75 mil caracteres em 105 páginas — contou Antrim. — Tudo codificado. Indecifrável desde 1612. Mas nós conseguimos decifrá-lo.

— E o que está escrito?

— Coisas que podem mudar a história.

Antrim parecia orgulhoso.

— Foi difícil decodificá-lo?

— Os computadores ajudaram, junto com aquela pedra que você acabou de ver lá no chão. Aqueles símbolos combinam com os que estão aqui e nos ajudam a traduzir. Felizmente, Cecil a deixou como um modo de decifrar o código.

— Então parece uma perda de tempo escrever isso em código.

Antrim sorriu.

— Foi o que achamos também. Até estudarmos a personalidade de Robert Cecil. Seu pai fez o mesmo comentário sobre o que leu no pen drive. Quando se conhece Cecil, tudo isso faz sentido. — Antrim apontou para os computadores. — Sorte a nossa que eles são capazes de decifrar códigos muito mais difíceis.

Gary analisou as páginas.

— Esse livro tem quatrocentos anos?

— Sim, cada pedacinho dele.

Ele queria saber sobre outra coisa e reuniu coragem para perguntar.

— Eu me lembro daquele dia no shopping, no verão. Como você conheceu minha mãe?

— Nós fomos amigos há muito tempo. Eu a conheci quando ela morava na Alemanha. Quando seu pai estava servindo na Marinha lá.

Gary não sabia muito sobre essa época. Só tinha um resumo dos fatos — seu pai foi um piloto de combate que serviu no exterior e se tornou advogado da Marinha. No porão de casa havia um caixote de plástico com uniformes, quepes e fotografias. O rapaz tinha remexido naquilo uma vez. Será que devia fazer isso de novo?

— Aquele encontro no shopping foi a primeira vez que vocês se viram desde então?

— Sim. Fazia dezesseis anos. Eu me mudei para ocupar outro posto de trabalho, e eles também. Nunca mais a vi até aquele dia com você.

Gary olhou para baixo, para o diário com suas páginas codificadas.

— Ela já falou sobre a época que passou na Alemanha?

Gary tinha feito as contas. Dezesseis anos... foi antes de ele nascer. Queria fazer mais perguntas. Talvez Blake Antrim conhecesse o homem com quem sua mãe havia tido um caso.

— Minha mãe só comentou que foi uma época difícil entre ela e meu pai. Os dois tiveram casos fora do casamento. Por acaso você sabe com quem minha mãe se envolveu?

Antrim o fitou com um olhar intenso.

— Na verdade, eu sei, sim.

Vinte e sete

A RAINHA ELIZABETH, a última da dinastia Tudor, morreu sem ter se casado. Depois de seu falecimento, em 1603, houve revoluções na Inglaterra por diversos motivos, e todas foram relativamente traumáticas para a família real. O filho de Jaime I foi decapitado e, depois da Commonwealth, Jaime II, filho de Carlos II, foi deposto com a vinda de Guilherme III a convite dos nobres. Quando este morreu sem deixar herdeiros, Ana, filha de Jaime II, reinou por doze anos e foi sucedida por Jorge I, que descendia de uma das filhas de Jaime I. Seus descendentes ainda ocupam o trono da Inglaterra.

Há diversos indícios na juventude da rainha Elizabeth de que ela guardava um segredo a sete chaves. Vários historiadores da época já fizeram referência a isso, às vezes de modo bastante claro. Em carta ao protetor Somerset em 1549, quando a princesa Elizabeth tinha 15 anos, Sir Robert Tyrwhitt diz:

> Eu verdadeiramente creio que houve algum pacto secreto entre milady, Lady Ashley e o guardião do tesouro [Sir Thomas Parry], o qual nunca será confessado. E se o for, o segredo nunca será dito por vontade própria, a não ser que Sua Majestade, o Rei, ou Vossa Graça o exija.

194 \ STEVE BERRY

O lugar hoje conhecido como Bisley é bem diferente do que aquele que mencionamos aqui. Bisley, a sede das competições de tiro, localiza-se em Surrey, ao lado de um eminente cemitério. O local possui todas as características de uma cidade nova, tanto quanto qualquer lugar do velho continente possa ser considerado novo. O ponto mais interessante do distrito é a casa Overcourt, que no passado era um solar. Fica perto da igreja, separada do cemitério apenas por um pequeno portão. A escritura dessa casa, que agora pertence à família Gordon, mostra que ela fazia parte do dote da rainha Elizabeth. Mas, com o tempo, a propriedade mudou de mãos, e agora virou quase uma instituição. A jovem princesa morou lá por um tempo, e ainda é possível ver o quarto que ocupava.

Outra coisa precisa ser levada em consideração no que se refere a Bisley na primeira metade do século XVI: era de acesso fácil para quem viesse de Londres. Uma linha tracejada no mapa mostra que Oxford e Cirencester ficavam no meio do caminho e serviam como base militar. Ambas eram cercadas de boas estradas, construídas na medida em que ganhavam importância como centros urbanos. Conta a tradição que a pequena princesa Elizabeth, durante a infância, foi enviada a Bisley com sua governanta, pois o ar puro das colinas de Cotswolds seria bom para sua saúde. Seu pai e muitas pessoas próximas da princesa conheciam as qualidades benéficas do lugar. Quando ela estava em Overcourt, Kate Ashley, a governanta, recebeu uma mensagem dizendo que o rei visitaria a filha; pouco antes de ele chegar, porém, aconteceu uma terrível catástrofe. A menina, que não andava bem de saúde, teve febre alta e, antes que pudesse ser atendida por um médico, morreu. Lady Ashley, a governanta, ficou com medo de dar a notícia ao rei. Henrique VIII tinha um temperamento temido por todos ao seu redor. Em seu desespero, após ocultar o corpo, ela correu até a aldeia para tentar encontrar uma criança que pudesse substituir a princesa morta, e assim adiar o terrível anúncio até a partida de Sua Majestade. Contudo, a população era pequena e não havia nenhuma menina que pudesse assumir o lugar de Elizabeth.

Lady Ashley também procurou pelas aldeias vizinhas, mas não encontrou nenhuma menina com idade compatível com o propósito necessário. Aflita, pois o tempo estava se esgotando, ela decidiu assumir o grande risco de levar um menino, se conseguisse encontrar algum. Felizmente, para a segurança da pobre mulher, pois sua vida estava em perigo, essa empreitada não foi difícil. Ela encontrou um menino que se encaixava muito bem em seus propósitos e que a governanta conhecia bem. Além disso, ele era bonito, como era de se esperar. Estava ali, à sua disposição. Então, vestiram-no com as roupas da menina morta, pois eles eram da mesma estatura, e, quando o arauto do rei chegou à propriedade, a pobre governanta conseguiu respirar aliviada.

A visita foi um sucesso. Henrique não desconfiou de nada, pois tudo foi muito rápido, e eles não estavam necessariamente ansiosos para se ver. Elizabeth havia crescido com tanto medo do pai, que, nas poucas vezes em que a via, o rei não esperava nenhum afeto efusivo da parte dela. A visita fora tão breve que ele sequer havia tido tempo para fazer conjecturas sem fundamento.

Então veio o castigo pela farsa. Como é impossível trazer os mortos de volta à vida, e como o imperioso monarca, que não admitia qualquer contestação às suas ordens, desejava usar a filha mais nova como um peão em seu grande xadrez político, aqueles que agora estavam de posse do segredo não ousariam revelá-lo. Felizmente, os que sabiam da história eram poucos. Se tal coisa realmente aconteceu, três pessoas estavam necessariamente envolvidas, além do próprio impostor: 1) Kate Ashley, 2) Thomas Parry, 3) o pai ou mãe da criança que substituiu a menina morta. Por vários motivos, cheguei à conclusão de que os acontecimentos de Bisley estão restritos ao período crucial de julho de 1545 a julho de 1546. Nenhuma outra data, anterior ou posterior, pelo que sabemos, teria preenchido as condições necessárias.

Malone ergueu os olhos do livro e fitou a Srta. Mary.

— Eu nunca tinha ouvido essa história.

— Era conhecida apenas na cidadezinha de Bisley, até Bram Stoker descobri-la. Talvez não passe de uma lenda. Porém, mesmo alguns séculos depois da morte da rainha, em todo festival anual da primavera um menino era vestido com roupas do período elisabetano. Estranho, não? A menos que haja alguma verdade aí.

Malone não sabia o que dizer.

— Não fique tão chocado — disse ela. — Imagine se fosse verdade.

Ele estava fazendo justamente isso, tentando entender como aquele fato poderia ser tão significativo quatrocentos anos depois para que a CIA tivesse montado uma operação.

— Quando pensamos no que se sabe a respeito de Elizabeth I, tudo começa a fazer sentido.

Ele tentava se lembrar de tudo o que já havia lido sobre a última monarca Tudor.

— Ela chegou à velhice e mesmo assim nunca se casou — comentou a Srta. Mary. — Ela conhecia seu dever. Ter um herdeiro. Ela sabia o que seu pai havia passado para ter um filho. No caso de Elizabeth, até uma filha teria sido o suficiente. Mesmo assim, ela escolheu não ter filhos, e disse isso muitas vezes em público.

Uma informação particularmente importante veio à mente de Malone. A rainha certa vez afirmou que não se casaria *mesmo que lhe oferecessem o filho do rei da Espanha ou encontrassem outro grande príncipe.*

— Devíamos nos aprofundar nisso.

A Srta. Mary tirou um papel dobrado de um dos bolsos e o estendeu a Malone.

— Minha irmã é especialista no período elisabetano. Ela poderia ajudá-lo. Conversamos há pouco, e ela ficou fascinada com essa história. Disse que poderia recebê-lo amanhã de manhã.

Malone pegou o papel.

— Ela mora em East Molesey.

Ele passaria a informação a Antrim.

— Agora preciso de Ian e do pen drive.

— Ele está lá em cima. Ele me disse que era bem provável que o senhor aparecesse até o fim do dia. É só contornar as estantes, à direita.

Alguns clientes saíram, e outros entraram.

Ele pegou o livro de Stoker.

— Posso? — Ele viu o preço em uma tira de papel inserida entre as páginas. — Duzentas libras. Caro.

— Uma barganha, na verdade. Já vi mais caro.

— Aceita American Express?

A FARSA DO REI \ 197

Ela fez que não.

— É um presente, de livreiro para livreiro. Vou guardá-lo para o senhor atrás do balcão.

Ele agradeceu e subiu a escada.

Seu sebo em Copenhague também tinha mais de um andar. No térreo ficava a loja, no segundo e no terceiro andares, o estoque, no último, um apartamento onde morava havia um ano. A loja da Srta. Mary tinha três andares apenas. Malone foi até o último e deparou-se com um apartamento bem espaçoso. Ian estava ali.

— Por que você fugiu? — perguntou Malone.

O garoto estava a uma janela, olhando para fora.

— Você tem que ver isso.

Ele foi até lá e olhou para baixo.

Dois homens estavam parados do outro lado da rua.

— Chegaram há um minuto, saíram de um carro.

As pessoas andavam de um lado para o outro na calçada, mas os dois continuavam ali, no mesmo lugar.

— Há alguma coisa errada — disse Ian.

Malone concordou.

Os dois homens atravessaram a rua, vindo na direção da loja.

Vinte e oito

ANTRIM ESTAVA ESPERANDO uma brecha. É claro, ele precisava agir com muita calma e muita cautela, mas tinha que aproveitar as poucas horas que conseguira ficar a sós com Gary. Sua única esperança era que o rapaz precisasse de mais tempo para compreender. Graças à vigilância e aos grampos feitos na Geórgia, Antrim tinha alguma ideia do que havia acontecido entre mãe e filho.

— Com quem minha mãe estava saindo? — perguntou ele. — Ela não quer falar sobre isso.

— Por que é tão importante? — Ele queria que o garoto percebesse que deveria dar algo em troca da informação.

— Porque tem a ver com meu pai. — Gary fez uma pausa. — Na verdade, meu outro pai. O pai biológico. Chame como quiser. Minha mãe teve um caso, e eu nasci.

— E como você se sente com relação a isso?

— Nem sei o que pensar. Mas ela mentiu para mim e para o meu pai por muito tempo.

Antrim imaginava este momento desde o dia em que vira Gary no shopping pela primeira vez. Já havia se envolvido com muitas mulheres, mas nenhuma tinha engravidado, não que ele soubesse. Na verdade, ele achava que não tinha mais idade para ser pai, mas mudou de ideia com a confissão de Pam Malone. Agora ele tinha uma chance, a qual Pam nunca teria lhe dado. Bastou a resistência dela para incentivá-lo a seguir adiante. Quem ela pensava que era? Antrim quase sorriu. Nessa operação não havia nenhuma falha. Tudo estava saindo conforme o planejado, com perfeição.

— Venha comigo — disse ele.

Antrim conduziu o garoto de volta ao escritório. O locador do depósito achava que seria fundada uma fábrica ali e que Antrim tinha ido avaliar as instalações. O aluguel havia sido pago com muita antecedência, e até agora ninguém tinha feito perguntas. Havia um banheiro ao lado do escritório, e a porta dava para o galpão. Ele entrou, acendeu a luz e fez um sinal para que Gary se aproximasse.

Antrim apontou para o espelho.

— Veja seus olhos. De que cor eles são?

— Cinza.

— Os da sua mãe são azuis, e os do seu pai são verdes. Olhe para os meus.

Antrim viu Gary voltar a atenção para a cor de suas íris.

— São cinza — respondeu Gary.

Antrim não disse nada, permitindo que a ideia fosse assimilada. E foi.

— Você é o homem com quem minha mãe estava saindo?

Ele assentiu.

Gary ficou chocado.

— E você também não sabia?

Antrim fez que não.

— Até aquele dia no shopping, quando vi você. Então fui até o escritório de sua mãe, e ela admitiu que era verdade.

— Ela não me contou isso.

— Acho que ela não queria que nenhum de nós soubesse.

— Como você conseguiu encontrar a mim e ao meu pai? — perguntou Gary. — Como viemos parar aqui?

200 \ STEVE BERRY

Antrim não poderia lhe contar a verdade, que havia vigiado Gary e sua mãe, que tinha sido o responsável por Malone acompanhar Ian Dunne até Londres. Então simplesmente disse:

— Um daqueles golpes de sorte da vida.

É claro, Antrim também não podia dizer que Norse e Devene trabalhavam para ele e que o "sequestro" de Gary havia sido um estratagema, não só um modo de entrar em contato com o filho, mas de Gary e Malone se sentirem gratos. Sim, seus homens deviam ter encurralado Ian Dunne também. Mas, quando Dunne fugiu, Antrim modificou o plano para manter Malone ocupado.

— Eu sou seu pai biológico — disse ele a Gary.

GARY NÃO SABIA o que dizer. Ele havia tido certa dificuldade de lidar com o fato de que seu pai biológico não era quem ele pensava ser. O tempo todo quis saber quem ele era e exigiu que sua mãe lhe dissesse a verdade.

Agora ali estava ele.

Mas seria verdade?

Com certeza deixou a dúvida transparecer, pois Antrim pôs a mão em seu ombro.

— Há um modo bem simples de termos certeza. Podemos fazer um teste de DNA.

— Talvez devêssemos fazer isso.

— Imaginei que essa seria sua resposta. Tenho material de coleta no escritório. Basta esfregar o algodão no interior da bochecha e pronto. Conheço um laboratório aqui perto que faz o teste bem rápido.

— Só vai confirmar o que já sabemos, não é?

Antrim assentiu.

— Seu rosto. Seus olhos. Sua constituição física. Tudo é parecido comigo. E sua mãe admitiu que é verdade. Mas não quero que haja nenhuma dúvida.

Gary não estava preparado para isso. Já havia se acostumado com a ideia de que nunca saberia a identidade de seu pai biológico.

— O que vamos fazer agora? — perguntou.

— Vamos nos conhecer melhor. Ainda não tivemos essa oportunidade.

— Mas e o meu pai?

— Vamos contar tudo quando ele voltar.

Por alguma razão, a perspectiva dessa conversa deixou Gary aborrecido. Ele se sentiu estranho. Desconfortável. Dois homens. E os dois eram seus pais.

Apenas de forma diferente.

Antrim percebeu a ansiedade de Gary.

— Não se preocupe. Cotton parece ser um sujeito legal. Talvez ele também fique aliviado de saber toda a história.

Talvez.

ANTRIM FEZ O máximo possível para dissipar os temores do garoto, mas não tinha intenção de contar nada a Cotton Malone. Antes daquele momento, ele não havia decidido o que fazer *depois* de contar a verdade a Gary.

Ele queria era ver a reação do garoto.

Tinha sido boa.

Ele duvidava de que houvesse espaço para dois pais na vida de Gary. Isso poderia ser constrangedor. Mas por que tinha que ser assim? Aquele garoto era seu filho. Não havia nem uma gota do sangue de Malone correndo nas veias do rapaz.

Um pai era mais que suficiente.

O pai *de verdade*.

Então Antrim tomou uma decisão.

A Operação Farsa do Rei seria encerrada.

Ele receberia seus 5 milhões de libras da Sociedade Dédalo.

Porém faltava uma coisa.

Cotton Malone tinha que morrer.

Vinte e nove

MALONE CORREU EM direção à porta, mas parou no topo da escadaria. Como em Copenhague, era uma escada em L, mas havia dois patamares em vez de três. Ian estava bem atrás dele, e Malone se virou e sussurrou:

— Fique aqui.

— Eu sei me cuidar.

— Tenho certeza disso, mas a Srta. Mary pode estar com problemas, e eu não posso me preocupar com ela e com você ao mesmo tempo.

O garoto entendeu.

— Ajude-a.

Malone apontou.

— Fique quieto aqui.

A escadaria tinha um corrimão de madeira de cada lado. Malone segurou ali, ergueu ligeiramente o corpo e pulou até o patamar. Fez o mesmo até o último lance de escadas e espiou o sebo. Havia quinze degraus entre ele e o térreo, mas o rangido da madeira denunciaria sua presença. Antes que ele pudesse decidir o que fazer, apareceu uma sombra lá embaixo.

Em seguida, um homem.

Vindo direto para a escada.

A FARSA DO REI \ 203

Malone se refugiou atrás do batente da porta do segundo andar e ficou espiando. Aguardou até o sujeito chegar na metade do lance de escada, saiu de seu esconderijo, pegou impulso novamente nos corrimões e deu um chute, as solas dos sapatos batendo bem no rosto do desconhecido. Enquanto os pés de Malone aterrissavam nos degraus de carvalho, seu alvo caía no chão e rolava entre duas fileiras de estantes. Tonto, o homem tentou se levantar, mas um soco no queixo o derrubou outra vez. Rapidamente, Malone o revistou e achou uma nove milímetros automática.

Armado, seguiu até o fim das prateleiras.

Mais três fileiras entre ele e o balcão.

— Aqui — disse uma voz masculina. — Estou esperando por você.

Malone olhou para a porta da frente, que estava fechada. Através do vidro era possível ver as pessoas andando pela calçada escura. Alguém parou, girou a maçaneta da porta trancada e seguiu adiante.

Ele apontou a pistola.

Parou na terceira fileira de estantes e espiou.

O segundo homem segurava a Srta. Mary e apontava uma arma para sua têmpora direita.

— Calminha — disse o homem.

Malone continuou apontando a pistola.

— Para que tudo isso?

— O pen drive.

Quem era esse sujeito? E como sabia que o pen drive devia estar ali?

— Não estou com o pen drive — garantiu Malone, ainda com a pistola apontada.

Uma brecha, era só disso que ele precisava para derrubar o cretino.

— O garoto está com o pen drive. Onde ele está?

— Como sabe disso?

— Eu quero o pen drive.

— Entregue a ele — disse a Srta. Mary.

Não havia nenhum medo em suas palavras.

— Está com a senhorita? — perguntou Malone.

204 \ STEVE BERRY

— Na caixa de metal. Embaixo do balcão.

Malone foi pego de surpresa, mas se sentiu aliviado com o que viu nos olhos da mulher. Ela queria que ele fizesse isso.

Ele se esgueirou até o balcão.

O homem e sua refém estavam na outra extremidade. Malone encontrou o recipiente de metal. Ainda apontando a pistola com a mão direita, abriu a tampa com a esquerda e viu notas e moedas espalhadas lá dentro, junto com um pen drive do mesmo tamanho e formato daquele que havia visto antes.

Pegou-o.

— Jogue.

Ele jogou.

IAN HAVIA DESCIDO a escada apoiando-se nos corrimões, assim como Malone. Ao chegar no térreo, viu um homem à direita apontar uma pistola para a Srta. Mary.

Vê-la em perigo o deixou assustado.

Ela era a única pessoa no mundo que realmente lhe mostrara o que era bondade. Nunca esperava nada em troca; apenas se preocupava com ele. Sugerir que ele dormisse na loja para vigiá-la foi apenas o modo que ela encontrou de não deixar que ele ficasse ao relento. Nenhum dos dois falava a respeito disso, mas ambos sabiam. Ian tinha voltado à garagem para buscar os livros porque eles eram um vínculo com a Srta. Mary. Ao olhar para aqueles exemplares, lembrava-se dessa loja, da voz suave dela, de seus modos gentis. Se algum dia ele tivesse uma mãe, esperava que fosse como a Srta. Mary.

Ouviu a voz de Malone, depois a dela, os dois falando de um pen drive em uma caixa de metal.

Sorriu.

A Srta. Mary era esperta.

Ian viu quando o homem armado ordenou que Malone jogasse o pen drive, e naquele momento tirou um livro da estante mais próxima.

A FARSA DO REI \ 205

Se ele conseguisse distrair o sujeito, Malone poderia agir.

Ian pegou o livro, ergueu o braço e chamou:

— Ei, seu idiota.

MALONE OUVIU A voz de Ian e viu um livro voar pelos ares. O homem armado ergueu o braço para se proteger. Malone aproveitou para ajustar a mira, mas, antes que pudesse atirar, seu alvo moveu-se para a esquerda.

— Abaixem-se — gritou ele.

A Srta. Mary se abaixou.

Rodeado por livros, Malone atirou na direção em que o homem havia fugido, tentando ser o mais preciso possível com sua pontaria.

Onde estava Ian?

Chegou ao começo da primeira fileira de estantes e tentou detectar qualquer movimento. Viu uma sombra duas fileiras adiante. Percorreu o espaço entre o mobiliário e a vitrine, usando as sólidas estantes de madeira para se proteger.

— Fiquem abaixados — gritou ele novamente para a Srta. Mary e Ian.

Pelo menos mantinha a porta da frente em seu campo de visão.

Então, lembrou-se.

As escadas.

Ouviu passos nos degraus e apressou-se pelo corredor até a entrada que levava aos andares superiores. Aproximou-se com cuidado, junto à parede. Uma rápida olhada pelo batente da porta e ele viu o homem no patamar.

Dois projéteis ricochetearam no chão de concreto perto de Malone.

Atrás dele, a Srta. Mary e Ian tinham ido para trás do balcão. Ciente de que eles estavam protegidos, Malone atirou na direção do desconhecido e começou a subir as escadas.

Ao chegar ao patamar, continuou junto à parede ao lado da entrada do segundo andar. Não havia ninguém ali, mas uma janela estava aberta na parede oposta. Malone percebeu que era uma saída de incêndio, foi até lá, olhou para baixo e viu o homem correr e entrar em um beco escuro atrás do prédio.

Ele ouviu tiros.

Lá embaixo.

Na livraria.

E vidros se quebrando.

E mais tiros.

AO OLHAR PARA dentro da Any Old Books por uma das vitrines, Kathleen viu uma mulher de meia-idade e um adolescente perto do balcão. À direita deles, em meio às estantes, um homem se levantava e subia uma das pernas da calça, revelando uma pistola. Ela pegou no bolso do sobretudo a arma que Mathews tinha lhe dado e girou a maçaneta.

Trancada.

Ela investiu contra a porta de madeira, que resistiu.

O homem já havia se levantado. Segurava a arma e avançava até o final da estante.

A mulher e o garoto não tinham percebido.

Ela recuou e apontou a arma.

O homem a viu.

Ele se atirou no chão, e ela disparou, a bala atravessando a parte de vidro da porta.

O vidro se estilhaçou.

As pessoas que andavam pela calçada se dispersaram, assustadas.

Uma mulher gritou.

Kathleen procurou o homem armado.

Tinha sumido.

Em seguida, ele surgiu novamente à sua direita, em meio à outra fileira de estantes, mais distante da mulher e do garoto, mas mirando em Kathleen. Ela se afastou para a esquerda e atirou novamente pelo buraco que o primeiro disparo fizera no vidro. O homem se protegeu atrás da estante, que parecia ser de madeira maciça. Quando ele atirou, ela se jogou na calçada, gritando:

— Todo mundo no chão.

A maioria das pessoas já tinha saído correndo pela rua.

Algumas deitaram no chão frio.

Foram feitos três disparos na direção de Kathleen.

Sem saber o que estava acontecendo, outras pessoas se aproximaram da livraria ao verem a comoção.

De repente, a calçada ficou lotada

Alguém ia sair ferido.

A atenção de Kathleen se voltou para a loja, e ela viu o homem correr porta afora e misturar-se à multidão que havia se formado ali.

Kathleen levantou-se e apontou a arma.

Mas havia muita gente no caminho.

Malone correu até as escadas e desceu.

— Ian! Srta. Mary!

Ouviu o murmurinho das pessoas lá fora e percebeu que o vidro da porta não existia mais.

— Estamos aqui — gritou a Srta. Mary.

Ele se apressou até o balcão e viu que ambos estavam bem.

Notou um rosto desconhecido a uns três metros dali. Uma mulher. Devia ter 30 e poucos anos, era ruiva, de cabelos curtos, magra, bonita e usava um sobretudo bege. Segurava uma pistola na mão direita, o cano voltado para o chão.

— Quem é você? — perguntou ele.

— Kathleen Richards. Agente da Soca. Estou aqui em missão oficial.

Ele já havia trabalhado com a Soca quando era do Departamento de Justiça.

— Por que veio aqui?

— Na verdade, Sr. Malone, eu esperava que o senhor respondesse essa pergunta.

Parte Três

Trinta

GARY AINDA ESTAVA atordoado com as revelações feitas por Blake Antrim. Todas as dúvidas que tinham surgido desde que sua mãe havia lhe contado a verdade foram substituídas por uma estranha ansiedade. Ele não tivera a chance de se preparar, e a realidade o pegou de surpresa.

Ele e Antrim voltaram ao escritório.

— Quer fazer o teste de DNA? — perguntou Antrim.

— Acho que sim.

— Assim vamos ter certeza.

Antrim pegou um saco de plástico lacrado que continha dois kits de coleta de material. Abriu-o, esfregou algo semelhante a um cotonete na parte interna da bochecha e o fechou dentro de um frasco.

— Abra a boca.

Gary obedeceu, e Antrim repetiu a operação nele.

— Amanhã já teremos o resultado.

— Talvez a gente já não esteja aqui.

Gary se lembrou do próximo passo desconfortável. Contar ao seu pai. Ou a Cotton Malone. Ou o que quer que fosse. De repente, ele se deu conta de que encontrar seu pai biológico o fazia questionar o papel do homem que o havia criado.

Um homem entrou no escritório.

212 \ STEVE BERRY

Antrim entregou a ele o saco com as amostras e um endereço para onde deveria ser levado.

O homem assentiu e foi embora.

— Ainda não tivemos notícias do seu pai — disse Antrim. — Tomara que ele encontre Ian Dunne.

— O que Ian roubou?

— O cara que morreu na estação, Farrow Curry, trabalhava comigo. Foi ele quem decifrou aquele livro que eu mostrei a você. Infelizmente, o trabalho estava todo em um pen drive no bolso dele, e achamos que Ian o roubou. É só o que queremos de volta, mais nada.

— O que diz o livro codificado?

Antrim deu de ombros.

— Não sei. No dia em que morreu, Curry ligou e disse que havia feito uma descoberta. Pediu que um dos meus agentes o encontrasse em Oxford Circus. Meu agente chegou na hora que Curry caiu nos trilhos e viu Ian Dunne com o pen drive, mas o perdeu de vista em meio à multidão.

— Como você conheceu minha mãe?

Gary realmente queria saber.

— Como eu disse, ela e seu pai estavam morando na Alemanha. Eu também. Ela estava infeliz. Seu pai tinha pulado a cerca. Pam estava magoada. Com raiva. Um dia, lá estava ela em Wiesbaden, na feira. Começamos a conversar. Continuamos a nos encontrar, e isso levou a outras coisas.

— Você era casado?

— Não. Nunca me casei.

— Mas ela era.

— Eu sei. Eu estava errado, mas era muito jovem na época. Assim como ela. Todos nós fazemos coisas na juventude de que nos arrependemos depois. Tenho certeza de que ela sente o mesmo.

— É, ela disse um lance parecido.

— Gary, sua mãe estava sozinha e se sentindo traída. Eu não fazia ideia do que estava acontecendo entre ela e... o seu pai. A única coisa que fiz foi ajudá-la a se sentir melhor por um tempo.

A FARSA DO REI \ 213

— Não parece certo.

— Eu entendo que você pense dessa forma, mas coloque-se no lugar da sua mãe. Nosso relacionamento foi um modo que ela encontrou de lidar com a mágoa que estava sentindo. Foi o modo correto? Claro que não. Mas aconteceu, e você é a consequência disso. Então, como pode ser tão ruim?

— Por que você acha que ela não quis me contar sobre você?

Antrim deu de ombros.

— Provavelmente porque qualquer coisa que ela dissesse geraria mais perguntas. Ela não quer que você pense mal dela. Infelizmente, não levou em consideração os seus sentimentos, nem os meus.

É, não levou mesmo.

— Acho que ela não gostaria que a gente tivesse se conhecido.

— É provável que não. Pam deixou isso muito claro quando nos encontramos no escritório. Não queria que nós nos conhecêssemos. Ela disse para eu ir embora e nunca mais voltar.

— Não concordo com isso.

— Nem eu.

ANTRIM DISSE A si mesmo que escolhesse com cuidado cada palavra. Aquele era o momento em que ia conquistar o coração do garoto ou assustá-lo. Não havia dúvida de que Gary acreditava que ele fosse seu pai biológico. O exame de DNA seria bom para os dois, mas Pam já havia confirmado o resultado. Antrim queria que esse adolescente de 15 anos começasse a questionar quem *era* seu pai. O homem que o criou? Ou o que forneceu seus genes? Não era culpa de Antrim que ele não tivesse feito parte da vida daquele menino, e Gary parecia concordar com ele.

A culpa era da mãe.

Mas ainda não queria que ele a contestasse.

Isso aconteceria mais tarde.

Pam ficaria furiosa quando descobrisse o que havia acontecido ali e, se Antrim a conhecia bem, sabia exatamente o que ela diria a Gary a seu respeito. Mas, se tudo fosse conduzido da maneira certa, não teria importância. Até lá, o garoto estaria muito mais desconfiado da mãe do que dele. Afinal, tinha sido ela quem havia mentido a vida toda. Por que Gary deveria acreditar nela agora?

Mas ainda havia Cotton Malone, que estava por perto e poderia se reafirmar antes que Gary tivesse tempo de digerir tudo.

Antrim não poderia permitir que isso acontecesse.

Torcia para que a conversa que eles haviam acabado de ter começasse a despertar dúvidas na cabeça de Gary. O adolescente precisava reconhecer que o pai também tinha responsabilidade nisso. Se tudo desse certo, o garoto começaria a culpar Cotton Malone e, dessa forma, aceitaria melhor os planos de Antrim.

— Preciso dar um telefonema — disse Antrim. — Espere aqui. Já volto.

GARY VIU ANTRIM sair do escritório, deixando-o sozinho. Pela janela, observou as mesas com os livros e os computadores. Não sabia do que se tratava tudo aquilo, apenas que parecia algo importante. O que seu pai estaria fazendo?

Torcia para que Ian não estivesse muito encrencado.

Sua mãe havia deixado claro que nunca quisera que seu pai biológico fizesse parte da vida deles. Não tinha dado um motivo, e ele não entendia o porquê.

Agora estava ainda mais confuso.

Blake Antrim parecia um cara legal. E, como todos os envolvidos, não sabia da verdade até bem pouco tempo atrás.

E, quando descobriu, agiu de imediato.

Isso significava alguma coisa.

O que ele devia fazer?

Havia se deparado com uma oportunidade inesperada. Tinha uma porção de perguntas para fazer a Antrim e a seu pai. E qual era a primeira da lista? Será que sua mãe teria ficado com outro homem

A FARSA DO REI \ 215

caso seu pai não tivesse se relacionado com outras mulheres? Antrim estava lá. Tinha presenciado tudo. E disse claramente que sua mãe se sentia muito magoada.

Ele precisava falar sobre isso com alguém.

Mas com quem?

Não poderia telefonar para sua mãe. Seria um grande erro.

E seu pai estava procurando Ian.

Não havia ninguém que pudesse entender sua raiva e sua confusão.

Ninguém além de Blake Antrim.

Trinta e um

MALONE VIU KATHLEEN Richards manter a arma abaixada, mas seu olhar estava fixo nele. Ele ainda segurava a pistola. Virando-se para a Srta. Mary, perguntou:

— O que aconteceu?

— O homem que caiu da escada tentou fugir, mas essa policial estava lá fora e atirou pela vidraça da porta.

— Ele tinha uma arma presa à perna — acrescentou Kathleen. — Preferi não esperar para ver o que acontecia.

— O cara começou a atirar — disse Ian. — As pessoas correram para todos os lados. — Ele apontou para Kathleen. — Ela se jogou na calçada, e ele saiu correndo.

— Não consegui mirar nele por causa da multidão — confessou Richards.

— Não há feridos?

Richards fez que não.

— Todo mundo está bem.

Eles ouviram sirenes cada vez mais altas.

— A polícia — disse Richards para Malone. — Deixe que eu cuido deles.

— Que bom. Estamos indo embora.

— Eu gostaria que não fizesse isso, Sr. Malone. Preciso falar com o senhor. Poderia ficar mais um pouco, só até eu terminar com a polícia? Só preciso de alguns minutos.

A FARSA DO REI \ 217

Malone pensou no pedido. Por que não?

Além disso, ele também tinha algumas perguntas.

— Lá em cima — sugeriu a Srta. Mary. — No apartamento. Aguarde lá até a polícia ir embora. Vou ajudar essa moça. Posso dizer que foi uma tentativa de assalto malsucedida. Ela impediu a ação dos ladrões, e eles fugiram.

Por ele, tudo bem.

— Certo. Vou aguardar lá em cima com Ian.

KATHLEEN FEZ UMA rápida avaliação de Cotton Malone. Forte. Focado. E corajoso. Ele a enfrentaria sem um pingo de preocupação.

Não havia tido escolha a não ser disparar contra o homem dentro da livraria. Ele também atirou, e ela ficou preocupada com as pessoas na calçada. Mas ou o homem era o pior atirador que Kathleen já tinha visto ou ele havia mirado mais alto intencionalmente, para não colocar ninguém em perigo. Pelo que havia descoberto nas últimas horas, ela tendeu para a última conclusão, o que apenas a deixou ainda mais confusa.

As sirenes tornaram-se mais altas, e duas viaturas da polícia metropolitana estacionaram na rua, com os giroscópios acesos. Quatro policiais uniformizados dirigiram-se à livraria. Kathleen pegou sua identificação da Soca, mas o policial responsável não pareceu dar a menor importância.

— Entregue sua arma.

Ela tinha ouvido direito?

— Por que eu faria isso?

— Tentaram roubar minha loja — disse a mulher de meia-idade. — Ele estava armado. Esta mulher o impediu.

Dois policiais posicionaram-se na porta da frente. Os outros dois pareciam desconsiderar a possibilidade de um crime ter ocorrido.

— A arma — repetiu o policial.

Kathleen a entregou.

— Prenda-a.

O outro policial segurou os braços de Kathleen e os dobrou para trás.

Ela se soltou, girou e deu uma joelhada na barriga dele. O homem se curvou para a frente, e ela deu um chute nele. Em seguida, virou-se para enfrentar o outro policial.

— No chão — ordenou ele, agora com a arma apontada em sua direção.

Kathleen manteve-se firme.

— Por que está fazendo isso?

— Agora.

Os dois policiais que estavam na porta da livraria deixaram seu posto e vieram em sua direção. Kathleen pensou em enfrentá-los, mas concluiu que três contra um não seria uma boa ideia.

— Mãos ao alto — ordenou o primeiro policial. — E deite-se no chão.

Ela acatou, e seus punhos foram atados às costas com uma abraçadeira de plástico que afundou em sua pele.

Depois a ergueram e a levaram embora.

Malone encarou Ian e perguntou:

— Onde está o pen drive?

O garoto sorriu.

— Eu achava mesmo que você não tinha se deixado enganar pela Srta. Mary.

Ela havia mencionado a caixa de metal rápido demais, e a cor do pen drive era diferente.

Ian pôs a mão no bolso, tirou o pen drive e jogou-o para ele.

— A Srta. Mary é muito esperta, não é? — comentou Ian.

Era mesmo. E corajosa também. Havia conseguido blefar mesmo com uma arma apontada para a cabeça.

— Acho que aqueles sujeitos vão ficar meio aborrecidos quando se derem conta de que fizeram papel de bobos.

A FARSA DO REI \ 219

— Isso pode ser bem ruim. Você pode cuidar da Srta. Mary?

— Pode deixar.

Malone olhou para o pen drive, lembrando-se do que havia lido ali. E do arquivo protegido por senha. Aquele devia ser o prêmio.

— Por que você fugiu do café? — indagou Malone, pois não havia tido resposta quando perguntou antes.

— Não gosto de estranhos. Especialmente dos que parecem polícia.

— Eu sou um estranho.

— Você é diferente.

— O que deixou você com tanto medo naquela noite, no carro, depois de ter roubado o pen drive?

Ian ficou imóvel, e ele pensou por um instante na pergunta.

— Quem disse que eu fiquei com medo?

— Você ficou com medo.

— Aqueles dois homens teriam me matado. Dava para ver na cara do sujeito antes de jogar o spray de pimenta neles. Ele queria o pen drive, depois ia me matar. Nunca tinha me deparado com isso antes. — O garoto fez uma pausa. — Você tem razão. Fiquei com medo.

Malone percebeu o quanto devia ser difícil admitir aquilo, especialmente para alguém que não confiava em nada nem em ninguém.

— Foi por isso que fugi do café — prosseguiu Ian. — Aqueles homens de sobretudo tinham algo no olhar. Algo de que eu não gosto. Ninguém nunca quis me matar antes.

— Foi por isso que você fugiu para os Estados Unidos?

— Foi. Um dia eu cruzei com esse cara, e ele me ofereceu uma viagem para os Estados Unidos. Achei que seria o melhor lugar para ir. Claro que ele não prestava, mas era melhor do que ficar aqui. Eu só queria fugir.

Estava muito silencioso lá embaixo.

Malone pegou seu celular e digitou o número que Antrim havia lhe dado.

— Estou com Ian e o pen drive, mas temos um problema.

220 \ STEVE BERRY

Malone então relatou o que havia acontecido, incluindo a agente da Soca que ele não sabia o nome.

— Não gosto da ideia de as autoridades estarem aí — disse Antrim.

— Dá para você sair?

— Esse é o plano. E Gary? Como está?

— Ótimo. Tudo tranquilo por aqui.

— E onde é aqui?

— Não nessa linha aberta. Quando estiver pronto para vir, me ligue, e providenciarei um ponto de encontro. E quanto antes melhor, Malone.

— Pode deixar.

Desligou o telefone e tentou imaginar o que estaria acontecendo lá embaixo.

Foi até a janela dar uma olhada.

KATHLEEN FOI CONDUZIDA para fora da livraria, os punhos atados nas costas. Os policiais abriram caminho para ela passar, e ela odiou os olhares das pessoas, que se perguntavam quem ela era e o que devia ter feito. Por que a estavam levando em custódia? Para humilhá-la? Ela era uma veterana da Soca, não tinha feito nada de errado.

Eles atravessaram a rua, e a porta de trás de uma das viaturas foi aberta. Kathleen entrou, e a porta se fechou. Ficou sentada em silêncio, as pessoas caminhando de um lado para o outro lá fora. Pelo vidro escurecido, podia ver o interior da livraria e a senhora de meia-idade. Nenhum dos quatro policiais havia se preocupado em falar com a proprietária, o que só a deixou mais desconfiada.

O que estava acontecendo?

MALONE FICOU OBSERVANDO enquanto Kathleen, com as mãos para trás, atravessava a rua e era conduzida ao banco de trás de uma viatura policial.

A FARSA DO REI \ 221

— Por que levaram a moça? — perguntou Ian.

— Talvez ela não fosse da Soca.

— Ela disse a verdade — insistiu Ian.

Malone concordou. Tudo nela parecia verdadeiro.

Os carros voltaram a circular pela rua estreita nos dois sentidos, e a viatura continuou estacionada no meio-fio, os giroscópios ainda ligados. O que ele deveria fazer agora? Será que devia simplesmente entregar o pen drive a Antrim e ir para casa?

Alguma coisa estava errada.

Como os dois homens sabiam da livraria? Como uma agente da Soca sabia que ele estava ali, sabia seu nome?

E Ian ainda estava em perigo.

Um sedan preto parou na rua, e um homem saiu. Idoso. Cabelo grisalho, vestido de terno com colete. Caminhava com a ajuda de uma bengala. Ele atravessou a rua, contornou a viatura policial, abriu a porta de trás e entrou.

IAN NÃO CONSEGUIA acreditar no que estava vendo. O homem de bengala.

Um rosto que ele nunca esqueceria.

— No carro, naquela noite, em Oxford Circus — disse ele. — O homem que queria o pen drive. O homem que ordenou ao outro sujeito que me matasse. É aquele ali.

Trinta e dois

KATHLEEN DEVIA TER adivinhado.

Sir Thomas Mathews.

Ele se sentou ao seu lado no carro.

— A senhorita nunca vai aprender? Trocando tiros naquela loja... Alguém podia ter morrido.

— Mas ninguém se feriu. Estranho, não acha?

— Está querendo insinuar alguma coisa?

— Por que o senhor não me diz?

— Agora vejo por que seus supervisores me advertiram para não envolvê-la nesse assunto. *Não vale a pena*, creio que foram essas as palavras que eles usaram.

— O homem estava armado. Havia uma mulher e um adolescente lá dentro. Fiz o que era necessário.

— E onde estão o Sr. Malone e Ian Dunne?

— A polícia não os encontrou?

Mathews deu um sorriso sutil, que indicava mais nervosismo do que divertimento.

— A senhorita acha que algum dia vai aprender com os próprios erros?

Na verdade, ela já havia aprendido.

— Onde está Eva Pazan?

A FARSA DO REI \ 223

— Morta, suponho. Como a senhorita relatou.

— Nós dois sabemos que isso não é verdade. Ela não existe. Pelo menos não em Oxford.

Mathews apoiou as mãos no globo de marfim de sua bengala. Seu olhar se fixou no lado de fora do para-brisa.

— Eu a subestimei — disse ele, por fim.

— Isso significa que não sou tão idiota quanto o senhor achava que eu fosse?

Ele virou a cabeça e a encarou.

— Significa que eu a subestimei.

— O que está fazendo?

— Estou protegendo este país. No momento, ele está enfrentando uma séria ameaça, uma ameaça com consequências potencialmente catastróficas. Tudo isso é bastante extraordinário. Algo que aconteceu há quinhentos anos ainda é capaz de causar muitos problemas hoje em dia.

— Imagino que o senhor não vá me contar o que é.

— Imaginou certo. Mas vou deixar uma coisa clara. É uma ameaça real, que não pode ser ignorada, e Blake Antrim nos forçou, após muitos séculos, a finalmente encará-la.

MALONE OLHOU PARA Ian.

— Tem certeza de que é aquele homem?

— Ele tinha a mesma bengala, com uma esfera branca entalhada na ponta, um globo. Estava de terno, igualzinho a esse que ele está usando agora. É ele.

A revelação do garoto era ainda mais incrível, considerando quem era o homem.

Thomas Mathews.

O chefe de longa data do SIS.

Quando estava no Departamento de Justiça, Malone havia trabalhado várias vezes com a MI6 e tinha se encontrado em duas ocasiões com Mathews. O homem era astuto, inteligente e cauteloso. Sempre cauteloso. Portanto, sua presença na estação de Oxford Circus um mês atrás, quando Farrow Curry foi morto, dava margem a uma tonelada de perguntas.

Mas uma vinha em primeiro lugar.

— Você me contou que o homem que o obrigou a entrar no carro foi o mesmo que empurrou Curry nos trilhos. Isso é verdade?

Ian assentiu.

— O mesmo cara.

Ele sabia que matar fazia parte das atribuições da inteligência. Mas assassinato em público? Ali, em solo britânico, por agentes britânicos? Sendo a vítima um funcionário de um aliado próximo? E o próprio chefe estava envolvido? Isso levou o que estava em jogo a patamares inimagináveis.

E Antrim estava metido nisso.

— Já faz algum tempo que ele está naquela viatura com ela — comentou Ian.

Malone captou o tom de preocupação e assentiu.

— Você acha que ela está com problemas? — perguntou Ian.

Ah, está.

KATHLEEN PERCEBEU QUE sua situação era tensa. Estava à mercê de Mathews.

— Srta. Richards, esta é uma questão vital da qual o primeiro- -ministro está ciente. Como observou no Queen's College, as leis foram subvertidas, para não dizer abertamente violadas. Os interesses nacionais estão em jogo.

Ela captou o que tinha ficado subentendido. *Então por que a senhorita cria tanto problema?*

— Foi o senhor quem me procurou — lembrou ela.

— É mesmo. Um erro que só agora percebo.

— O senhor nunca me deu uma chance de ajudar.

— É aí que se engana. Eu dei à senhorita todas as chances. Mas decidiu se aventurar por conta própria. — Ele hesitou. — Estou sabendo das suas perguntas ao pessoal da segurança em Oxford e da sua visita ao zelador dos Inns of Court. Devia ter me escutado no Queen's College e feito o que mandei.

— O senhor devia ter sido honesto comigo.

Mathews riu.

— Infelizmente, não posso me dar ao luxo nesse caso.

Ela não concordava.

— E agora?

— Trapaceiros como a senhorita sempre chegam ao fim da linha.

— Quer dizer que estou desempregada?

— Eu bem queria que fosse assim tão fácil. Esses interesses nacionais que mencionei, esses que estamos defendendo, requerem medidas extraordinárias para serem protegidos. Não aquelas a que eu normalmente recorro dentro de nossas fronteiras, mas neste caso não tenho escolha.

Kathleen não gostou do tom daquilo.

— A última coisa que podemos permitir é que uma pessoa incontrolável como a senhorita saia falando por aí.

Ele estendeu a mão até o trinco da porta.

— O senhor vai mandar me matar? — perguntou ela.

Mathews abriu a porta e saiu do carro, batendo-a rapidamente atrás de si.

Kathleen foi tomada pelo pânico.

Em seguida, dois homens entraram e sentaram-se nos bancos da frente.

No banco de trás, Kathleen chutou uma das portas. Percebeu que seria melhor atingir a janela, e seus pés investiram contra ela. Um dos homens se virou no banco da frente, e um cano de pistola pressionou sua barriga.

Os olhos deles se encontraram.

— Fique quieta ou atiro em você aqui mesmo — ordenou ele.

226 \ STEVE BERRY

MALONE FICOU OBSERVANDO Thomas Mathews sair do carro e dois homens entrarem em seguida. Viu a cabeça de Richards se afastar do vidro e as solas de seus sapatos baterem na janela traseira.

— Ela está com problemas — disse Ian.

O trânsito continuava parado.

O carro não iria a nenhum lugar imediatamente.

— Vamos ajudá-la — sugeriu Ian.

— Você tem alguma ideia?

— Acho que sim. Pelo menos sempre funcionou comigo antes.

KATHLEEN NUNCA HAVIA sentido tanto medo. Já tinha passado por situações extremas, já havia corrido risco de vida, mas sempre dera um jeito de escapar. Claro, sempre teve que enfrentar as consequências junto aos seus chefes, mas isso vinha mais tarde, quando o perigo já havia passado.

Isso era diferente.

Esses homens tinham a intenção de matá-la.

Dentro de um carro da polícia? Kathleen duvidava, mas, se continuasse a resistir, eles seriam capazes de atirar ali mesmo. Então ela decidiu dar o devido respeito à arma que pressionava sua barriga e parou de chutar.

— Fique sentada — ordenou o homem.

Ele se acomodou novamente no banco da frente, mas continuou alerta, com a arma apontada para ela. O carro saiu do meio-fio e se misturou ao tráfego lento de mão dupla, os veículos parando e andando nas duas pistas da rua estreita.

Tenha paciência, disse ela a si mesma.

Fique calma.

Espere uma oportunidade.

Mas quando? Onde? Como?

As perspectivas não pareciam promissoras.

Trinta e três

ANTRIM SAIU DO depósito tarde da noite e caminhou uns cinco metros. Assim poderia falar com privacidade e vigiar a porta, assegurando-se de que Gary Malone continuasse lá dentro. Ligou para o número que estava no livro da Temple Church. Três toques, e a mesma voz grave da rotunda atendeu.

— Estou pronto para negociar — disse ele ao homem no outro lado da linha.

— A uma hora tão tardia. Deve haver algo errado.

Ele não gostou do tom condescendente.

— Na verdade, não. As coisas estão indo bem para mim. Nem tanto para vocês.

— Poderia esclarecer? Antes que eu concorde em pagar 5 milhões de libras.

— Um ex-agente, Cotton Malone, está fazendo um trabalho freelance para mim. Ele era um dos nossos melhores agentes e encontrou o que eu estava procurando.

— Ian Dunne?

Antrim ficou chocado; a voz sabia. Era a primeira vez que aquele nome era mencionado.

— Isso mesmo. E o pen drive. Como o senhor sabe sobre Dunne, imagino que saiba a respeito disso também.

228 \ STEVE BERRY

— Você está certo. Achávamos que conseguiríamos pegar o garoto e o pen drive antes do senhor, mas não foi o caso. Nossos homens fracassaram na livraria.

— Agora o senhor entende como me sinto.

O homem mais velho riu.

— Acho que mereço isso. Afinal, fizemos questão de lembrar o senhor de seus insucessos nessa operação. Mas, como o pen drive está em segurança agora, parece que a sorte sorriu para nós dois.

Sim, sorriu.

— Agora que o senhor decidiu negociar, há duas outras questões que devem ser abordadas — prosseguiu o homem.

Antrim aguardou.

— Os materiais que estão no depósito. Nós os queremos.

— Está sabendo disso também?

— Como eu falei na igreja, estamos vigiando-o de perto. Até permitimos que o senhor violasse o túmulo de Henrique no Castelo de Windsor.

— Provavelmente porque também estavam curiosos quanto ao que poderia haver lá.

— Estávamos curiosos apenas para ver até que ponto o senhor chegaria com tudo isso.

— Até o fim.

Antrim queria que aquele homem acreditasse que ele não estava com medo.

Ouviu uma risada do outro lado da linha.

— Tudo bem, Sr. Antrim. Vamos trabalhar com a suposição de que o senhor teria levado essa operação *até o fim*. — A voz fez uma pausa. — Temos um inventário preciso do que o senhor guarda no depósito. Portanto, queira fazer o favor de não deixar que nada desapareça.

— E a outra questão?

— Os discos rígidos.

Droga. Esses caras sabiam de todas as suas transações.

— Sabemos que o senhor substituiu os discos rígidos dos três computadores utilizados por Farrow Curry, na esperança de ficar com os dados codificados contidos neles. Queremos esses também.

— Isso é tão importante assim?

— O senhor busca uma verdade que permaneceu oculta por muito tempo. Queremos garantir que continue assim. Pretendemos destruir tudo que o senhor descobriu, para que não tenhamos mais essa preocupação.

Antrim não dava a mínima. Só queria cair fora.

— Eu também tenho uma condição.

— Cinco milhões de libras não bastam?

— Isso compra o fim da operação, sem que seja preciso dar grandes explicações a Washington. A Farsa do Rei vai acabar e nunca mais vai ser retomada. É o que o senhor quer. Vou garantir que isso aconteça e vou levar a culpa e as críticas pelo fracasso.

— Cinco milhões de libras compram uma aposentadoria confortável.

— Concordo. O senhor quer as evidências que reunimos e os discos rígidos. Tudo bem. Consigo isso. Mas há um problema no que se refere ao pen drive. Cotton Malone precisa ser eliminado.

— Não somos assassinos.

— Não, apenas matadores. — Antrim não havia se esquecido de seu agente na Catedral de St. Paul nem de Farrow Curry. — Malone leu o que está no pen drive.

— Como sabe disso?

— Ele me contou. Portanto, se quer que esta operação seja de fato esquecida, Malone precisa sumir do mapa. Ele tem uma memória fabulosa e não vai se esquecer de nenhum detalhe.

O silêncio do outro lado da linha confirmou que a Sociedade Dédalo não tinha um bom argumento para refutar sua sugestão.

— Você está certo — concordou o idoso. — Malone está com o pen drive, não é?

— Sim.

230 \ STEVE BERRY

— Como o encontramos?

— Eu o aviso quando e onde.

E assim ele encerrou a ligação.

MALONE SALTOU DA escada de incêndio. Ian já estava na rua. Eles haviam descido para o primeiro andar e saíram pela mesma janela que o atirador tinha usado. Não havia nenhum policial no beco escuro.

Os dois saíram correndo, distanciando-se da livraria.

Ian havia contado o que tinha em mente. Diante das opções limitadas, Malone decidira confiar no garoto.

Além disso, a ideia realmente poderia funcionar.

No fim do beco, chegaram a uma calçada iluminada repleta de gente que curtia a vida noturna do lugar e se aproximaram de um cruzamento. Seis metros à direita ficava a livraria, e a viatura policial ainda estava estacionada do outro lado da rua. A segunda viatura, com a agente da Soca, estava presa no engarrafamento a um metro e meio dali, aguardando o sinal abrir. Malone esperava que ninguém no carro, além de Kathleen Richards, o conhecesse. Ou conhecesse Ian.

Thomas Mathews não estava no campo de visão.

Depois de dar o sinal para Ian entrar em ação, Malone se misturou à multidão agitada diante dos pubs e das lojas e foi se aproximando da viatura policial que aguardava no semáforo. Ian estava na calçada do outro lado da rua, acompanhando seus passos.

O sinal abriu, e os carros começaram a andar.

IAN GOSTOU DO fato de Malone tê-lo escutado.

Ele queria ajudar.

O homem da bengala era perigoso. Ian sabia disso por experiência própria. E, ao afugentar o outro homem da livraria, a agente da Soca havia protegido não só ele, Ian, mas também a Srta. Mary.

Ela havia sido legal com ele.

A FARSA DO REI \ 231

Ian já havia feito aquilo várias vezes. Eram necessárias duas pessoas, às vezes três, e as recompensas podiam ser grandes.

Assim como os riscos.

Ele tinha dado errado em duas ocasiões.

Esperava que aquela não fosse a terceira.

MALONE VIU IAN se jogar na frente do carro da polícia.

Uma freada, e os pneus agarraram-se ao asfalto.

O veículo parou com um solavanco.

Ian caiu, as mãos na perna, uivando de dor.

Malone sorriu. Esse garoto era bom.

O motorista uniformizado saiu do carro, deixando a porta aberta.

Malone passou por dois carros parados no trânsito, virou seu alvo de forma que ficasse bem de frente para ele e deu um soco embaixo de suas costelas.

O motorista cambaleou e caiu sobre o carro.

Malone rapidamente apalpou o coldre axilar do homem e pegou a arma. O policial pareceu voltar a si, mas Malone não lhe ofereceu a menor chance, dando uma coronhada na têmpora direita. O corpo caiu inerte na rua.

Ele apontou a arma para o para-brisa.

A porta do passageiro se abriu, mas Ian já estava de pé e chutou-a, evitando qualquer fuga. Malone sentou-se no banco do motorista, apontou a arma para o segundo policial e arrancou o revólver da mão dele.

— Pronta para ir? — perguntou a Richards, sem tirar os olhos do policial.

A porta de trás se abriu.

Kathleen saiu do carro com a ajuda de Ian.

— Fique aqui — ordenou Malone ao policial.

Ele saiu do carro e atravessou a rua novamente. Ian e Kathleen, ela ainda com os punhos atados às costas, o seguiram.

— Sugiro que a gente vá embora agora — disse ele.

Trinta e quatro

NORMALMENTE, ANTRIM ESTARIA preocupado com o nível de conhecimento que a Sociedade Dédalo possuía e com a extensão do vazamento de informações de sua operação, o que poderia colocá-lo em perigo. Dois agentes e dois analistas foram designados para a Farsa do Rei. Além disso, Antrim contratou mais dois freelancers para fazer o teatrinho para Malone. Dois dos seis homens que trabalhavam para ele estavam mortos. Teria sido o agente da catedral o problema? Quais tinham sido suas últimas palavras? *Não devia acontecer.* Na hora ele não entendeu o que isso significava, mas agora compreendia. E se perguntou: o que *devia* ter acontecido na catedral?

Fazia sentido que o agente da catedral fosse o traidor. No entanto, os outros quatro não estavam acima de qualquer suspeita, especialmente os freelancers. Antrim não sabia muito sobre eles, além do fato de terem sido autorizados a participar desse tipo de operação.

Mas não importava.

Não mais.

Ele estava se aposentando. Se tudo desse certo, graças à morte de Farrow Curry, a Operação Farsa do Rei chegaria ao fim. Sem dúvida, Langley o culparia. Ele assumiria as consequências e pediria demissão, que seria prontamente aceita.

Uma ruptura tranquila para todos os envolvidos.

A FARSA DO REI \ 233

Ainda haveria o morto na catedral, mas até onde chegaria essa investigação? A última coisa que Washington ia querer era atrair mais atenção, especialmente por parte dos britânicos. Melhor deixar que o assassinato continuasse sem explicação, e o corpo, desaparecido. Somente ele, Antrim, conhecia o criminoso, e duvidava de que pudesse ser estabelecida alguma relação com a Sociedade Dédalo. A única conexão era seu celular, descartável, comprado em Bruxelas com outro nome, e em breve o aparelho seria destruído e queimado.

Restavam apenas os três discos rígidos.

Então ele deixou Gary no depósito com um de seus agentes e foi de carro até um prédio no East End londrino. O homem que morava lá era holandês, um especialista em computação a quem ele já havia recorrido em outras missões. Um prestador de serviços que sabia que as quantias obscenas que recebia não eram apenas um pagamento por seu trabalho, mas também por seu silêncio. A distância impedira Antrim de contar com seus especialistas em decodificação. Além disso, as contraoperações não empregavam pessoal interno. Seu propósito era operar fora do sistema.

— Preciso dos três discos rígidos de volta — disse Antrim assim que entrou no apartamento e fechou a porta. Seu telefonema havia despertado o homem de um sono profundo.

— O lance acabou?

— Sim, encerraram o projeto. A operação chegou ao fim.

O especialista em computação pegou os três discos em sua mesa de trabalho e os entregou sem fazer perguntas.

No entanto, Antrim estava curioso.

— Encontrou alguma coisa?

— Recuperei uns sessenta arquivos e estava trabalhando no documento protegido por senha.

— Leu alguma coisa?

O analista negou.

— Eu sabia que não devia ler. Não quero saber de nada.

— O restante dos seus honorários será depositado amanhã.

234 \ STEVE BERRY

— Eu poderia ter recuperado o arquivo protegido, sabe?

Isso chamou a atenção de Antrim.

— Descobriu a senha?

O homem bocejou.

— Ainda não, mas acho que conseguiria fazer isso. Decifrei uma das senhas de Curry e uma criptografia. Poderia conseguir as outras. É claro que o fato de estarmos todos do mesmo lado facilitou as coisas.

Para satisfazer a Sociedade Dédalo, ele teria que devolver tudo o que havia reunido no depósito junto com os discos rígidos. Mas um pequeno backup não seria nada má ideia. Especialmente quando se lida com uma instituição totalmente desconhecida como a Dédalo. Além disso, depois de um ano trabalhando nisso, ele queria saber o que tinha sido descoberto, se é que havia algo.

Curry estava tão empolgado ao telefone naquele dia...

Parecia ter feito uma descoberta significativa.

— Você fez cópias dos três discos?

— É claro. Como garantia. Vai querer esses backups também, não?

O homem fez menção de ir pegá-los.

— Não. Continue a trabalhar neles. Quero saber o que há nesses arquivos protegidos por senha. Ligue-me assim que tiver terminado.

KATHLEEN NUNCA TINHA se sentido tão feliz de ver um rosto quanto o daquele adolescente que se lançou na frente do carro. Ela o reconheceu imediatamente. Esperou que Ian Dunne não tivesse vindo sozinho e ficou aliviada quando Cotton Malone apareceu. Agora eles já estavam há algumas quadras da livraria, diante de uma loja de souvenirs. Ian tinha um canivete e o usou para cortar as abraçadeiras de plástico.

— Por que fizeram isso? — perguntou ela a Malone.

— Tivemos a impressão de que você precisava de ajuda. O que Thomas Mathews queria com você?

— Quer dizer que conhece o gentil cavalheiro?

A FARSA DO REI \ 235

— Já nos encontramos antes. Em uma vida passada.

— Ele me contou que você é um ex-agente da CIA.

Malone negou.

— Departamento de Justiça. Trabalhei em uma unidade de investigação internacional por doze anos.

— Agora está aposentado?

— É o que sempre digo a mim mesmo. Infelizmente, parece que nunca me escuto. O que Mathews quer aqui?

— Ele quer me matar.

— A mim também — interveio Ian.

Kathleen encarou o adolescente.

— Sério?

— Ele matou um cara em Oxford Circus e depois queria me matar.

Ela olhou para Malone, que assentiu.

— É, ele está dizendo a verdade.

Em seguida, Kathleen voltou-se para o garoto.

— Você se arriscou se jogando na frente do carro. Fico devendo essa.

Ian deu de ombros.

— Eu já tinha feito isso antes.

— Jura? É um hábito seu?

— Ele é um profissional das ruas — disse Malone, sorrindo. — Um deles para o carro e finge que está machucado enquanto o outro rouba o que puder do veículo. Mas que história é essa, de que Mathews quer matar você?

— É, pelo jeito, não sou mais útil.

— Não poderia ter sido um blefe?

— Talvez, mas eu não queria ter ficado lá no carro para descobrir.

— Quem sabe nós podemos trocar informações. Talvez assim a gente comece a ver o sentido de tudo isso.

Foi o que fizeram.

Kathleen contou a Malone tudo que tinha acontecido desde o dia anterior em Windsor e em Oxford, acrescentando suas desconfianças em relação a Eva Pazan e ao que Mathews havia lhe contado no carro. Malone repassou suas últimas vinte e quatro horas, que pareceram tão caóticas quanto as dela. Ian Dunne relatou o que acontecera em Oxford Circus um mês atrás.

Ela omitiu apenas três coisas.

Sua suspensão da Soca, sua ligação com Blake Antrim e o fato de que ela fora conduzida aos Inns of Court especificamente para vê-lo. Não parecia necessário revelar nada disso.

Ainda não, pelo menos.

— Como você nos encontrou na livraria? — perguntou Malone.

— Mathews. Ele sabia que você estaria lá.

— Ele disse como sabia disso?

— Não. Ele não é do tipo prestativo.

Malone sorriu.

— Por que uma agente da Soca está trabalhando com o MI6?

— Fui designada especialmente para esse caso.

Isso era verdade.

Até certo ponto.

MALONE NÃO FICOU inteiramente satisfeito com as explicações de Kathleen Richards. Mas eles não se conheciam; portanto, ele não podia esperar que ela revelasse tudo de uma só vez. Mesmo assim, ele agora podia tomar algumas decisões. A primeira envolvia Ian. Era preciso tirá-lo desse caso, mandá-lo para Antrim e Gary, mas Malone sabia que convencer o garoto a sair de cena seria difícil.

— Estou preocupado com a Srta. Mary.

Malone explicou a Kathleen que a Srta. Mary era a senhora da livraria.

— Aqueles homens podem voltar, e nós a deixamos lá na loja.

— A polícia não vai ajudar — afirmou ela. — Está trabalhando com Mathews.

Malone olhou para Ian.

— Você precisa cuidar dela.

— Você disse que faria isso.

— E farei. Vou mandá-los para junto de Gary.

— Quero continuar com você.

— Quem disse que eu vou a algum lugar?

— Vai, sim.

O garoto era brilhante, mas isso não significava que faria o que bem entendesse.

— A Srta. Mary sempre cuida de você, agora é sua vez de cuidar dela.

— Tudo bem. Posso fazer isso.

— Vou entrar em contato com Antrim e pedir que venha buscar vocês dois.

— E aonde você vai? — perguntou Kathleen.

— Atrás de algumas respostas.

O pedaço de papel que a Srta. Mary tinha lhe dado com o número de telefone ainda estava em seu bolso. *Minha irmã. Conversamos há pouco. Disse que poderia recebê-lo amanhã de manhã.*

— Posso ir junto? — perguntou Kathleen.

— Suponho que você não aceitaria um não como resposta.

— Dificilmente, mas meu distintivo da Soca pode ser útil.

Verdade. Especialmente com relação ao porte de arma.

Malone entregou a ela uma das armas que havia pegado.

— Preciso fazer uma ligação para Antrim e ver como está meu filho. Depois vou dormir algumas horas.

— Eu ofereceria meu apartamento — disse Kathleen. — Mas temo que esse seja o primeiro lugar onde eles vão procurar por mim.

Malone concordou.

— Um hotel é melhor.

Trinta e cinco

SÁBADO, 22 DE NOVEMBRO
8H

MALONE TERMINOU DE comer um cereal com frutas de café da manhã. Ele e Kathleen Richards haviam passado algumas horas no Churchill, ele no sofá-cama da sala, ela no quarto. Chegaram depois da meia-noite, e o hotel só tinha uma suíte disponível. A diferença de fuso horário finalmente surtira efeito, e ele tinha dormido logo depois de se deitar. Mas não sem antes ligar para Antrim e ter certeza de que Ian e a Srta. Mary haviam chegado e que Gary estava bem. Kathleen tinha lhe dito que eles ainda precisavam conversar e pedira que não revelasse nada sobre ela até poderem fazer isso. Malone atendeu seu pedido e não a mencionou a Antrim.

— Fui recrutada por Mathews por causa de Blake Antrim — revelou Kathleen do outro lado da mesa.

A entrada do restaurante do Churchill ficava no saguão principal, e uma vidraça ocupava a parede que dava para a movimentada Portman Square.

— Nós tivemos um envolvimento. Há dez anos. Mathews queria que eu usasse esse relacionamento para retomar contato com ele.

— Ele é um problema?

Malone precisava saber disso, visto que Gary estava sob os cuidados de Antrim.

— Não do modo que você está pensando. De jeito nenhum. Seu filho está bem com ele. Mas se Gary fosse namorada de Antrim e terminasse com ele... — Ela fez uma pausa. — Seria outra história.

Ele achou que havia entendido.

— Ele não entrega os pontos facilmente?

— Mais ou menos isso. Digamos que nossa separação foi memorável.

— E você concordou em retomar contato com ele?

— Parece que Antrim está metido em algo que ameaça a segurança nacional.

Isso chamou a atenção de Malone.

— Infelizmente, Mathews não disse qual é exatamente o envolvimento dele.

— Então ele a mandou à livraria ontem à noite para fazer contato comigo e com Ian. Deixe-me adivinhar. Ele quer o pen drive.

— Exatamente. Imagino que você não queira me contar o que há nele, certo?

Por que não? O que importava? Essa briga não era dele. Além disso, não era grande coisa.

— Por incrível que pareça, Antrim está tentando provar que Elizabeth I na verdade era um homem.

Malone percebeu a surpresa na fisionomia de Kathleen.

— Você está brincando? Mathews estava querendo me matar por causa disso?

Ele deu de ombros.

— Pior. Mathews estava na estação quando Farrow Curry foi empurrado nos trilhos. Um dos homens dele o matou. Ian viu.

— Isso explica por que ele quer Ian Dunne.

— É. O garoto é testemunha do assassinato de um agente americano em solo britânico, o que leva diretamente ao MI6. Ainda bem

240 \ STEVE BERRY

que Ian está em um lugar seguro com Antrim. Os interesses dele são claramente opostos aos de Mathews.

— Antrim sabe de tudo isso?

— Sim, eu contei a ele ontem à noite por telefone. Ele disse que ficaria de olho em Ian.

O que também explicava por que Malone ainda estava ali. Se não fosse pelo fato de Ian estar claramente encrencado, ele e Gary iriam embora hoje. Mas Malone não podia simplesmente partir. Queria ir um pouco mais adiante nessa história e tentar ajudar o garoto a se livrar dessa.

— Mathews me informou sobre um santuário mantido em segredo pelos Tudors, onde eles esconderam sua fortuna pessoal.

— Um ponto que você omitiu ontem à noite.

— Tenho certeza de que você também não falou tudo o que sabia.

Kathleen contou a Malone o que havia acontecido quando Henrique VII e Henrique VIII morreram.

— Tenho a impressão — continuou ela — de que o pen drive pode levar a esse local.

No entanto, ele não se lembrava de nada que houvesse lido nos arquivos que apontasse nessa direção.

— Termine seu café — disse ele. — Preciso imprimir umas coisas.

— Do pen drive?

— É. Seria bom ter uma cópia impressa.

— Nós vamos a algum lugar?

— A Hampton Court. Precisamos falar com alguém lá.

Os OLHOS DE Kathleen percorreram o restaurante. Nada nem ninguém parecia fora do comum. Tanto ela quanto Malone haviam trocado seus celulares, pois fora desse modo que Antrim o rastreara. Gostava de tecnologia e sabia que um telefone desligado era um telefone seguro.

Por que eles iriam a Hampton Court? Quem visitariam? E o que lhe importava isso agora? Ela havia jogado dois empregos para o alto nas últimas doze horas. Não tinha muito a perder nessa briga. Talvez fosse melhor reduzir o prejuízo e ir embora. Mas será que isso deteria Thomas Mathews? Dificilmente. Ela ainda precisava melhorar sua situação com ele. Será que Mathews realmente pretendia matá-la? Ainda era difícil saber, mas aquele policial teria atirado se ela continuasse a resistir.

Kathleen terminou o café da manhã e ficou aguardando Malone enquanto ouvia os murmúrios das conversas. O garçom veio, tirou a mesa e serviu mais café em sua xícara. Ela não fumava, bebia pouco, não jogava nem usava drogas. Café era seu vício. Gostava de café quente, frio, doce, amargo... não importava, contanto que tivesse bastante cafeína.

— Para a senhorita.

Ela ergueu os olhos.

O garçom lhe entregou um envelope, e ela o pegou.

— Foi entregue na recepção. Uma mulher deixou para a senhorita.

A boca de Kathleen ficou seca. Seus sentidos se aguçaram. Quem poderia saber que ela estava ali? Abriu o envelope e tirou uma única folha, onde estava escrito em tinta preta.

Parabéns pela posição privilegiada, Srta. Richards. No momento, ninguém está mais próximo de Cotton Malone que a senhorita. Tire o máximo proveito disso. Pegue o pen drive e verifique o que exatamente Malone sabe. Dou-lhe minha palavra, como cavaleiro do reino, de que, se conseguir isso, a senhorita será recompensada com um cargo em minha organização. Nosso país corre perigo, e é nosso dever protegê-lo. Sim, eu sei que a senhorita está desconfiada de mim. Mas leve isso em consideração. Estou a par de sua localização a noite inteira e não agi. O fato de estar lendo esta mensagem é prova dos recursos de que disponho. Além disso, a Dédalo ainda é capaz de grandes feitos. Esta é sua última chance de redenção. Torne-se útil. Se concorda com isso, faça um movimento afirmativo com a cabeça. Quando estiver com o pen drive, entre em contato através do número usado anteriormente.

TM

242 \ STEVE BERRY

Kathleen não conseguia acreditar no que tinha acabado de ler.

Thomas Mathews a estava vigiando.

Disse a si mesma que ficasse calma.

Fazer o que Mathews queria significava trair Cotton Malone. Mas ele era um estranho. Alguém sem importância. Claro, ela havia dividido um quarto com ele noite passada, e ele parecia um sujeito digno. Mas havia interesses nacionais envolvidos. Sua carreira estava em jogo. E não como agente da Soca, mas talvez como integrante do serviço secreto. As pessoas não pediam um emprego lá. Eram recrutadas e provavam seu valor.

Como agora.

Isso, é claro, se a palavra de Thomas Mathews — *um cavaleiro do reino* — servisse de alguma coisa.

Ela inspirou.

E fez um movimento afirmativo com a cabeça.

Trinta e seis

8H30

ANTRIM PAGOU SEU ingresso para a Abadia de Westminster e entrou na imensa igreja. Passou pela lápide de mármore preto do Guerreiro Desconhecido e pelo coro com seus famosos bancos de madeira. Os reis e as rainhas da Grã-Bretanha eram coroados naquele altar, no santuário. Ele avistou uma placa que identificava o túmulo de Ana de Cleves, a quarta esposa de Henrique VIII, a única esperta o bastante para ceder a separação. Naquele ano ele havia lido um bocado sobre Henrique, suas esposas e seus filhos, especialmente Elizabeth. Antrim considerava sua própria família disfuncional, mas os Tudors provavam que sempre podia haver algo pior.

Havia ali uma grande multidão, o que não era nada surpreendente, pois era fim de semana e aquele era um lugar obrigatório para qualquer turista em Londres, com seu Poets' Corner, as capelas decoradas e os restos mortais de tantos monarcas. Não havia nada nos Estados Unidos que se igualasse àquilo. Aquela igreja existia havia um milênio e tinha testemunhado praticamente tudo o que havia acontecido na Inglaterra desde a invasão normanda.

Antrim seguiu pelo deambulatório, contornando a sacristia até uma escadaria de mármore que leva à capela de Henrique VII. Construída pelo primeiro rei Tudor como jazigo da família, acabou sendo chamada merecidamente de *orbis miraculum*, maravilha do mundo. Os imensos portões eram de bronze e carvalho, decorados com rosas, flores-de-lis e brasões da família Tudor. Em seu interior, havia uma nave com cinco capelas menores. Bancos de madeira alinhavam-se junto às paredes e, acima deles, pendiam bandeiras, espadas, elmos e mantos dos cavaleiros da Ordem de Bath.

Mais uma dessas sociedades antigas.

Criada por Jorge I, retomada por Jorge V, agora era parte da tradição inglesa como a quarta mais antiga ordem de cavalaria.

Ao contrário da Sociedade Dédalo.

Esta parecia existir somente nas sombras.

Nichos ricamente entalhados, cada um com uma estátua, posicionavam-se embaixo das janelas de aparência frágil do clerestório, circundando a capela. O mais atraente, porém, era o teto. Abóbadas com rendilhados e pingentes, suspensas como que por mágica. O teto trabalhado era mais parecido com uma frágil teia de aranha do que com pedra esculpida.

Ao fundo ficava o túmulo de Henrique VII. Era o ponto central e uma contradição. Mais romano que gótico. Compreensível, visto que tinha sido um italiano quem projetara aquele local. Devia haver uns setenta turistas ali na capela. Depois de ter saído do apartamento de seu especialista em computação na noite anterior, Antrim dera um telefonema. Recebera instruções para ir até ali assim que abrisse ao público, com os discos rígidos, que estavam dentro de uma sacola plástica. Os muitos visitantes faziam com que Antrim se sentisse mais seguro, mas não muito. As pessoas com quem estava negociando tinham conexões, eram determinadas e audaciosas.

Portanto, ele estava atento.

— Sr. Antrim.

Virando-se, viu uma mulher de quase 60 anos, baixa, mignon, cabelos louros grisalhos presos em um coque no pescoço. Estava de terninho azul-marinho de blazer curto.

— Enviaram-me para encontrá-lo — disse ela.

— E qual é o nome da senhora?

— Pode me chamar de Eva.

GARY FICOU FELIZ ao ver Ian na noite anterior e simpatizou imediatamente com a mulher que se apresentou como Srta. Mary. Ela lembrava a mãe de seu pai, que morava algumas horas ao sul de Atlanta, no interior da Geórgia. Ele sempre passava uma semana com ela no verão, pois sua mãe mantinha uma boa relação com a ex-sogra. Era difícil não gostar da vovó Jean. De fala mansa, era tranquila e nunca dizia um palavrão.

Eles passaram a noite na casa para onde ele e seu pai foram levados no dia anterior. Ian lhe contou o que havia acontecido na livraria e como eles resgataram a agente da Soca. Gary ficou preocupado, mas satisfeito por seu pai ter resolvido as coisas. Antrim não permaneceu ali com eles, mas ligou para dizer que estava tudo bem com Malone.

— *Ele vai concluir algumas coisinhas pela manhã — disse Antrim. — Eu disse a ele que você estava bem aqui.*

— *Você comentou alguma coisa sobre nós dois?*

— *Faremos isso juntos, pessoalmente. Ele está cheio de coisas para fazer. Podemos contar a ele amanhã.*

Gary concordou.

Agora ele, Ian e a Srta. Mary estavam no escritório do depósito, sozinhos, os outros dois agentes do lado de fora. Antrim não estava por ali.

— Vocês sabem para onde meu pai foi? — perguntou Gary.

— Ele não disse.

Gary queria ter conversado mais com Antrim no dia anterior, mas não foi possível. Precisava falar sobre sua paternidade. Então contou a Ian e à Srta. Mary o que havia descoberto.

— Tem certeza de que é verdade? — perguntou a Srta. Mary quando ele terminou.

— Nós fizemos um teste de DNA para comprovar.

— Que choque isso deve ter sido para você — continuou ela. — Descobrir seu pai biológico. Aqui.

— Mas pelo menos você descobriu — interveio Ian. — Sua mãe devia ter contado a você.

— Talvez ela tivesse um bom motivo para guardar segredo — argumentou a Srta. Mary.

Gary, no entanto, estava convicto.

— Eu gostei de saber.

— E o que vai fazer com essa informação? — perguntou a Srta. Mary.

— Ainda não sei.

— E onde está o Sr. Antrim?

— Ele vem para cá depois. É agente da CIA, está em uma missão. Meu pai está ajudando.

Mas Gary ainda estava preocupado.

Lembrou-se do divórcio de seus pais, quando sua mãe lhe disse o quanto os anos de preocupação haviam sido difíceis. Na época ele não entendeu o que ela quis dizer, mas agora, sim. Conviver com a ideia de não saber se alguém que a gente ama está bem é muito complicado. Gary estava vivenciando isso havia apenas algumas horas. Sua mãe tinha aguentado essa situação durante anos. Quando seus pais se separaram, ele ficou muito chateado; não sabia exatamente por que eles ficariam *melhor assim*, como os dois tinham dito. Gary foi testemunha da relação amargurada dos dois. Eles tinham feito as pazes havia apenas um mês, depois de tudo o que havia acontecido na Áustria e no Sinai, mas Gary não percebeu grande mudança em sua mãe. Ainda ansiosa. Ainda agitada. Ainda irritada.

Quando ela lhe contou a verdade, ele entendeu a razão.

E ele não facilitou as coisas para ela.

Exigiu saber a identidade de seu pai biológico. Ela se recusou a dizer. Ele ameaçou ir morar na Dinamarca.

Muitos conflitos.

Mais do que qualquer um deles estava acostumado a enfrentar.

Precisava falar com sua mãe.

E quando Antrim ou seu pai voltasse, ele faria isso.

ANTRIM DECIDIU CONCEDER um minuto de sua atenção a Eva e perguntou:

— Por que estamos aqui?

Ela o conduziu ao túmulo de Henrique VII.

— Esta deve ser a maior capela da Inglaterra — contou ela, a voz baixa. — Henrique está aqui, com sua rainha, Elizabeth de York. Aqui embaixo fica o jazigo dos Tudors, onde estão Jaime I e o menino Eduardo VI. À nossa volta estão os túmulos de Mary, rainha da Escócia, de Carlos II, de Guilherme III, de Maria II, de Jorge II e da rainha Ana. Até os dois príncipes da Torre, filhos de Eduardo IV, assassinados pelo tio Ricardo III, estão aqui. — Ela seguiu para a esquerda e parou diante de uma das arcadas. — E temos também este túmulo aqui.

Antrim ficou olhando para o monumento de mármore preto e branco com suas colunas e capitéis dourados. Esculpida em pedra, a mulher que jazia sobre o túmulo usava mantos reais.

— Aqui jaz Elizabeth I — prosseguiu Eva. — Ela morreu em 24 de março de 1603 e foi enterrada aqui, com seu avô, no jazigo. Mais tarde, seu sucessor, Jaime I, erigiu este monumento, e ela foi trazida para cá em 1606, permanecendo aqui desde então.

Eles se aproximaram do túmulo, reunindo-se a um pequeno grupo de visitantes.

— Observe o rosto dela — sussurrou Eva.

Antrim deu um passo à frente e viu que era o rosto de uma mulher idosa.

— A Máscara da Juventude fora imposta por lei durante os últimos anos de seu reino. Nenhum artista podia retratar Elizabeth a não ser como uma mulher jovem. Mas aqui, em seu túmulo, para toda a eternidade, essa ordem não foi cumprida.

248 \ STEVE BERRY

A efígie tinha uma coroa e uma gola elisabetana e segurava um orbe em uma das mãos e um cetro na outra.

— Há dois corpos neste túmulo — comentou Eva. — Elizabeth e sua meia-irmã, Maria, que reinou antes dela. A esta altura, suas ossadas já se misturaram. Olhe isso.

Eva apontou para uma inscrição em latim na base do monumento.

— Consegue ler?

Antrim fez que não.

— *Parceiras no trono e na sepultura, descansam aqui duas irmãs, Elizabeth e Maria, na esperança da Ressurreição.*

— Estranho, não? Enterrá-las juntas.

Antrim concordou.

— Ambas foram rainhas, tinham direito a um túmulo próprio — disse Eva. — Mas em vez disso estão juntas. Outra medida muito inteligente de Robert Cecil, permitir que os restos mortais se misturassem. Ninguém jamais saberia quem era quem. É claro, Cecil nada sabia sobre anatomia comparada e teste de DNA. Em sua época, enterrá-las juntas teria ocultado tudo.

— Alguém já examinou o conteúdo da sepultura?

— Não. Este túmulo nunca foi aberto. Nem durante os anos do governo de Cromwell nem na guerra civil.

— Por que estou aqui? — Antrim ainda queria saber.

Os turistas foram para outro local.

— Os lordes acharam que talvez o senhor gostasse de ver como o segredo que procura está oculto em um lugar tão público.

— Os lordes?

— O senhor os conheceu na rotunda da Temple Church. Eles governam nossa sociedade. Seus cargos são passados de pai para filho, e tem sido assim desde 1610, quando a Dédalo foi fundada por Robert Cecil. É claro que o senhor conhece a ligação de Cecil com Elizabeth.

Sim, ele conhecia. Cecil era secretário de Estado na época do falecimento da rainha.

A FARSA DO REI \ 249

— Mas ele morreu em 1612.

— Sim. Nunca teve boa saúde. A Sociedade Dédalo é parte de seu legado. Ele sabia do grande segredo, um segredo com o qual ninguém se importou até as últimas décadas. O senhor conseguiu ir mais fundo do que qualquer um acharia possível.

Antrim havia contado com a ajuda de um antigo memorando da CIA que detalhava o que alguns intrépidos advogados irlandeses tinham tentado fazer quarenta anos antes.

Eva apontou para o túmulo.

— Este monumento dedicado a Elizabeth foi o último a ser erigido sobre o túmulo de um soberano em Westminster. Não é interessante que, embora as duas estejam aqui enterradas, apenas Elizabeth esteja esculpida? E como uma mulher idosa, o que era contrário aos seus desejos?

Antrim continuou escutando.

— Robert Cecil supervisionou o funeral de Elizabeth e seu enterro. Nos anos seguintes, foi secretário de Estado de seu sucessor, Jaime I, e supervisionou pessoalmente a construção deste monumento. Mais uma vez, somente o senhor é capaz de entender o que isso significa.

Verdade. Farrow Curry o instruíra sobre os dois Cecils, e especialmente sobre Robert. Ele era um homem baixo e corcunda, de andar desajeitado, pés achatados. Seus olhos negros eram penetrantes, mas ele era sempre descrito como cortês e modesto, possuidor de *gentil doçura*. Ciente de sua falta de atributos físicos, ele se tornou um homem de dupla personalidade. Uma era a do funcionário público: prudente, racional e confiável. A outra era a do cavalheiro reservado: excêntrico, jogador arrojado, amante das mulheres, sujeito a longos períodos de depressão. Sua popularidade com o povo foi caindo ao longo dos anos. Angariou muitos inimigos. Sua influência acabou diminuindo, e sua capacidade de obter resultados também. Ao morrer, era odiado, chamado de Raposa por motivos nada lisonjeiros. Antrim recordou-se de um verso que, segundo Curry, era popular na época.

Possuindo espírito de fins ardilosos
Ludibria os amigos e os inabilidosos.
Mas em Hatfield está a raposa agora
Que fedia em vida e morreu de catapora.

O fato de Cecil ter escrito um diário codificado era intrigante e parecia contraditório com sua natureza reservada. Porém, como Curry havia explicado a Antrim, que melhor maneira de ser lembrado pela posteridade do que deixar registrado o único modo de desvendar um grande segredo? Todos os envolvidos estariam mortos. Controle a informação e controlará suas consequências. E o único que se beneficiaria disso seria Robert Cecil.

Eva o conduziu para a lateral do monumento e apontou para outra inscrição em latim, que também traduziu.

— *À memória eterna de Elizabeth, rainha da Inglaterra, da França e da Irlanda, filha do rei Henrique VIII, neta do rei Henrique VII, bisneta do rei Eduardo IV. Mãe de seu país, matriarca da religião e de todas as ciências, fluente em muitos idiomas, provida de excelentes dotes físicos e mentais, dotada de todas as virtudes soberanas independentemente de seu sexo. Jaime, rei da Grã-Bretanha, da França e da Irlanda, devota e justamente erigiu este monumento a ela, cujas virtudes e reinos ele herda.*

Ele captou as palavras-chave.

Dotada de todas as virtudes soberanas independentemente de seu sexo.

Palavras sem muito significado e importância, a menos que se saiba que Elizabeth I não era quem parecia ser.

— Esperto, não acha?

— Sim. Muitas coisas em Robert Cecil podem se encaixar nessa categoria. Para um homem da Renascença, desejar ser lembrado após a morte era sinal de ter um espírito elevado. E Cecil era exatamente isso.

Como Curry tinha lhe dito.

A FARSA DO REI \ 251

— Em 1606, quando este monumento foi erguido, Robert Cecil era a única pessoa viva que conhecia a verdade. Portanto, ele era o único que poderia deixar essas pistas.

Eva apontou para a sacola, e Antrim lhe entregou os discos rígidos.

— Dois milhões e meio de libras serão depositados dentro de uma hora na conta que você nos passou. Quando sua operação estiver oficialmente terminada e as provas restantes forem destruídas, pagaremos o restante. Precisamos que isso ocorra nas próximas quarenta e oito horas.

— E sobre minha *outra* questão?

— Onde está Cotton Malone?

Antrim sabia a resposta, graças ao telefonema de Malone na noite anterior pedindo-lhe que cuidasse de Ian Dunne e da dona da livraria. Mesmo contra a vontade, apenas para manter Malone ocupado, ele enviou um agente para pegá-los.

— Malone foi para Hampton Court.

Trinta e sete

9H10

MALONE ADORAVA HAMPTON Court. O colossal palácio de tijolos vermelhos fora construído havia quinhentos anos na margem norte do Tâmisa. Antiga propriedade dos templários, depois dos Cavaleiros Hospitalários, o local acabou sendo adquirido por Thomas Wolsey em 1514 quando estava no auge de seu poder, pouco antes de se tornar arcebispo de York, cardeal e, em seguida, lorde chanceler. Seis anos depois, porém, incapaz de conseguir o divórcio entre Henrique VIII e Catarina de Aragão, Wolsey caiu em desgraça. Para aplacar a ira do rei, ele lhe deu Hampton Court de presente.

Malone adorava essa história. Especialmente porque o presente de nada adiantou, e Wolsey acabou vítima da mesma crueldade que dispensou a outros, apesar de ter tido o bom senso de morrer antes que fosse decapitado. Henrique amou o presente e prontamente expandiu o palácio para que atendesse às necessidades da realeza. Séculos depois, Oliver Cromwell pensou em sucateá-lo e vendê-lo, mas passou a encará-lo como um refúgio da fumaça e da névoa londrinas e foi morar lá. O grande arquiteto Christopher Wren tinha a intenção de demoli-lo e construir um novo palácio, mas a falta de recursos e a morte de Maria II impediu que seu plano se realizasse. Assim, ele acrescentou um imenso anexo barroco que ainda está lá, contrastando com as construções de estilo Tudor originais.

Ali, na curva do Tâmisa, com suas águas fluindo lentamente, naquele palácio de mil aposentos que mais parecia um vilarejo, ainda era possível sentir a presença de Henrique VIII. Os pináculos de pedra, as paredes de tijolos vermelhos decoradas com padrões azuis, os parapeitos, a miríade de chaminés — tudo era uma marca registrada dos Tudors. Ali, Henrique construiu seu Great Hall e acrescentou um relógio astronômico, portões ornamentados e uma quadra de tênis, uma das primeiras da Inglaterra. Ele reformou as cozinhas e os apartamentos e recebia os dignitários estrangeiros com uma extravagância ímpar. Suas esposas também estavam intimamente ligadas àquele lugar. Em Hampton Court, Catarina de Aragão foi enclausurada, Ana Bolena caiu em desgraça, Jane Seymour deu à luz o herdeiro do rei e morreu em seguida, Ana de Cleves se divorciou, Catarina Howard foi presa e Catarina Parr se casou.

Se algum lugar foi *dos Tudors*, esse lugar é Hampton Court.

Malone e Kathleen Richards levaram vinte minutos de trem do centro de Londres até lá. Sabiamente, Kathleen sugeriu que seu carro, estacionado perto do sebo da Srta. Mary, poderia estar sendo vigiado, ou alguém poderia ter colocado um rastreador nele. Como eles se misturariam à multidão, o trem ofereceria anonimato e os deixaria em uma estação bem próxima ao palácio. Quando Malone ligou para a irmã da Srta. Mary, que trabalhava em Hampton Court, ela sugeriu que se encontrassem no local assim que abrisse ao público.

Malone estava tanto perplexo quanto intrigado.

Elizabeth I, rainha da Inglaterra por quarenta e cinco anos, considerada um de seus grandes monarcas... um homem?

A princípio, a ideia lhe pareceu absurda, mas ele se lembrou de que a CIA e a inteligência britânica estavam bastante interessadas nessa revelação.

Por quê?

254 \ STEVE BERRY

Kathleen Richards também tinha mais perguntas que respostas. Thomas Mathews queria matá-la, e isso era perturbador em vários aspectos. Malone tinha concordado com sua avaliação de que havia algo errado com a professora "morta" na Jesus College e de que o atirador na livraria havia atirado para o alto para não ferir ninguém com balas perdidas. Encenação? Talvez. Durante seu trabalho no Departamento de Justiça, via isso acontecer.

Mas com que finalidade?

Eles seguiram uma multidão tagarela por um largo caminho de pedras até o portão principal e entraram em um pequeno pátio que levava a outro portão. Fazia duzentos anos que a realeza não morava ali, e Malone conhecia a história daquele segundo portão. Depois de se casar com Ana Bolena, Henrique mandou entalhar nos painéis do teto a insígnia de falcão da esposa e as iniciais entrelaçadas deles dois. Logo após a decapitação da rainha, o rei ordenou que retirassem as insígnias e substituíssem cada *A* por um *J* de Jane Seymour, sua noiva atual. Na pressa para realizarem a tarefa, um *A* foi esquecido e ainda podia ser visto no teto da arcada acima dele.

Ao entrar no pátio pavimentado, ele olhou para o relógio astronômico. Um instrumento engenhoso, com a Terra no centro e o Sol girando ao redor. Além da hora, os mostradores exibem as fases da Lua e quantos dias se passaram desde o Ano-Novo. Ainda mais interessante é sua capacidade de informar quando a maré estava alta na London Bridge, uma informação vital na época de Henrique VIII, quando as marés controlavam as idas e vindas da realeza para o palácio.

— O senhor se descreveu com perfeição, Sr. Malone.

Ele se virou e viu uma mulher vindo em sua direção. Srta. Mary? A mesma silhueta magra, os mesmos cabelos prateados e o mesmo sorriso agradável. O rosto idêntico também, com pouca maquiagem, apenas um toque de batom.

— Vejo que minha irmã não mencionou que somos gêmeas.

— É, ela não mencionou esse detalhe.

A semelhança entre as irmãs era excepcional, inclusive nos maneirismos. Ela se apresentou como Tanya Carlton e pediu que ele a chamasse pelo primeiro nome.

— Eu moro do outro lado do Tâmisa, mas sou gerente da loja de souvenirs dentro de Clock Court.

Até a voz era idêntica.

— Aposto que vocês se divertiam um bocado quando eram pequenas — disse ele.

Ela pareceu entender o que ele queria dizer.

— Ainda nos divertimos, Sr. Malone. As pessoas têm dificuldade de nos diferenciar.

— Sabe por que estamos aqui? — perguntou Kathleen.

— Mary explicou. Ela sabe do meu interesse por tudo que faz parte do universo Tudor, especialmente por Elizabeth.

— E é verdade? — perguntou ele.

— Sim, pode ser.

KATHLEEN ESFORÇAVA-SE PARA não demonstrar seu interesse. Presumiu que Mathews devia estar por ali, à espreita. Depois de ter feito o gesto afirmativo com a cabeça no hotel, ela permaneceu em silêncio à mesa até Malone voltar com três folhas impressas no business center do Churchill.

Do pen drive, disse ele.

Mas não mencionou onde o objeto estava. Kathleen supôs que estivesse com ele, mas perguntar seria tolice.

Seja paciente.

E espere uma oportunidade.

ANTRIM NÃO GOSTOU de ter Ian Dunne e a dona da livraria por perto. Eles interfeririam em seu tempo com Gary. Contava com poucas horas preciosas para impressionar o menino, e, quanto menos interrupções, melhor. No entanto, não poderia ter recusado o pedido de Malone. O ex-agente tinha de morrer, e, para isso acontecer, era preciso que ele estivesse em ação. Se o preço fosse trazer mais dois ao grupo, tudo bem. Antrim os manteria juntos por mais algum tempo. Quando retornasse ao depósito, mandaria alguém levar a mulher e Dunne de volta para a casa, agora segura.

Ao sair de Westminster, ele parou em um pub para comer alguma coisa. Aproveitou para verificar por telefone se a metade do pagamento tinha de fato sido depositada em uma conta bancária em Luxemburgo. Antrim estava três milhões e meio de dólares mais rico.

E a sensação era maravilhosa.

Embora ainda não fossem nem dez da manhã, ele achou melhor almoçar. Pediu um hambúrguer com fritas e sentou-se a uma das mesas vazias. Atrás do balcão, uma televisão estava ligada na BBC. O volume estava baixo, mas algo na tela chamou sua atenção.

Um homem.

E uma legenda passando na parte inferior da tela.

ABDELBASET AL-MEGRAHI PREPARA-SE PARA SER SOLTO PELAS AUTORIDADES ESCOCESAS.

Viu um controle remoto sobre o balcão; rapidamente foi até lá e aumentou o volume. O atendente olhou para ele, e Antrim disse que queria ouvir as notícias.

"... autoridades escocesas confirmaram que o terrorista líbio Abdelbaset al-Megrahi, condenado pelo atentado a bomba do voo 103 da Pan Am em 1988 sobre Lockerbie, será mandado de volta à Líbia. Depois de ter recebido o diagnóstico de câncer terminal, por razões humanitárias, al-Megrahi terá permissão para retornar à Líbia para passar seus últimos dias. Quarenta e três cidadãos do Reino Unido morreram no atentado, em 21 de dezembro de 1988, incluindo onze pessoas em solo escocês. Ao ouvir a notícia, os parentes das vítimas ficaram chocados. Até agora não há notícias da reação de Downing Street. Fontes próximas às negociações em andamento com a Líbia dizem que a libertação pode ocorrer nos próximos dias. As primeiras notícias sobre a soltura vieram da Líbia e foram confirmadas por Edimburgo em poucas horas. Até agora ninguém se pronunciou publicamente sobre o assunto, mas ninguém negou as informações. Acompanharemos isso de perto e retornaremos assim que houver outras informações."

Antrim abaixou o volume da televisão e voltou à sua mesa.

Ele conhecia a estratégia. Um vazamento proposital para avaliar a reação pública. Deixariam a notícia cozinhar em fogo brando por alguns dias, e depois outras informações vazariam. Se feito da maneira certa, nas doses adequadas, o choque causado pela reportagem logo passaria. A menos que uma grande onda de oposição surgisse, apoiada por um bombardeio implacável da mídia, a notícia acabaria sendo esquecida, e o mundo seguia seu curso com a atenção voltada para outra coisa.

Permitir o vazamento também deixava uma coisa bem clara.

Não havia volta. Estavam todos empenhados. Agora a ideia era soltar o terrorista antes que algo pudesse impedi-los. Mas o que os britânicos estavam ganhando com seu silêncio? Por que deixar que isso acontecesse? Antrim queria a resposta para essa pergunta. E para mais outra.

O que estava acontecendo em Hampton Court?

Trinta e oito

KATHLEEN ACOMPANHOU COTTON Malone e Tanya Carlton. Eles compraram os ingressos e entraram em Hampton Court junto com um enxame de visitantes. Dois dias atrás, Kathleen estava em casa pensando no que fazer da vida. Agora era uma agente infiltrada que precisava enganar um agente aposentado da inteligência americana e pegar um pen drive.

Tudo isso para um homem que tinha tentado matá-la.

Não parecia certo, mas ela não tinha muita escolha. Mathews havia dito que aquilo era necessário para o bem do país, e isso havia surtido efeito em Kathleen. Apesar de sua mãe ser americana, ela sempre se sentiu inglesa e dedicou toda a carreira à defesa da lei. Se seu país precisava dela, seu caminho era claro.

Eles chegaram ao Great Hall, cujo teto tinha o típico estilo gótico da era Tudor. Tapeçarias magníficas revestiam as paredes imponentes, e um guia ali perto explicava a um grupo que as obras tinham sido encomendadas por Henrique VIII e encontravam-se ali desde então.

— Henrique construiu este salão e recebia seus convidados aqui — comentou Tanya. — Naquela época, a madeira crua do teto era pintada de azul, vermelho e dourado. Que beleza devia ser.

Eles passaram pelo grande aposento onde os guardas do palácio controlavam o acesso aos apartamentos do rei. Um corredor estreito levava a uma galeria de paredes bege e verde-oliva com um corrimão, e um tapete surrado protegia o piso de tábuas corridas. Em uma parede havia janelas, e na outra, três quadros intercalados por portas fechadas. Tanya parou diante da pintura do meio, de formato retangular, que retratava Henrique VIII e outras quatro pessoas.

— Este é muito famoso. Chama-se *A família de Henrique VIII*. Henrique está sentado, e, pelo seu rosto e pela constituição robusta, fica claro que foi pintado quando ele já estava mais velho. Sua terceira esposa, Jane Seymour, está de pé à esquerda dele. Seu filho e herdeiro, Eduardo, à direita. À extrema direita está sua primogênita legítima, Maria. À extrema esquerda, sua segunda filha legítima, Elizabeth.

— É bem alegórico — disse Malone. — Jane Seymour morreu em decorrência do parto. Não viveu para ver Eduardo com essa idade. Ele parece ter 7 ou 8 anos.

— É verdade. Acredita-se que este quadro tenha sido pintado em torno de 1545. Talvez dois anos antes de Henrique morrer. No entanto, é um exemplo perfeito de como os Tudors pensavam. É uma confirmação do legado dinástico de Henrique. Seu filho, de pé ao seu lado, está com a mão apoiada no ombro do pai e é seu herdeiro legítimo. Sua terceira mulher, falecida há muitos anos, ainda faz parte de sua memória. As outras duas herdeiras estão mais afastadas. Estão presentes, fazem parte do legado, mas estão distantes. Observem as roupas de Elizabeth e de Maria. As joias que usam. Os cabelos, até as fisionomias. Quase idênticas. Como se não fosse importante distingui-las. O importante era seu filho, que está em uma posição central, junto com o rei.

— Esta é a Haunted Gallery — disse Malone, olhando ao redor.

— Conhece este lugar?

— A entrada da capela fica ali. Dizem que, depois que foi presa por adultério, Catarina Howard fugiu dos guardas e atravessou a galeria correndo até a capela, onde Henrique rezava. Ela implorou por misericórdia, mas ele a ignorou, e ela foi presa novamente e decapitada. Dizem que seu fantasma, vestido de branco, vaga por este corredor.

Tanya sorriu.

— Em termos bem mais práticos, era aqui que os cortesãos aguardavam para falar com o rei quando ele passava a caminho da capela. Mas os guias turísticos adoram a história do fantasma. Gosto especialmente do acréscimo do vestido branco. É claro, a rainha Catarina era tudo, menos pura.

— Precisamos saber mais sobre o que a Srta. Mary conversou com a senhora — pressionou Malone.

— Devo dizer que fiquei fascinada com o que ela me contou. Elizabeth era muito diferente dos outros filhos de Henrique. Nenhum deles viveu muito tempo, como sabem. A primeira esposa do rei, Catarina de Aragão, teve vários abortos espontâneos antes do nascimento de Maria. O mesmo aconteceu com Ana Bolena, antes de ter Elizabeth. Eduardo, filho de Jane Seymour, morreu aos 15 anos. Henrique também gerou vários filhos ilegítimos, mas nenhum chegou aos 20 anos.

— Maria, a primogênita, viveu até... quando?... Chegou aos 40? — perguntou Malone.

— Quarenta e dois. Mas teve problemas de saúde a vida toda. Elizabeth, porém, morreu aos 70 anos. Forte até o fim. Ela chegou a contrair catapora aqui, em Hampton Court, aos nove meses de reinado, mas se recuperou.

Mais pessoas entraram na galeria. Tanya fez um sinal para que eles ficassem junto às janelas e deixassem os visitantes passarem.

— É muito empolgante ver pessoas interessadas nesse assunto. Não é discutido com frequência.

— Dá para ver por quê — disse Malone. — O tema é... bizarro.

— É muito louco — concordou Kathleen. — Isso descreve melhor.

Tanya sorriu.

— Conte-nos o que sabe — pediu Malone. — Por favor.

— Mary comentou que o senhor poderia ser do tipo impaciente. Estou vendo isso agora.

— A senhora conversou novamente com sua irmã ontem à noite? — perguntou Malone.

A FARSA DO REI \ 261

— Ah, sim. Ela ligou para me contar o que aconteceu no sebo e disse que o senhor a manteve em segurança. Por sinal, obrigada.

Mais pessoas passaram por eles.

— Mary é tímida. Ela dirige a livraria, é reservada. Nunca nos casamos, embora, acreditem, não tenha faltado oportunidades para as duas.

— Você também é apaixonada por livros? — perguntou Malone.

Ela sorriu.

— Tenho 50 por cento na sociedade da livraria.

— E Elizabeth I foi um de seus objetos de estudo?

— Sim. Pesquisei sobre ela nos mínimos detalhes. Tenho a sensação de que é uma amiga íntima. É uma pena que todos os registros que sobreviveram ao tempo não a descrevam como uma rainha feminina, mas masculina de muitas formas. Sabia que ela muitas vezes referia-se a si mesma como homem e vestia-se mais como seu pai e os lordes da época do que como as mulheres? Certa vez, no batismo de uma princesa francesa, ela escolheu um homem como seu representante, algo inusitado até então. Quando morreu, não permitiram que fizessem a necropsia do corpo. Na verdade, somente uns poucos escolhidos tinham permissão para tocá-la. Durante a vida, ela nunca permitiu que médicos a examinassem. Era magra, desprovida de beleza e solitária, com um vigor quase constante. Totalmente o oposto dos irmãos.

Kathleen apontou novamente para o quadro.

— Aqui ela parece uma mocinha encantadora.

— É uma ficção — retrucou Tanya. — Ninguém posou para a pintura. A semelhança com Henrique vem de um famoso retrato de Holbein que, na época, estava no Palácio de Whitehall. Como o Sr. Malone corretamente observou, Jane Seymour tinha falecido havia muito tempo. Os três filhos raramente estavam no mesmo lugar. O pintor trabalhou de memória, a partir de esboços ou de outros retratos. São raros os retratos de Elizabeth antes de ela assumir o trono. Sabemos muito pouco sobre a aparência dela antes dos 25 anos.

Kathleen se lembrou do que Eva Pazan tinha lhe contado sobre a Máscara da Juventude.

— E, mesmo depois disso, a aparência de Elizabeth continuou questionável.

— Ah, sim. Em 1590, a rainha decretou que ficaria jovem para sempre. Todas as outras imagens dela foram destruídas. Poucas sobreviveram.

— Então é possível que a verdadeira Elizabeth tenha morrido jovem como escreveu Bram Stoker? — perguntou Malone.

— Faria sentido. Seus irmãos, com exceção de Maria, morreram cedo. Seria bastante coerente se Elizabeth tivesse morrido aos 13 ou 14 anos.

Kathleen queria perguntar sobre o que Bram Stoker tinha escrito — Malone não havia mencionado essa parte —, mas achou melhor não. O nome era conhecido. O autor de *Drácula*. Ela fez uma anotação mental para passar a informação a Mathews.

Tanya fez sinal para que eles saíssem da Haunted Gallery, e eles atravessaram uma passagem que levava às alas barrocas do palácio — construídas a pedido de Guilherme e Maria, observou ela. O caráter e a ambientação mudaram. A exuberância Tudor foi substituída pela simplicidade georgiana do século XVII. Os três entraram em um aposento identificado como Cumberland Suite, decorado com cadeiras estofadas de veludo de rica padronagem, espelhos emoldurados em madeira dourada, candelabros e mesas ornamentadas.

— Era aqui que ficava Jorge II, com seu segundo filho, Guilherme, duque de Cumberland. Sempre adorei estes aposentos. São coloridos, meio lúdicos.

Duas janelas estavam abertas, e havia uma pequena cama de dossel coberta de seda vermelha. Penduradas nas paredes, pinturas barrocas em molduras pesadas.

— Mary disse que o senhor leu o capítulo de Bram Stoker sobre o Menino de Bisley — comentou Tanya. — Stoker foi o primeiro a escrever sobre a lenda, sabia? Interessante é que suas observações foram praticamente ignoradas.

Kathleen fez outra anotação mental. Era óbvio que este livro também interessava a Mathews.

— Eu trouxe uma coisa para o senhor ver — anunciou Tanya. — Da minha biblioteca.

A mulher de meia-idade pegou seu smartphone e o passou para Malone.

— É uma fotografia que eu tirei hoje de manhã. Trata-se de um relato do dia da morte de Elizabeth I.

— Estou vendo que está usando alta tecnologia — disse Malone, sorrindo.

— Ah, isso é maravilhoso. Mary também usa.

Malone deu zoom na fotografia, e eles conseguiram ler.

Elizabeth confidenciou ao lorde Charles Howard seu estado desesperador.

— Meu Senhor, tenho uma corrente de ferro em volta do pescoço. Estou atada. Estou atada e tudo está alterado em mim — sussurrou ela com voz rouca.

A rainha estava deitada, calada, cadavérica. Toda a vida que lhe restava se centralizava em sua mão longa, ainda bela, que repousava ao lado de seu corpo e que ainda fazia sinais para expressar seus desejos. O arcebispo de Canterbury fora convocado para orar pela moribunda, o que ele fez com fervor e entusiasmo. Presume-se que tenha sido o último som a invadir a consciência da rainha. Poucas horas depois, deu o último suspiro. Às três horas da madrugada de 24 de março de 1603, foi verificado que seu corpo já estava sem vida. Foi preparado para o enterro por suas aias e não foi dissecado e embalsamado, como era o rigoroso costume dos soberanos naquela época. Foram preparadas a máscara de chumbo e a efígie de cera, mas nenhuma mão masculina tocou o corpo de Elizabeth.

Ela foi para o túmulo com seu segredo inviolado.

Kathleen e Malone desviaram os olhos da tela, ambos impressionados.

— Isso mesmo — disse Tanya. — A última frase não faz sentido, a menos que você saiba ou desconfie de algo.

— Quando isso foi escrito? — perguntou Malone.

— Em 1929. Em uma biografia de Elizabeth que sempre considerei admirável.

O que o escritor quis dizer?

Seu segredo inviolado.

— Mary me pediu que eu mostrasse especificamente isso ao senhor. Nós já havíamos falado sobre esse assunto antes. Ela sempre achou que eu era boba de levar uma coisa dessas a sério. Mas agora sei que vocês dois podem ter novas informações sobre este grande mistério.

Malone pegou as folhas que havia imprimido no Churchill e passou-as para Tanya.

— Dê uma olhada nisso.

Malone voltou-se para Kathleen.

— Fique aqui. Preciso dar um telefonema rápido para Antrim.

Kathleen assentiu, e Malone saiu da Cumberland Suite, voltando para a galeria movimentada. Quando ele sumiu de vista, Kathleen perguntou a Tanya:

— A senhora está dizendo que há a possibilidade real de que Elizabeth I tenha sido uma impostora?

— Não faço ideia. Mas sei que a lenda do Menino de Bisley existe há muito tempo. Acho que algumas pessoas, como o autor do trecho que vocês acabaram de ler, desconfiaram e fizeram conjecturas a respeito dessa história, mas se sentiram intimidadas demais para trazer isso a público. Bram Stoker fez isso. É claro, foi ridicularizado por sua afirmação. A imprensa não foi muito bondosa com ele. *Asneira*, creio que foi como o *New York Times* descreveu a teoria em sua crítica literária.

— Mas será que isso é verdade?

A FARSA DO REI \ 265

— Pelas anotações que o Sr. Malone acaba de me entregar, aparentemente algumas pessoas acreditam que sim.

Kathleen já havia descoberto o máximo possível de informações. Era hora de agir.

Ela pegou as páginas das mãos de Tanya.

— Preciso disso. Gostaria que esperasse aqui até Malone voltar.

— E aonde você vai?

Kathleen tinha notado que havia apenas uma saída daqueles aposentos: o mesmo caminho feito por Malone. Muitas pessoas circulavam por ali. O suficiente para que ela se misturasse à multidão.

— Este é um assunto oficial da Soca.

— Mary também disse que você era do tipo imprudente.

— Posso ser do tipo que leva as pessoas para a cadeia também. Portanto, fique aqui e bem quietinha.

Trinta e nove

ANTRIM FEZ A ligação ainda no pub. Já havia comido seu hambúrguer com fritas, e optou pela abordagem direta. Eram dez e quarenta da manhã em seu relógio; portanto, cinco e quarenta na Virginia. É claro que o quartel-general da CIA nunca parava, e sua chamada foi direcionada ao diretor de contraoperações. Ele era seu supervisor imediato, a única pessoa que podia lhe dar ordens além do diretor da agência.

— Está feito, Blake — disse seu chefe. — Tentamos impedir que os escoceses fossem a público, mas eles estavam determinados. O acordo foi concluído. Estão apenas acertando os detalhes enquanto manipulam a opinião pública.

— Aquele assassino devia morrer na cadeia.

— Todos nós concordamos com isso, mas infelizmente ele não é nosso prisioneiro.

— Vou encerrar as coisas por aqui.

— Faça isso. E logo.

— E nossa baixa?

— Não vejo como investigar isso sem chamar atenção das pessoas erradas. Pode ter sido coisa dos britânicos. Provavelmente foi. Mas também pode não ter sido. Já não importa. Essa morte vai continuar sem explicação.

Isso significava que a CIA apenas diria à família que o agente havia morrido em uma missão a serviço do país. Não mencionaria onde, como ou quando o incidente acontecera, e uma estrela seria acrescentada à parede em Langley. Pelo que Antrim lembrava, havia mais de cem. Era improvável que o nome fosse escrito no Livro de Honra que ficava logo ali. Somente os agentes que tinham suas identidades comprometidas eram ali registrados. Para ele tanto fazia. Na verdade, era bastante conveniente para Antrim deixar que essa morte fosse esquecida.

— Até a noite estará tudo encerrado.

— Isso foi uma loucura desde o começo — disse seu chefe. — Mas às vezes um tiro no escuro acerta o alvo.

— Fiz o melhor que pude.

— Ninguém o está culpando. Mas tenho certeza de que alguém aqui vai tentar fazer isso. Foi algo criativo e, se tivesse funcionado, seria um golpe de mestre.

— Talvez esteja na hora de eu sair de cena — disse Antrim, preparando o terreno para o que tinha em mente.

— Não seja apressado. Pense melhor. Não seja tão severo consigo mesmo.

Não era a reação que ele esperava.

— Detestei ter perdido essa.

— Todos nós detestamos perder. Vamos parecer idiotas quando formos transferidos, mas teremos de conviver com isso.

Antrim encerrou a ligação.

A Operação Farsa do Rei tinha chegado ao fim. Antrim dispensaria primeiro os outros dois agentes e, em seguida, fecharia o depósito e entregaria tudo à Sociedade Dédalo. Então receberia o restante do dinheiro. Até lá, com sorte, Cotton Malone teria morrido de forma trágica. Não haveria qualquer indício de seu envolvimento, e, portanto, Gary se aproximaria dele naturalmente.

Eles criariam laços.

Ficariam mais próximos.

268 \ STEVE BERRY

Pai e filho.

Até que enfim.

Ele pensou em Pam Malone.

Que se foda.

MALONE ESPEROU O celular ligar. Ele havia deixado o aparelho desligado para evitar qualquer tipo de rastreamento, e percebeu naquele instante que ficaria vulnerável por alguns minutos. Mas precisava falar com Stephanie Nelle. Depois do café da manhã no Churchill, ele não só foi até o business center do hotel como também telefonou para Atlanta. Acabou acordando Stephanie. Embora já não fosse um de seus doze agentes da Magellan Billet, ele estava fazendo um favor ao governo dos Estados Unidos, e ela lhe ofereceu todo o apoio quando ele ligou para saber informações sobre Antrim.

O telefone finalmente ligou, e ele viu que Stephanie já havia retornado a ligação vinte minutos atrás. Discou o número dela.

— Onde você está? — perguntou Stephanie.

— Esperando para ver se sou um bobo ou um gênio.

— Detesto perguntar o que isso significa.

— O que você descobriu sobre Kathleen Richards?

— Ela é da Soca. Dez anos. Boa investigadora, mas imprudente. Faz as coisas do jeito dela. É do tipo que deixa um rastro de destruição. Na verdade, vocês combinam bem.

— Estou mais interessado em saber o que ela está fazendo aqui comigo.

— De fato, é uma boa pergunta, visto que atualmente ela está suspensa por causa de um incidente no mês passado. Ouvi dizer que está prestes a ser demitida.

— Descobriu alguma coisa sobre o envolvimento do MI6?

Malone havia se retirado para um canto da galeria, em meio às pessoas e ao barulho. Ele se virou para a parede, falando baixo, atento ao que acontecia ao redor.

— Nada, mas tive de ser muito cautelosa com essas perguntas.

Mais pessoas entraram na galeria, vindas da ala Tudor, dirigindo-se para a ala georgiana do palácio.

— Afinal, você não disse: é um bobo ou um gênio? — perguntou Stephanie.

— Ainda não sei.

— Houve uma complicação aqui.

Malone detestava essa palavra. *Complicação*. Era o código de Stephanie para uma confusão total e absoluta, um grande soco no estômago.

— A CIA ligou há pouco.

Ele ficou escutando enquanto ela descrevia algo denominado Operação Farsa do Rei, atualmente em andamento em Londres, chefiada por Blake Antrim. Ela contou também sobre Abdelbaset al-Megrahi, o terrorista condenado pelo atentado a bomba do voo 103 da Pan Am em 1988 que caiu em Lockerbie, e que o governo escocês havia decidido mandá-lo de volta à Líbia para morrer, pois tinha câncer terminal.

— A decisão foi divulgada há algumas horas — informou Stephanie. — Parece que essa libertação estava sendo negociada há quase um ano. O objetivo da Farsa do Rei era impedi-la.

— Parece ter fracassado.

— Eles acabaram de encerrar a operação, mas perguntaram se você poderia fazer uma última tentativa.

— De quê?

— Apenas o homem que morreu na estação de metrô conhecia as informações contidas nesse pen drive que está com você. Ele era um analista da CIA designado para a Farsa do Rei. Langley sabe que você está com o pen drive. Antrim contou a eles. Então querem que você veja se isso vai dar em alguma coisa.

Malone não conseguia acreditar no que ouvia.

— Eu nem sei o que *eles* estavam procurando. Como eu poderia saber se encontrei alguma coisa?

— Eu fiz a mesma pergunta. Eles responderam que o pen drive poderia dar alguma indicação. Se não, é porque não há nada nele.

— Algum problema com Antrim? Ele está com Gary *e* Ian Dunne.

— Não que eu saiba. É só que não foi bem-sucedido nessa operação, e eles gostariam que você fizesse uma última tentativa. A transferência do prisioneiro será um desastre para nós em termos de relações internacionais.

Malone sabia disso, e a simples ideia de que essa libertação pudesse de fato acontecer o exasperava. O filho da puta *devia* morrer na cadeia.

Um grupo de turistas entrou na galeria e veio em sua direção, e Malone se misturou a eles para vigiar a entrada da Cumberland Suite.

Kathleen Richards apareceu.

Ela hesitou por um instante, olhou ao redor, pareceu satisfeita de ver seu caminho livre e seguiu em frente.

— Sou um gênio — disse ele baixinho ao telefone.

— O que significa...?

— Que eu tinha razão sobre a nossa agente da Soca.

— O que você vai fazer? A CIA quer saber.

Fazia cinco meses que ele não via Stephanie, desde junho, quando ele a havia ajudado na França. Ao se despedirem, ela deixou claro que lhe devia um favor. Mas ele também se lembrou da advertência dela.

Use-o sabiamente.

— Se eu aceitar essa missão, isso significa que você me deve dois favores?

Ela riu.

— Este não é para mim. Sou apenas a mensageira. Mas, se você conseguir fazer alguma coisa para impedir que soltem esse assassino, estará fazendo um favor a todos nós.

— Eu retorno a ligação.

— Uma última coisa, Malone. Antrim não sabe nada sobre esse pedido, e a CIA quer que continue assim.

Malone encerrou a ligação e desligou o celular.

GARY MOSTROU A Ian e à Srta. Mary os artefatos que estavam no depósito. A mulher pareceu fascinada com os livros. Alguns deles, ela notou, eram originais valiosos do século XVII. Gary a viu examinar o exemplar de páginas verdes e douradas, que ficava dentro da redoma de tampa de vidro.

— O Sr. Antrim é um ladrão — acusou ela. — Este volume pertence à Hatfield House. Eu o conheço bem.

— Blake é da CIA — esclareceu Gary mais uma vez. — Está aqui em missão oficial.

— Blake?

— Ele me pediu que o chamasse assim.

Gary não gostou do olhar avaliador que ela lhe dirigiu.

— O que será que dá a *Blake* o direito de furtar os tesouros de nosso país? Já estive na biblioteca da Hatfield House. Os atendentes de lá gentilmente deixariam que ele fotografasse esse exemplar ou copiasse qualquer informação de que pudesse precisar. Mas roubá-lo? Isso é imperdoável.

Desde que seu pai se aposentou do Departamento de Justiça, eles conversavam muito sobre o trabalho de campo. As pressões. As exigências. A imprevisibilidade. Há um mês, o próprio Gary havia testemunhado isso, e, portanto, não podia julgar Blake Antrim. Além do mais, o que essa mulher sabia? Era dona de uma livraria e não entendia nada sobre o trabalho de um agente da inteligência.

Ela levantou a redoma de vidro.

— O Sr. Antrim explicou o que é isso?

— É um diário em código — respondeu Gary. — De um cara chamado Robert Cecil.

— Ele explicou sua importância?

— Não muito.

— Gostaria de saber?

SEM VER MALONE, Kathleen aproveitou a oportunidade e se misturou à multidão. Ela esperava que as informações naquelas folhas deixassem Mathews satisfeito. Sentia-se mal por enganar Malone, mas pretendia cumprir seu dever. Sem questionamentos.

272 \ STEVE BERRY

Afastou-se do lugar por onde eles haviam entrado, embrenhou-se nas alas barrocas do palácio e chegou à Communications Gallery. Em uma das paredes havia janelas que davam para um pátio com uma fonte; na outra, revestida de madeira, portas e retratos a óleo intercalavam-se. Cordas de veludo vermelho presas em barras de ferro impediam que os visitantes se aproximassem demais das pinturas. Se seguisse em frente, certamente encontraria a saída do palácio.

Uma rápida olhada para trás e ela encontrou um rosto conhecido.

Eva Pazan.

De volta dos mortos.

A dez metros de distância.

E havia um homem ao seu lado.

Kathleen sentiu um calafrio. Mesmo tendo certeza de que ela não tinha morrido na Jesus College, ver a mulher ali, viva, a desencorajou.

Será que ela realmente fazia parte da Dédalo?

Ou de outra coisa?

Pazan se deteve. Havia mais ou menos cinquenta pessoas entre elas, admirando as obras na galeria. As duas não fizeram qualquer tentativa de aproximação.

Kathleen era levada pela multidão.

Sem escolha, seguiu em frente.

No final da galeria, decidiu ganhar tempo. Então, pegou as duas últimas barras de ferro e bloqueou o caminho. Os visitantes que vinham atrás dela pararam diante da corda de veludo, interrompendo o fluxo de pessoas e detendo seus dois perseguidores. Kathleen notou os olhares questionadores dos turistas, que deviam ter pensado que ela era funcionária do palácio e que não poderiam continuar a visita.

Mas ela não ficou ali para dar explicações. Apressou-se até uma passagem e, virando à esquerda, seguiu pela Cartoon Gallery. Mais umas cinquenta pessoas estavam ali. Kathleen percebeu uma câmera em um dos cantos do teto, bem na saída, e deu-se conta de que era preciso evitá-la.

A FARSA DO REI \ 273

Ouviu alguém chamando seu nome, voltou-se e viu Pazan e seu parceiro aparecerem a cerca de vinte metros. Kathleen fez uma curva e passou por uma série de aposentos elegantes, identificados como quarto, sala de jantar, vestiário e sala de estar da rainha.

No último cômodo, virou à direita.

Um homem bloqueou sua passagem.

MALONE PASSOU PELA multidão e voltou para a Cumberland Suite, onde encontrou Tanya Carlton.

— O que aconteceu?

— Ela arrancou os papéis da minha mão e foi embora. Ameaçou me prender.

Malone havia imaginado que Kathleen faria isso e lhe deu a oportunidade. Ela agora tinha em mãos as informações dos arquivos desbloqueados, mas ele achava que não havia muita coisa neles.

Nada, na verdade.

— O senhor não parece surpreso — constatou Tanya.

— É, não estou.

— Devo dizer, Sr. Malone, que acho que senhor tem um quê de feiticeiro.

— É de tanto lidar com gente desonesta.

— O que ela vai fazer agora?

Ele deu de ombros.

— Voltar para de onde veio. Ou pelo menos é isso que esperamos.

Malone tinha um novo problema.

Ajudar a CIA.

— Mary me contou que o senhor e Ian provavelmente salvaram a vida dessa mulher. Que maneira estranha de retribuir esse favor.

— Mas não incomum no meu antigo ramo de trabalho.

— Consegui ler os papéis antes que ela os levasse. Não há nada de chocante. Pelo menos, não para mim, que conheço essa lenda há muito tempo.

— Vamos sair daqui. Eu gostaria de conversar com a senhora um pouco mais, mas sem tanta gente em volta.

— Então precisamos ver os jardins. São magníficos. Podemos fazer uma ótima caminhada sob o sol.

Malone simpatizou com essa mulher, assim como tinha simpatizado com a irmã dela.

Saindo da Cumberland Suite, eles voltaram para a galeria externa, que continuava barulhenta e lotada.

Dois homens apareceram à direita.

Malone os reconheceu.

Eram os policiais da livraria, sem uniforme, vestidos com roupas casuais. Pela expressão em seus rostos, certamente não tinham se esquecido dos acontecimentos na Any Old Books. Um deles estava com um hematoma feio no lado esquerdo da testa.

— Temos um probleminha — sussurrou Malone. — Parece que algumas pessoas aqui estão querendo nos pegar.

— Parece perigoso.

— Você pode nos tirar do prédio?

— Trabalhei aqui como guia antes de ir para a loja de souvenirs. Conheço Hampton Court como a palma da mão.

Ele detectou outro problema. Uma pequena câmera fixada ao teto em um canto da galeria. Malone já tinha visto outras. Isso significava que havia pessoas vigiando, e não seria fácil esquivar-se daqueles olhos eletrônicos.

— Esses sujeitos têm cara de maus — disse Tanya. — Quem são?

Excelente pergunta. Provavelmente do MI6.

— É... meio que a polícia.

— Eu nunca fui presa.

— Não é nada divertido, é uma experiência terrível.

— Então, não se preocupe, Sr. Malone. Podemos escapar.

Quarenta

HENRIQUE VIII TERIA sido pai de, pelo menos, doze filhos. Oito deles foram perdidos em abortos espontâneos ou nasceram mortos. Seis de sua primeira esposa, Catarina de Aragão, dois da segunda, Ana Bolena. Três filhos legítimos sobreviveram à infância: Maria, Elizabeth e Eduardo, cada um deles de uma mãe diferente. E Henrique teve também um filho ilegítimo, Henry FitzRoy, nascido em 1519 de uma de suas amantes, Elizabeth Blount. O próprio sobrenome FitzRoy significa "filho do rei" e era comumente usado por filhos bastardos da realeza. Henrique reconhecia FitzRoy abertamente, seu primogênito de fato, chamando-o de joia do mundo. Deu-lhe o título de conde de Nottingham aos 6 anos, depois o de duque de Somerset e duque de Richmond, título que o próprio Henrique detinha antes de se tornar rei. O menino foi criado como um príncipe em Yorkshire, e Henrique lhe assegurava um lugar especial na corte, especialmente porque sua esposa, Catarina de Aragão, não conseguira dar à luz um filho. Segundo Henrique, FitzRoy comprovava que o problema não era com ele, e por isso insistiu tanto em anular seu casamento com Catarina. Assim poderia encontrar uma esposa que lhe desse um herdeiro legítimo.

Henrique se envolveu pessoalmente na criação de FitzRoy. Ele foi nomeado lorde almirante da Inglaterra, lorde presidente do Conselho do Norte, guardião da fronteira com a Escócia e lorde tenente da Irlanda. Muitos acreditam que, se Henrique tivesse morrido sem um filho legítimo, FitzRoy o teria sucedido,

276 \ STEVE BERRY

apesar da ilegitimidade. O Parlamento aprovou um decreto que deserdava a primogênita legítima de Henrique, Maria, e permitia que o rei designasse seu sucessor, bastardo ou não.

Porém, o destino alterou o curso da história.

FitzRoy morreu em 1536, onze anos antes de seu pai. A mesma tuberculose que ceifaria a vida do segundo filho de Henrique, Eduardo, aos 15 anos, matou FitzRoy aos 17. Ele chegou a se casar com Mary Howard, neta do aristocrata mais idoso da Inglaterra. O casamento aconteceu em 1533, quando Mary tinha 14 anos, e FitzRoy, 15.

O irmão mais velho de Henrique VIII, Arthur, havia morrido aos 16 anos, sem nunca ascender ao trono. Henrique sempre acreditou que o excesso de atividade sexual havia apressado a morte do irmão, e então proibiu FitzRoy e Mary de consumarem o matrimônio até ficarem um pouco mais velhos. A ordem foi ignorada, e Mary engravidou, dando à luz um filho em 1534. A criança foi mantida em segredo pela família Howard e criada longe de Londres. O rei nunca soube que era avô.

Gary e Ian escutavam a narrativa da Srta. Mary sobre o neto desconhecido.

— O menino lembrava o pai, FitzRoy, em vários aspectos. Magro. Pele clara. Cabelos ruivos. Mas puxara a constituição física dos Howards. Ao contrário da prole Tudor, ele era saudável. Infelizmente, o mesmo não aconteceu com a segunda filha de Henrique, Elizabeth. A mãe dela, Ana Bolena, também era Howard por parte de mãe. Elizabeth, porém, herdou do pai a maldição da morte prematura e faleceu quando mal tinha completado 13 anos.

— Eu achava que Elizabeth fosse uma rainha. — retrucou Gary.

A Srta. Mary fez que não.

— O sobrinho ilegítimo dela, filho de Henry FitzRoy, assumiu essa honra em seu lugar, pois ela morreu jovem.

A porta do depósito se abriu com um rangido, e Antrim entrou, passou pelas mesas e se apresentou a Ian e à Srta. Mary, uma vez que não haviam se encontrado na noite anterior. Os agentes de Antrim haviam cuidado de tudo.

— Você, rapaz, nos causou muitos problemas — disse Antrim a Ian.

— Como assim? — perguntou a Srta. Mary.

— Ele roubou um pen drive que continha informações importantes.

— O que poderia ser tão importante a ponto de arriscar a vida de um adolescente?

— Eu não sabia que ele estava em perigo.

— Faz um mês que ele está fugindo.

— O que é culpa dele, por roubar. Mas isso já não importa. Na verdade, nada disso importa mais. A operação acabou. Estamos indo embora.

— Acabou? — perguntou Gary.

— Sim. Recebi ordens para encerrar os trabalhos.

— O que vai acontecer com esses objetos preciosos? — perguntou a Srta. Mary. — Objetos que *o senhor* roubou.

Antrim lançou-lhe um olhar duro.

— Isso não é da sua conta.

— E o Sr. Malone e a outra moça? — perguntou a Srta. Mary.

— Que outra moça?

— A agente da Soca — respondeu Ian. — A que trocou tiros com aqueles homens quando eles foram até a livraria para pegar o pen drive.

— Malone não mencionou que o agente era uma mulher — disse Antrim. — E eu falei com ele duas vezes.

— Talvez ele achasse que essa informação não fosse da *sua* conta — retrucou a Srta. Mary.

— Onde está meu pai? — perguntou Gary.

— Em Hampton Court.

— Então ela está com ele — afirmou Ian.

— *Ela* tem um nome?

— Sim, ela me mostrou o distintivo — interveio a Srta. Mary. — É Kathleen Richards.

278 \ STEVE BERRY

KATHLEEN NÃO DEU ao homem que bloqueava seu caminho tempo para reagir. Jogou-o no chão e deu uma joelhada no meio das pernas dele.

Ele gritou de dor.

Ela se ergueu rapidamente.

A pistola ainda estava presa no cós da calça, em suas costas, embaixo do casaco. As pessoas ao redor olharam para ela surpresas. Algumas recuaram, dando-lhe espaço. Ela sacou o distintivo da Soca e o mostrou.

— Assunto oficial. Deixem ele.

O homem ainda estava no chão, contorcendo-se de dor.

Uma das câmeras captou seu rosto.

O que era um problema.

Apressada, passou por mais salas de estilo barroco, virou-se e percebeu que estava nos fundos do palácio. Uma porta fechada à direita tinha a placa de SAÍDA e deveria ser usada somente em caso de emergência.

Aquilo certamente era uma emergência, e então ela a abriu.

Desceu uma escadaria.

ANTRIM FICOU ATÔNITO. Não ouvia aquele nome havia dez anos. Kathleen Richards estava metida nisso?

Não podia ser coincidência.

— Descreva essa mulher.

Pelo visto ela não tinha mudado muito.

— Eu e Malone salvamos a moça da Soca dos mesmos homens que tentaram me matar — contou Ian. — Eles iam matá-la também.

— Conte tudo o que sabe.

Ian Dunne relatou o que havia acontecido em Oxford Circus e os acontecimentos subsequentes. A certa altura, Antrim interrompeu-o e perguntou:

— Você sabe quem eram esses homens que estavam no Bentley na noite em que meu agente morreu?

— O homem mais velho se chama Thomas Mathews. Foi o que Malone disse quando o viu ontem à noite do lado de fora da livraria.

Outra surpresa.

O chefe do SIS.

Mas o que estava acontecendo?

Antrim escutou o restante da história e entrou em pânico. O que antes parecia ser uma saída de mestre havia se tornado algo bastante perigoso. As coisas já não cheiraram bem na noite anterior, quando Malone mencionou um agente da Soca, mas caso seus superiores descobrissem que o MI6 estava envolvido diretamente na operação não haveria dúvida do que fariam. Ele seria definitivamente abandonado. Deixado por conta própria. Podia ser preso.

Ou pior.

Era preciso falar com a Dédalo.

Eles não iam querer que a situação se agravasse.

De jeito nenhum.

MALONE E TANYA entraram novamente na Haunted Gallery e caminharam pela passadeira surrada. Porém, agora seguiam contra o fluxo de pessoas, voltando ao Great Hall.

Ao saírem da galeria, passaram novamente pela câmara de vigilância e seguiram por uma pequena antecâmara que conduzia ao Great Hall à esquerda e ao térreo à direita. Galhadas decoravam as paredes brancas. Tanya evitou o Great Hall e foi diretamente para a escadaria que levava ao térreo.

— Por aqui, Sr. Malone. Vamos para as cozinhas.

Malone desviou de alguns visitantes.

Uma corrente bloqueava as escadas, e uma placa advertia que a entrada ali era proibida, mas eles pularam a corrente e começaram a descer os degraus.

Um dos funcionários uniformizados foi até a balaustrada e gritou:

— Vocês não podem entrar aqui.

— Está tudo bem — retrucou Tanya. — Sou eu.

O funcionário pareceu reconhecê-la e acenou para que continuassem.

— Eles são muito cuidadosos — comentou Tanya enquanto desciam. — São tantos visitantes todos os dias! As pessoas gostam de vagar pelo palácio. Trabalhar aqui há vinte anos ajuda muito.

Malone se sentiu aliviado por estar com Tanya e por ainda ter uma arma sob o casaco.

Quando chegaram ao térreo, ele ouviu passos atrás, descendo as escadas.

Certamente eram os dois falsos policiais.

— Não devemos perder tempo — disse Tanya.

Eles saíram por uma porta que não tinha trinco, o que era uma pena. Um simples ferrolho seria maravilhoso. Mas com certeza aquela era uma saída de incêndio recente. No passado, era por ali que a comida preparada nas cozinhas seguia até o Great Hall.

Um corredor estreito e comprido estendia-se em duas direções.

Os visitantes circulavam por ali.

Tanya virou à esquerda, depois à direita, e entrou na cozinha principal. Malone relembrou tudo o que sabia sobre aquela parte do palácio. Mais de cinquenta cômodos, três mil metros quadrados, atendidos por duzentas pessoas em seus tempos áureos. Naquela cozinha eram preparadas duzentas refeições diárias para oitocentos membros da corte de Henrique VIII.

Tanya e Malone depararam-se com um cômodo espaçoso com dois fornos antigos acesos, teto alto e paredes caiadas. Havia turistas em todos os cantos, tirando fotos, conversando, provavelmente imaginando-se ali quinhentos anos atrás.

— Venha, Sr. Malone. Por aqui.

Ela o conduziu pela cozinha e parou diante da entrada de um pátio coberto.

— Dê uma olhada e veja se nossos acompanhantes estão em seu campo de visão.

Malone afastou-se para o lado e deixou alguns turistas passarem. Em seguida, olhou para trás e notou um dos homens seguindo pelo mesmo corredor que eles haviam percorrido depois de terem descido a escadaria. O caminho que Tanya havia escolhido fizera os dois andarem em círculo.

— Um deles está atrás de nós — disse ela.

Malone virou-se e localizou o outro homem na cozinha. Ele ainda não os tinha visto.

— Vamos — disse ele.

Eles atravessaram o pátio, e Malone viu o homem do corredor mais adiante, afastando-se. Porém, o que estava atrás dele logo os alcançaria.

— Precisamos seguir por aquela passagem — alertou Tanya, apontando para o lado direito do corredor, a uns seis metros de onde estavam. Se andassem rápido, poderiam chegar lá antes que qualquer um dos homens os notasse.

— Por que não fomos direto para lá? — perguntou Malone.

— E sermos vistos? Aqueles homens estavam bem atrás de nós. Nós distraímos eles.

Isso era indiscutível.

Tanya disparou com passos decididos e sumiu pela passagem.

Malone a seguiu e rapidamente desceu um pequeno lance de escadas de pedra até um cômodo revestido de tijolos, com o teto arqueado apoiado em três colunas, que no passado era a adega de Hampton Court. Janelas permitiam a entrada da luz do sol. Enormes barris de vinho estavam alinhados na parede que dava para o lado de fora do palácio e ocupavam o espaço entre as colunas.

Tanya dirigiu-se para os fundos da adega, e Malone viu outro lance de escadas que levava a uma porta fechada. Ela desceu os degraus, e ele viu uma fechadura eletrônica. Tanya sabia a senha; digitou-a e fez um sinal para que ele a seguisse.

Os homens surgiram atrás deles.

Um dos dois levou a mão ao bolso interno do casaco.

282 \ STEVE BERRY

Malone sabia o que aquilo significava.

Então ele sacou a arma antes e deu um tiro à direita. O espaço fechado e as paredes de pedra amplificaram o som do disparo, que pareceu uma explosão. As pessoas que admiravam os barris de vinho recuaram e, ao perceberem que ele estava armado, entraram em pânico. Malone aproveitou para subir os degraus de dois em dois e entrar pela porta aberta. Em seguida, Tanya a fechou.

— A fechadura eletrônica está acionada. A menos que saibam a senha, não nos seguirão.

Malone imaginava que os homens fossem do MI6 e trabalhavam para Thomas Mathews, talvez com a ajuda da Polícia Metropolitana. Mas nunca se sabe. Portanto, não deveria descartar a possibilidade de envolver a segurança local.

Ele analisou o lugar onde se encontravam, um breu, o ar úmido e mofado.

Ele ouviu Tanya se mexer, e de repente uma lanterna se acendeu.

— O pessoal sempre guarda uma aqui — disse ela.

— Onde estamos?

— Ora, no esgoto. Onde mais?

KATHLEEN CHEGOU AO pé da escadaria, de volta ao térreo. Seguiu por um corredor comprido e logo entrou em um cômodo estreito identificado como Upper Orangerie. Havia uma sequência de janelas bem próximas umas às outras na parede que dava para o lado de fora do palácio. A luz do sol invadia o aposento. Turistas circulavam por ali também, mas não tantos quanto no primeiro andar.

Se Thomas Mathews estava por ali, por que não a ajudava?

Em vez disso, Eva Pazan seguia firme em seu encalço, e não demoraria a perceber que ela havia descido as escadas até o térreo. Kathleen não sabia de que lado Pazan estava, mas, depois de sua experiência na livraria, decidiu não confiar em ninguém.

Apenas ir embora.

A FARSA DO REI \ 283

Mas não por uma das saídas, pois deviam estar vigiadas.

Pelas janelas, Kathleen viu o magnífico Jardim Privado, que se estendia do palácio até o rio.

Parecia a melhor opção.

Aproximou-se de uma das janelas e não viu nenhum alarme. E por que haveria? Havia centenas de janelas no palácio; o custo e a logística de instalação de sistemas de segurança em cada uma delas seriam incalculáveis. A solução seria instalar sensores de movimento, e ela os localizou, posicionados bem no alto para detectar qualquer tentativa de invasão por uma das janelas.

Mas provavelmente eram desativados durante o dia.

Passou os olhos pelo cômodo, não viu nenhum funcionário uniformizado por perto. Então, abriu o trinco da janela e levantou a vidraça inferior.

Devia estar a uns dois metros de altura.

Algumas pessoas próximas olharam para ela.

Kathleen as ignorou e pulou para fora.

Quarenta e um

IAN QUERIA SABER mais sobre Henry FitzRoy. Estava fascinado pela história que a Srta. Mary havia contado.

— Esse cara, FitzRoy, se casou aos 15 anos com uma garota de 14?

— Isso era muito comum na época. Os casamentos entre os nobres não eram motivados por amor. Tinham como objetivo alianças políticas e riqueza. Henrique VIII viu no casamento com uma Howard uma maneira de consolidar sua relação com essa família rica e poderosa. A ilegitimidade não foi considerada um problema, pois era notória a afeição que o rei tinha pelo filho.

— E o que a mulher de Henrique achou disso? — perguntou Gary.

— Catarina de Aragão não gostou nada. Foi motivo de tensão entre o casal e provavelmente contribuiu para que ela sofresse alguns de seus abortos espontâneos. A rainha era uma mulher frágil.

O americano chamado Antrim tinha ido para o escritório com os outros dois homens. Embora tivesse acabado de conhecê-lo, Ian sabia que havia algo de estranho nele. E já aprendera a confiar em seus instintos. Tinha se afeiçoado imediatamente à Srta. Mary e a Cotton Malone. Gary também era legal, mas ainda não sabia o quanto a vida podia ser dura. Ian não havia conhecido sua mãe nem seu pai, e provavelmente isso nunca aconteceria. Sua tia tinha feito inúmeras tentativas de lhe contar sobre sua família, mas ele era muito novo para compreender. Quando fugiu da casa dela, estava muito revoltado para se importar.

Gary tinha dois pais.

Qual era o problema?

Ian tinha notado a cautela nos olhos da Srta. Mary ao desafiar Antrim. Ela também teve uma má impressão dele. Isso ficou claro. Gary, porém, estava muito absorto em seus problemas pessoais para pensar com clareza.

Tudo bem.

Ele poderia pensar por Gary.

Afinal, Malone havia lhe pedido que tomasse conta do filho.

— Por fim, Henrique VIII também se casou com uma Howard — continuou a Srta. Mary. — Seu nome era Catarina, e ela foi sua quinta esposa. Infelizmente, ela era um tanto promíscua, e o rei mandou decapitá-la. Os Howards nunca o perdoaram por isso, nem o rei os perdoou. A família caiu em desgraça, perdeu a estima do rei. O irmão de Mary, Henry, conde de Surrey, foi executado por traição, a última pessoa que Henrique VIII mandou decapitar antes de morrer em janeiro de 1547.

— Como a senhorita sabe de tudo isso? — perguntou Gary.

— Ela lê livros — respondeu Ian.

A Srta. Mary sorriu.

— É, leio, sim, mas esse assunto em particular sempre me interessou. Minha irmã é uma especialista nos Tudors. Parece que o Sr. Antrim compartilha o nosso interesse.

— Ele está fazendo o trabalho dele — defendeu Gary.

— É mesmo? E qual é o grande interesse dele na história britânica? Pelo que sei, a Grã-Bretanha e os Estados Unidos são grandes aliados. Por que ele precisa ficar espionando nosso país? Escondido em um depósito? Por que simplesmente não pede o que quer?

— Ser espião nem sempre é fácil. Eu sei disso. Meu pai foi espião por muito tempo.

286 \ STEVE BERRY

— Seu pai parece ser um homem honesto — retrucou a Srta. Mary. — E posso lhe garantir que ele está tão perplexo com tudo isso quanto eu.

ANTRIM ESTAVA EM pânico.

O MI6 estava envolvido no assassinato de Farrow Curry? Isso significava que eles estavam a par da Operação Farsa do Rei. A Sociedade Dédalo confessou ter matado Curry. Ou seja, alguém mentiu: a Dédalo ou Ian Dunne.

Mas quem?

E agora Cotton Malone estava em Hampton Court com Kathleen Richards?

Mas que diabos ela estava fazendo lá?

Antrim precisava saber, e despachou seus dois agentes para descobrir imediatamente o que estava acontecendo.

Ele olhou para o depósito; a mulher e os dois garotos estavam sentados entre os itens que em breve seriam destruídos. Estava apenas aguardando o telefonema que confirmaria a morte de Cotton Malone. Ele próprio daria a triste notícia a Gary. Com certeza teria que envolver Pam nisso, mas tudo bem. Gary não permitiria que ela ficasse entre eles uma segunda vez, e não haveria nenhum outro pai para interferir. A proximidade da vitória o fez sorrir. Ele já havia pedido ao seu detetive em Atlanta para intensificar a vigilância. Os grampos nos telefones de Pam poderiam se mostrar úteis nos próximos meses. A maior aliada da inteligência era a informação. Quanto mais, melhor. E, com 5 milhões de dólares no banco, não haveria preocupações com os custos dessa operação em particular.

Mas nada de colocar a carroça diante dos bois.

Antes de tudo, a Farsa do Rei precisava ser encerrada.

Conforme o combinado.

GARY FICOU ABORRECIDO com os comentários da Srta. Mary sobre Antrim. Ela não tinha o direito de criticá-lo. E, apesar de suas palavras terem sido cuidadosamente escolhidas, ele captou com clareza o que ela queria dizer.

Você tem certeza de quem é esse homem?

Tinha o máximo de certeza possível. Pelo menos Blake Antrim não havia mentido para ele. Ao contrário de sua mãe. E Antrim não tinha magoado sua mãe. Ao contrário de seu pai. Gary ainda precisava falar com ela, e sabia que ela não ia gostar do que estava acontecendo, mas teria que aceitar a nova situação. Caso contrário, ele cumpriria sua ameaça e se mudaria para a Dinamarca. Talvez seu pai fosse mais compreensivo.

— Henry FitzRoy e Mary Howard tiveram um bebê — prosseguiu a Srta. Mary. — Um menino. Quando seu avô Henrique VIII morreu em 1547, ele tinha 13 anos. Esse menino era magro, tinha a pele muito clara e cabelos ruivos, como os Tudors. Mas forte e determinado, como os Howards.

— É isso o que meu pai está investigando? — perguntou Gary.

— Não sei. Realmente, não sei.

Gary já havia notado que Antrim estava aborrecido com alguma coisa. Ele pedira licença a todos e se dirigira a passos rápidos ao escritório. Poucos minutos atrás, os dois agentes tinham saído. Antrim ainda estava no escritório. Precisava falar com ele. A movimentação lá dentro chamou sua atenção.

— Estarei lá fora. Preciso fazer uma ligação — gritou Antrim.

— Onde fica o banheiro aqui? — perguntou Ian.

— Ali. A porta ao lado da janela do escritório.

IAN DECIDIU AGIR.

Não precisava ir ao banheiro. Precisava saber o que Antrim estava fazendo. O americano pareceu surpreso ao saber que aquele homem velho e esquisito, o tal de Mathews, estava envolvido nessa história.

E ficou ainda mais interessado na moça da Soca. Malone estava em Hampton Court? Por quê? Ian tinha estado lá várias vezes. Os pátios e os jardins, que tinham entrada gratuita, atraíam uma horda de turistas e, consequentemente, de carteiras a serem roubadas. Ele também gostava do labirinto. Um dos funcionários que tomavam conta do lugar tinha ido com a cara dele e o deixara andar de graça pelas cercas vivas.

Ian caminhou em direção ao lugar que Antrim havia apontado como sendo o banheiro. Então, depois de uma rápida olhada para trás para se assegurar de que Gary e a Srta. Mary estavam distraídos conversando, ele mudou de direção e foi até a porta do depósito. Cuidadosamente, girou a maçaneta e a abriu, apenas o suficiente para espiar lá fora. Antrim estava a uns vinte metros dali, perto de outro prédio, com o telefone no ouvido. Longe demais para que Ian ouvisse a conversa e muito à vista para que ele se aproximasse. Mas estava claro que Antrim parecia agitado. O corpo retesado, a cabeça balançando de um lado para o outro enquanto falava.

Ian fechou a porta.

E pensou em uma maneira de pôr as mãos naquele celular.

Quarenta e dois

MALONE PEGOU UMA das lanternas penduradas em um suporte de alumínio, um acréscimo moderno a algo que era claramente antigo, e seguiu Tanya pelo piso de ladrilhos. Logo chegaram a outro túnel e a uma bifurcação.

— O senhor tem muita sorte. Poucos conseguem ver isso aqui. Três quilômetros de dutos passando embaixo do palácio. Alta tecnologia para a época. Eles traziam a água de nascentes distantes para lavar as latrinas fedorentas e remover os detritos da cozinha. — Tanya apontou a lanterna para a direita e para a esquerda. — Vamos para o Tâmisa. Por aqui.

A passagem era estreita e arqueada, com tijolos aparentes cobertos por uma leve camada de tinta branca manchada de mofo.

— Diz a lenda que as amantes de Henrique usavam esses caminhos.

— A senhora parece gostar dessas histórias.

Tanya riu.

— Gosto, sim. Mas agora precisamos nos apressar.

Ela virou à esquerda. O chão era levemente côncavo, para que a gravidade ajudasse o fluxo de água a seguir para o rio. Porém a água se empossava ali no meio, e em alguns pontos era possível notar algo se movimentando nela.

— São enguias — explicou Tanya. — São inofensivas. Só tenha cuidado para não pisar na água.

290 \ STEVE BERRY

Isso ele já estava fazendo. Malone se considerava capaz de suportar muita coisa. Já pilotara jatos de caça na Marinha, saltara de paraquedas direto no oceano. Na Magellan Billet, tinha enfrentado homens armados dispostos a matá-lo. Mas, se havia uma coisa que ele detestava, era estar embaixo da terra. Já estava ali há mais tempo do que gostaria e se forçava a seguir em frente, mas não se sentia nada confortável naqueles túneis subterrâneos. E com enguias, pelo amor de Deus! Tanya Carlton, no entanto, parecia totalmente à vontade.

— Já esteve aqui antes? — perguntou Malone, tentando se distrair da situação.

— Muitas vezes. No passado, permitiam que explorássemos estes túneis. São notáveis.

Ele notou protuberâncias nas paredes e as examinou com a lanterna.

— São canos de drenagem lá de cima. Trazem a água da chuva para baixo, que é levada para o rio.

Malone notou que nada ao redor era aparafusado, pregado ou cimentado. Os tijolos se encaixavam uns nos outros sem o auxílio de nenhuma liga. Não fosse o fato de estarem ali há cinco séculos, ele se sentiria um pouco preocupado.

— Logo atravessaremos o palácio — anunciou Tanya. — Ele é bem grande lá em cima. Depois cruzaremos o jardim até uma saída.

As cozinhas se localizavam no lado norte do palácio, e o rio ficava ao sul. Teriam que percorrer uns três campos de futebol até lá. Muito tempo embaixo da terra, na opinião de Malone.

— Para um esgoto, este não cheira tão mal.

— Ah, credo, isso não é usado como esgoto há séculos. É proibido despejar resíduos no rio. Esses dutos servem basicamente de escoadouro para a água da chuva. O pessoal da limpeza os mantém limpos. A entrada que usamos era a mesma que os servos de Henrique VIII utilizavam para impedir que os dutos entupissem.

Tanya parecia à vontade com toda aquela confusão, como se fosse algo que acontecesse todos os dias. Mas Malone teve de dizer:

— Desculpe-me por envolvê-la nisso.

A FARSA DO REI \ 291

— Ah, que nada. Fazia tempo que eu não sentia tanta emoção. Mary comentou que poderia ser bem empolgante, e tinha razão. Eu já trabalhei para o serviço secreto. Mary não contou ao senhor?

— Não, ela omitiu esse detalhe.

— Eu era analista de sistemas quando jovem. Das boas, modéstia à parte. — Tanya continuava andando. — Não era tão instigante quanto as coisas que o senhor fazia, mas aprendi a me manter calma diante de situações difíceis.

— Eu não fazia ideia de que a senhora sabia qual era o meu trabalho.

— Mary disse que o senhor era um agente americano.

Malone precisou se curvar nos túneis para seguir em frente. Por causa de sua estatura, Tanya não teve esse problema. As lanternas iluminavam apenas dez metros à frente.

Mais enguias chapinhavam entre seus pés.

Ouviu um som atrás deles.

Vozes.

— Minha nossa! — exclamou Tanya. — Acho que o pessoal do palácio está envolvido nisso. São os únicos que poderiam abrir aquela porta.

KATHLEEN CAIU EM um caminho de cascalho. O Jardim Privado se estendia diante dela, repleto de teixos em formato de pirâmide, azevinhos arredondados, flores outonais, estátuas e sebes podadas. Os caminhos de cascalho e as alamedas amplas determinavam o trajeto que os visitantes deveriam seguir.

Ela decidiu se afastar do rio e ir em direção aos fundos do palácio. De lá poderia ir à estação ferroviária e pegar um trem para algum lugar. Qualquer lugar longe dali. Precisava pensar. Tomar decisões. Decisões inteligentes desta vez. O problema é que tinha apenas uma pessoa a quem recorrer. Estava acabada na Soca. Seu chefe não faria nada para protegê-la. A polícia seria igualmente inútil. Somente Thomas Mathews poderia ajudá-la.

Mas será que poderia mesmo?

E, se fosse o caso, será que o *faria*?

Kathleen seguiu para os fundos do palácio e virou à esquerda.

A cinquenta metros dali estavam Eva Pazan e o mesmo homem que a acompanhava.

Ambos a viram.

Kathleen deu meia-volta e saiu correndo, virando a esquina do palácio.

Adiante havia apenas mais construções e mais câmeras.

Então ela decidiu ir para a esquerda, em direção ao rio, e entrar novamente na profusão de cor e ordem que era o Jardim Privado.

MALONE SABIA QUE eles estavam com uma boa vantagem e se perguntou para onde Tanya o levava. O fato de estarem sendo seguidos aumentou seu desconforto naqueles túneis subterrâneos. Pensou em simplesmente parar e enfrentar seus perseguidores. Se fosse o MI6, qual seria o problema? Se fosse a polícia, a mesma coisa. Qual seria o pior desfecho? Prisão? Stephanie Nelle poderia tirá-lo dessa.

— Falta pouco — disse Tanya.

Ele supôs que os homens que estavam atrás deles também estivessem com lanternas, mas não conseguia ver nenhum raio de luz. Na escuridão absoluta, a luz fraca não chegava muito longe. À frente, ele viu uma escada que conduzia a uma abertura no teto.

— Sr. Malone — chamou uma voz que ecoou no escuro, dando ao ex-agente uma noção da distância que havia entre eles. — O senhor tem apenas uma chance. Pare e espere por nós.

Tanya segurou a escada.

Malone fez sinal para que ela subisse rapidamente.

— Essa briga não é sua — gritou a voz. — Não precisa morrer por isso.

Morrer?

Ele agarrou a escada de metal. Alumínio. Resistente.

A FARSA DO REI \ 293

— Quem é você? — gritou Malone.

— Isso não interessa.

Malone olhou para trás, para a escuridão. À direita, uma claridade bem fraca revelava a saída para o Tâmisa. Acima dele, Tanya destrancou a portinhola que se abria no teto de tijolos, deixando a luz entrar.

Ele subiu.

Um estampido.

Malone sobressaltou-se.

Em seguida, outro.

Mais um.

Eram tiros, vindos do túnel lá embaixo.

As balas ricocheteavam nas paredes. Malone já estava próximo à saída, mas teve medo de ser atingido por uma bala perdida. Apressou-se e fechou o alçapão de metal.

— Ainda bem que este alçapão nunca fica trancado — comentou Tanya. — Foi colocado aqui há alguns anos, por medida de segurança.

Malone tentou se localizar.

Estavam ao sul do palácio, separados do Jardim Privado por um muro de tijolos e sebes altas. Ali perto estava a compacta Banqueting House, com vista para o rio. Não havia ninguém ali, mas era possível ouvir vozes do outro lado das sebes, onde ficava o lago que, no passado, abrigava os peixes que iam para as cozinhas do palácio.

— Foram tiros lá embaixo? — perguntou Tanya.

— Temo que sim. Precisamos sair daqui. Rápido.

A situação havia mudado.

Aqueles homens tinham vindo para matá-lo.

Ele olhou para o alçapão e viu que alguém tentava abri-lo. Seus olhos percorreram o local à procura de alguma coisa que impedisse isso, qualquer que fosse, e encontrou algo próximo a um laguinho no centro do jardim. Um caminho pavimentado de pedras conduzia até ele em meio à grama e às flores. Malone correu até lá e conseguiu erguer uma das pedras da terra úmida. Voltou com ela e colocou-a sobre a alavanca do alçapão.

Uma tranca improvisada.

Quando alguém tentasse abrir a portinhola, a pedra bloquearia o movimento.

— Para onde vamos agora? — perguntou Malone, visto que obviamente Tanya o trouxera até ali por um motivo.

Ela apontou para o rio, do outro lado da Banqueting House.

— Para lá.

KATHLEEN CONTINUOU A correr pelo Jardim Privado rumo ao Tâmisa. As cercas vivas estavam todas podadas, baixas, e não ofereciam esconderijo. Um largo caminho de cascalho margeado por sebes quadradas na altura dos joelhos conduzia a uma fonte central. Não havia muitas pessoas ali, mas o suficiente para atrapalhá-la. Atrás dela, Eva e seu parceiro seguiam em seu encalço.

Ela ainda estava com a pistola e pensava em como poderia usá-la. Se fosse necessário, abriria caminho a tiros, mas a falta de um lugar para se proteger a fez pensar melhor. Estátuas pontilhavam o gramado, grandes o bastante para servirem de proteção, mas ir de uma para outra era uma travessia em campo aberto.

Então ela continuou a andar em frente, a passos rápidos.

MALONE E TANYA contornaram a Banqueting House. Ela parecia saber exatamente aonde estava indo. Eles atravessaram um pequeno gramado sob as árvores nuas e chegaram a um muro de tijolos, de uns dois metros e meio de altura, o qual separava o terreno do palácio de um caminho pavimentado que margeava o Tâmisa.

— Eu moro bem ali, do outro lado do rio, às margens de um afluente. Venho todos os dias trabalhar de barco.

Malone quase sorriu. Que mulher esperta. Ele se perguntava o tempo todo como sairiam das centenas de hectares de Hampton Court. A rota mais simples? Pela água. E Tanya Carlton sabia disso todo o tempo.

A FARSA DO REI \ 295

Havia um portão de ferro no muro, também com uma fechadura eletrônica. Tanya digitou a senha e o abriu.

— Como eu passo por aqui todos os dias, o chefe da manutenção me deu a senha de acesso. Anos atrás me deram uma chave. As coisas progrediram muito desde então.

Ambos se apressaram pela calçada, que tinha um parapeito de madeira branca separando-a do rio, e afastaram-se dos jardins. Ele localizou a estação ferroviária por onde havia chegado do outro lado do rio. Continuou atento ao muro, pronto para sacar a arma. Algumas pessoas também passeavam por ali.

Sua mente estava em alerta total.

Alguém queria matá-lo.

E aquela passagem subterrânea, com toda sua privacidade, havia lhes oferecido a oportunidade perfeita.

Precisava falar com Antrim.

Assim que estivessem longe dali.

KATHLEEN VIU UMA cerca de ferro elaborada, obra de alguns talentosos ferreiros, e através de suas folhagens douradas conseguiu entrever o Tâmisa. A cerca tinha mais de dois metros de altura e contava com ferros pontiagudos no topo. Eva e o homem se aproximavam rapidamente. Ela olhou à esquerda, depois à direita, e viu o ponto onde a cerca chegava ao fim e dava lugar a um muro alto de tijolos, que continuava a proteger o perímetro. O que chamou sua atenção foram alguns degraus que levavam a um patamar superior do jardim, bem mais elevado, quase da mesma altura do muro. De lá seria fácil pular o muro e seguir pelo caminho que margeava o Tâmisa. Poderia sair correndo a toda a velocidade ou atravessar o rio a nado.

Correu pelo caminho de cascalho e subiu os degraus.

Viu Pazan logo atrás, agora vindo em sua direção.

Kathleen chegou ao topo dos degraus. Estava certa. A cerca de ferro, com suas extremidades pontiagudas, terminava, dando início

296 \ STEVE BERRY

a um muro, que nesse ponto acabava sendo mais baixo. Precisava apenas subir no muro e pular os dois metros do outro lado. Mas, antes que conseguisse fazer isso, dois homens surgiram diante dela, armados. Também armada, Pazan agora estava ao pé das escadas, logo atrás dela.

— Você não vai conseguir — alertou Pazan. — Mesmo que consiga, olhe para baixo. É descampado. Nós vamos matá-la antes que chegue a algum lugar.

Kathleen olhou à esquerda. Onde estava todo mundo? Os jardins deveriam estar lotados em uma bela manhã de sábado como aquela. As poucas pessoas que circulavam por ali antes haviam sumido. E onde estava Mathews? Dois barcos grandes estavam ancorados em uma doca de concreto logo abaixo dela, perto do muro, mas ali também não havia ninguém.

Pazan subiu os degraus e se aproximou.

— Entregue a arma. Devagar e com cuidado. Jogue-a no chão.

Kathleen fez o que Pazan mandou.

— Quem é você?

— Não sou quem você está pensando.

MALONE SALTOU NO pequeno barco de Tanya. Uma lancha com um potente motor de popa. Havia dois coletes salva-vidas e um remo dentro.

— Nunca precisei usar nada disso — disse Tanya. — Graças a Deus.

— Quer que eu ligue o motor? — ofereceu ele.

— Minha nossa, Sr. Malone. Eu puxo a corda do motor dessa banheira velha há anos. Sou capaz de fazer isso.

Ele a observou puxar a corda do motor duas vezes, e o barco ganhou vida. Desprendeu as amarras, e Tanya deu a partida, retornando em direção ao palácio e descendo o Tâmisa.

— É melhor ficar perto da outra margem — disse ele. — Só para garantir.

A FARSA DO REI \ 297

Ela atravessou as águas marrons, afastando-se do palácio. Aproximaram-se de outra doca de concreto, onde dois barcos grandes
estavam amarrados. Malone viu uma mulher junto ao topo do mesmo
muro de tijolos que cercava a Banqueting House, próximo ao fim da
cerca de ferro.

Kathleen Richards.

Uma mulher e dois homens estavam com ela.

Todos armados.

Richards se ajoelhou.

Tanya também viu.

— Parece que a Srta. Richards está com problemas.

Sem dúvida.

E, considerando o que tinha acabado de acontecer naquele túnel,
Malone podia estar totalmente enganado a respeito dela.

Parte Quatro

Quarenta e três

Conforme a conversa progredia, Antrim ficava mais agitado. A mesma voz grave da Dédalo havia atendido o telefonema e parecia se divertir com sua situação.

— O senhor me ouviu? — perguntou Antrim. — O maldito do chefe do MI6 está envolvido nisso. Foi *ele* quem matou Farrow Curry, não vocês.

— Eu o ouvi, Sr. Antrim. Simplesmente prefiro não acreditar no que um ladrãozinho contou ao senhor. Eu sei o que aconteceu. Nós mandamos matá-lo.

— Kathleen Richards é da Soca. Eu a conheço. Então por que ela está envolvida nessa história? O senhor sabia disso também?

— Não, isso é uma informação nova, mas não vejo problema. Tudo está prestes a acabar. O senhor logo terá seu dinheiro e poderá sumir antes do amanhecer.

Ele estava certo. Quanto antes, melhor.

— Se Thomas Mathews *estiver* envolvido nisso, ele pode ter mentido para o seu informante.

Verdade. Mas ainda havia a questão de Cotton Malone.

— O que aconteceu em Hampton Court?

— Estou esperando informações a qualquer momento. A última notícia é que o Sr. Malone estava sendo conduzido a um lugar favorável, onde seria eliminado. Tudo estava progredindo sem problemas.

— Preciso saber quando isso acontecer.

— Qual é o seu interesse em Malone?

— Não tenho nenhum interesse nele. Vocês é que têm. Ele leu o pen drive. Sabe de tudo. Ele é problema seu, não meu.

— Eu realmente duvido disso. O senhor não é um homem honesto.

— Como se sua opinião a meu respeito me interessasse. Vocês matam gente. Acredite ou não, o MI6 está envolvido nisso, o que significa que conter o vazamento de informações será um grande problema. *Seu* problema.

— Seu também. Quando seus supervisores souberem de tudo, imagino que vão se perguntar o que o senhor realmente está tramando.

— O que significa que essa coisa toda vai explodir e vocês poderão dar adeus ao seu segredinho.

O silêncio no outro lado da linha indicou que Antrim estava certo.

— O senhor está com Ian Dunne? — perguntou a voz.

— São e salvo.

— Mantenha-o aí. Precisamos nos encontrar.

Como se Antrim fosse fazer isso. Ele não era idiota. Já havia percebido que o caminho mais seguro para a Dédalo seria simplesmente matá-lo também.

— Não vai dar.

Ouviu uma risada do outro lado da linha.

— Achei mesmo que o senhor ficaria preocupado com sua vida.

Ele continuou calado.

— Tudo bem, Sr. Antrim, para aplacar seus temores, podemos nos encontrar em um lugar público. E seguro, para que o senhor se sinta à vontade.

— Por que precisamos nos encontrar?

— Porque o senhor precisa ver algo. E, veja por esse lado, Ian Dunne é sua garantia. Ele é sua segurança.

— Por que o senhor quer o garoto? Está atrás do pen drive?

— Ele é testemunha de uma morte, e detestamos fios soltos.

Fazia sentido.

A FARSA DO REI \ 303

Infelizmente, Antrim não podia contar com seus agentes naquele momento. Levaria Gary consigo e deixaria Dunne e a mulher no depósito.

Um local que a Dédalo conhecia.

E daí? Ele não se importava.

Seria preferível que os dois morressem.

Antrim foi atingido por uma dura realidade.

A Dédalo *era* a única aliada que lhe havia restado.

— Diga o lugar.

GARY ESTAVA COM a Srta. Mary.

— Você parece preocupado — observou ela.

— Preciso falar com minha mãe ou com meu pai.

Ele sabia que a Srta. Mary tinha um celular, pois ela havia recebido uma ligação na noite anterior.

Gentilmente, ela apoiou a mão no ombro dele.

— Pediram-me que não usasse mais meu telefone. Devemos respeitar o desejo deles. — Fez uma pausa. — Está sendo muito difícil?

— Mais do que eu achava que seria.

Ela apontou para os artefatos.

— O fato de o Sr. Antrim ter roubado tudo isso me fez questionar o caráter dele.

— Ele é um espião. Às vezes, eles simplesmente precisam fazer algumas coisas. Eu passei por isso um mês atrás.

— Fez alguma coisa ruim?

— Salvei a vida de um amigo.

— Que corajoso.

Gary deu de ombros.

— Eu só reagi. Ele estava em perigo.

— Você não sabe quase nada sobre esse homem que diz ser seu pai biológico. E parece gostar do personagem que ele criou.

— Como conheceu meu pai?

— Não conheço seu pai. Tudo que sei dele foi o que vi ontem à noite. Ele é uma alma corajosa.

Verdade, ele era mesmo.

— Vá com calma — aconselhou ela. — Não tenha pressa. Você se deparou com muitas verdades. Nosso cérebro não consegue assimilar tanta coisa com tanta rapidez. Tenha cuidado.

A Srta. Mary parecia sincera, e isso o fez lembrar sua avó. Desejava tê-la por perto naquele momento.

— Minha mãe poderia consertar isso tudo.

— Sem dúvida. E essa é a função dela — concordou a Srta. Mary.

— Foi ela quem armou essa confusão.

— Você não sabe o que aconteceu naquela época.

— A senhora já foi casada?

Ela fez que não.

— Então como pode saber?

— Porque já me apaixonei. Já magoei alguém e fui magoada também. A culpa nunca é só de uma pessoa.

Gary pensou por um instante no que ela disse e percebeu que poderia ter ido longe demais.

— Desculpe.

Ela sorriu.

— Por quê?

— A senhora só está tentando ajudar.

— Sem grande sucesso.

Ele ouviu a porta de metal se abrir na outra extremidade do depósito, e Antrim entrou.

— Ainda preciso falar com a minha mãe — disse Gary outra vez, em voz baixa.

— O que vai dizer a ela?

Ele pensou por um instante em todo o dilema das duas últimas semanas, e especialmente na posição inflexível de sua mãe quanto a nunca lhe revelar a identidade de seu pai biológico.

— Não sei.

A FARSA DO REI \ 305

IAN VIU ANTRIM encerrar a ligação e guardar o celular no bolso do paletó. Lado direito. Corte mais solto. Oportunidade perfeita. Entrou no banheiro e aguardou o som da porta de metal se abrindo. Então ele saiu e voltou para onde a Srta. Mary e Gary estavam.

Seguindo Antrim.

Apressou-se.

Cinco metros.

Dois.

Antrim parou e se virou.

Eles trombaram um no outro, e a mão direita de Ian esgueirou-se para dentro do bolso. Ele encontrou o celular.

Afastou a mão.

Tudo em uma fração de segundo.

— Opa, desculpe — disse Ian, dando seu sorriso encabulado de sempre. — Eu estava distraído, não vi o senhor.

Antrim sorriu.

— Tudo bem.

A mão que segurava o celular continuou oculta atrás de sua perna até Antrim se virar de novo. Então Ian colocou o aparelho no bolso de trás da calça e torceu para que não tocasse. Seria um problema explicar por que o havia pegado.

Cruzaram o depósito. Ian manteve-se sempre ao lado do agente americano.

— Eu preciso sair — anunciou Antrim. — Gary, gostaria de vir comigo?

— Claro.

Ian captou a expressão no rosto da Srta. Mary. Ela não concordava com a decisão de Gary e sabia o que Ian tinha acabado de fazer.

Mesmo assim, ficou em silêncio.

O que significou mais do que mil palavras.

— Vocês ficarão bem aqui dentro — disse Antrim. — Voltaremos em menos de duas horas.

Ian observou Gary e Antrim seguirem em direção à porta.

306 \ STEVE BERRY

Aproximou-se da Srta. Mary.

— Atrevo-me a dizer que ele não dá a mínima para o que acontece com a gente — sussurrou ela.

Ian concordou.

— O que você roubou?

Ele mostrou o telefone.

Ela sorriu.

— Genial.

Quarenta e quatro

MALONE VIU KATHLEEN Richards desaparecer por trás do muro. Tanya pilotava a lancha em alta velocidade e fez uma curva no rio. Agora um longo aglomerado de árvores e um grande gramado interpunham-se entre eles e Hampton Court. Se aqueles homens do túnel tinham vindo para matá-lo, será que fariam o mesmo com Kathleen Richards? Malone tinha armado uma cilada para ver como ela se comportava, e ela havia feito sua escolha. Mas ele pensou por um momento. Aquela teria de fato sido a escolha *dela*?

— Preciso voltar — disse ele a Tanya, que estava sentada junto à popa, segurando a alavanca do motor.

— Acha que ela pode estar em perigo?

— Não sei, mas preciso descobrir.

Malone avistou um campo de golfe na margem. O único na Inglaterra dentro de uma propriedade da realeza. Ele havia jogado lá uma vez, muito tempo atrás. Fez um gesto para Tanya, que se aproximou da margem e pôs o motor em ponto morto.

— Eles identificarão a senhora rapidamente. Não pode ir para casa.

— Eu não pretendia fazer isso. Pensei em ir visitar Mary.

— Ela está escondida. Qual é o seu hotel favorito em Londres?

— Ah, minha nossa. São tantos... Mas meu favorito é The Goring Hotel, em Belgravia, perto do Palácio de Buckingham. Que elegância!

308 \ STEVE BERRY

— Vá para lá e reserve um quarto. O que quiser.

Malone percebeu a animação nos olhos de Tanya.

— Que ideia maravilhosa. Mas o que vou fazer no quarto?

— Fique lá até eu chegar. Se o hotel estiver lotado, fique no saguão.

— Talvez eles não gostem.

Ele sorriu.

— Peça alguma coisa para comer. Aí não vão se importar. Se eu tiver algum problema, ligo para a recepção e deixo um recado. — Ele levou a mão ao bolso e tirou o pen drive. — Leve isso junto.

— Foi isso que Mary leu?

— Foi. Estou contando com a senhora para mantê-lo em segurança.

— Pode deixar, Sr. Malone.

— Saia logo desse rio.

— Vou parar ali na frente. Vou deixar o barco aqui e pegar um táxi.

— Tem dinheiro?

— Estou bem, obrigada. Sei me cuidar.

Malone não duvidava disso. Tanya já havia lhe dado provas suficientes. Ele saltou para a margem. A pistola ainda estava presa no cós de sua calça, embaixo do casaco. Sentia-se mais tranquilo com uma arma ao alcance de sua mão.

— Pague tudo com dinheiro — recomendou ele. — E não saia de lá até eu chegar.

— Vou seguir suas recomendações. Só não se machuque.

Isso não estava em seus planos, mas também não podia apostar que sairia ileso.

Tanya segurou a alavanca do motor e voltou a acelerar a lancha, afastando-a da margem. Malone ficou observando enquanto o ronco do motor desaparecia rio abaixo.

De frente para o rio havia um amplo caminho de cascalho e, ao fim dele, Malone avistou um gramado plano. Seguiu em sua direção. Alguns carvalhos margeavam o trajeto. Ele se lembrou do campo de golfe, com seu terreno ondulado e seus *greens* e *bunkers*. Viu uns poucos jogadores e alguns cervos vagando por

A FARSA DO REI \ 309

ali, mas continuou a ir em direção ao palácio, que estava a cerca de quinhentos metros.

Ao sair do campo, deparou-se com uma alameda gramada, emoldurada por limoeiros. Um longo canal estendia-se à direita. Relembrou que havia uma árvore em algum lugar por ali. O Carvalho Matusalém, que diziam ter 750 anos. Seguiu rumo a um portão de ferro aberto no final da alameda, onde a grama dava lugar a outro caminho de cascalho, ladeado por plantas altas, podadas em forma de cogumelo. Depois de passar pelas árvores, chegou a uma fonte.

Diminuiu o passo e disse a si mesmo que fosse cuidadoso. Estava de volta ao alcance das câmeras. Os visitantes lotavam o lugar, admirando a beleza das árvores e das flores. A fachada leste de estilo barroco erguia-se um pouco mais adiante, e à direita de Malone estava a maior parte dos edifícios mais antigos, da era Tudor. Sob algumas plantas ornamentais de mais ou menos dois metros e meio de altura, avistou Kathleen Richards, escoltada por dois homens e com uma mulher à frente. Malone parou e se escondeu atrás dos troncos grossos das árvores.

Kathleen percorreu a fachada barroca do palácio até chegar ao fim dos edifícios da era Tudor. Malone atravessou o caminho de cascalho até outra árvore para ter uma visão melhor do grupo e notou quando eles entraram no último prédio, com um telhado inclinado e uma fileira de janelas altas estendendo-se por toda a extensão do segundo andar.

Contudo, Malone sabia que aquele ali não era propriamente um andar.

Já havia estado naquela parte de Hampton Court.

KATHLEEN NÃO PODIA fazer nada. Sair correndo? Não tinha para onde ir. Os jardins eram descampados, projetados para oferecer uma vista desobstruída em todas as direções, e isso só a prejudicava.

310 \ STEVE BERRY

Da margem do rio, atravessaram o Jardim Privado até o palácio e contornaram-no até uma placa que dizia QUADRA DE TÊNIS REAL.

Eles passaram por uma abertura em um muro de tijolos e entraram por outra porta, de metal com persianas, que se fechou em seguida. Seguiram por um corredor estreito; em um dos lados, era possível ver, através das vidraças, o que no passado foi a quadra de tênis de Henrique VIII, uma das primeiras da Inglaterra. Não havia ninguém ali. Nem visitantes nem funcionários à vista.

No final, eles viraram e continuaram contornando a quadra até outra porta, que levava ao que parecia ser um depósito e algumas salas da administração. Kathleen foi conduzida para dentro de uma delas. Havia ali uma mesa e cadeiras, bem como uma máquina de café, xícaras e açúcar. Era a salinha de descanso dos funcionários.

Eva Pazan a acompanhou.

Os dois homens aguardaram lá fora.

Pazan fechou a porta.

— Sente-se. Temos muito o que conversar.

MALONE AFASTOU-SE DO jardim da fonte e foi para a entrada da quadra de tênis real. Ali, atrás de um muro de tijolos que cercava a parte Tudor do palácio, viu que a entrada para a quadra estava fechada. Um aviso dizia que o local não estava aberto à visitação.

Ele tentou a maçaneta.

Trancada.

A porta era de metal com um conjunto de persianas flexíveis, sem vidro nem tela. Malone enfiou o braço entre duas palhetas e alcançou a fechadura por dentro.

Girou-a, e a porta se abriu.

Pegou a pistola e entrou, trancando a porta atrás de si.

Um corredor estreito se estendia à direita, paralelo à quadra, com janelas na parte de cima banhando o local com a luz do sol. Pelo vidro, ao passar pelos assentos da plateia, ele viu um homem com um terno de três peças parado junto à rede.

Thomas Mathews.

— Por favor, Sr. Malone — chamou o velho espião. — Venha até aqui. Eu estava esperando o senhor.

Quarenta e cinco

IAN OLHAVA PARA o celular de Antrim. Ele e a Srta. Mary haviam vasculhado as ligações mais recentes, três delas feitas para um número identificado como DESCONHECIDO.

— A ligação que ele acabou de fazer também foi para um número que não está salvo na memória — constatou.

— Será que dá para ligar para ele de novo? — perguntou a Srta. Mary.

— Acha que devíamos fazer isso?

— Não gosto do Sr. Antrim, não confio nele. O sujeito parece... preocupado demais.

Ian concordou.

— Essa última ligação o deixou muito nervoso. Ele não gostou nem um pouquinho do que estava ouvindo.

— Ele logo vai notar que está sem o telefone.

Ian deu de ombros.

— Vou dizer que deve ter caído do bolso dele e que encontrei lá fora.

A Srta. Mary sorriu.

— Ele nunca vai acreditar nisso, especialmente com seus antecedentes.

— Gary não devia ter ido com ele.

— Verdade. Mas nem eu nem você podíamos ter impedido isso. Ele quer conhecer o pai biológico. É compreensível.

Os dois raramente discutiam o passado. Era disso que ele gostava na Srta. Mary. Ela não perdia tempo com coisas que não podiam ser mudadas. Era sempre otimista, olhava para o futuro, via o melhor cenário.

— Eu disse a ele que nunca conheci meu pai. Nem minha mãe. E isso realmente não importa.

— Importa, sim.

A Srta. Mary sempre conseguia ver seu interior.

— Nunca vou conhecê-los, então por que ficar chateado com isso?

— Existem maneiras de encontrar as pessoas. Você sabe que, quando estiver pronto, nós vamos tentar localizar seus pais.

— Não quero conhecê-los.

— Talvez não agora, mas um dia você vai querer.

O telefone vibrou na mão de Ian.

A Srta. Mary pegou-o.

— Talvez devêssemos atender. — Ela olhou para a tela. — É apenas um aviso de e-mail, não uma chamada.

— Você sabe usar essa coisa.

A Srta. Mary sorriu.

— Eu sou boa em vender livros pela internet.

Ian observou enquanto os dedos da Srta. Mary deslizavam pela tela.

— É de um homem que diz que conseguiu abrir os arquivos do disco. "Segue em anexo o arquivo que estava protegido por senha, conforme requisitado."

Ian sabia exatamente o que aquilo queria dizer.

— Havia três arquivos no pen drive que eu peguei. Um deles estava protegido por uma senha. Malone disse que um especialista poderia dar um jeito nisso.

— É verdade — concordou a Srta. Mary. — Acho que vou enca-minhar este e-mail para mim.

314 \ STEVE BERRY

Ele sorriu.

— Assim vamos poder lê-lo?

— Com certeza, assim espero.

Os dedos dela percorreram a tela novamente, e eles esperaram alguns instantes.

— Pronto. Já foi. Agora vou até a pasta de mensagens enviadas para apagar o e-mail. Assim o Sr. Antrim não vai descobrir que eu o encaminhei para mim.

Em seguida, ela devolveu o celular para Ian.

— Coloque-o no escritório. Na escrivaninha. Ele vai se perguntar como foi parar lá.

— Ele não vai cair nessa.

— Talvez não, mas nós não estaremos por perto para saber.

ANTRIM SEGUIA A multidão para entrar na Royal Jewel House, onde ficavam as joias da Coroa, dentro da Torre de Londres. Ao telefone, o porta-voz da Dédalo propusera um local seguro, e não poderia ter encontrado lugar melhor. Havia seguranças armados em toda parte, detectores de metais, câmeras de circuito interno de TV e sensores de movimento. O saguão estava lotado de turistas; todos queriam ver os tesouros da família real britânica, suas coroas, cetros, orbes e espadas, expostos com orgulho em redomas de vidro à prova de balas. Era impossível entrar ali com uma arma, e havia poucas chances de algo dar errado, pois a entrada e a saída eram fortemente protegidas.

Antrim se sentiu um pouco mais à vontade, mas não muito.

Qual seria o motivo desse encontro?

Ele ouviu um dos guias explicando como as joias da Coroa saíram da Wakefield Tower durante a Segunda Guerra para uma câmara subterrânea do Quartel de Waterloo, um local considerado mais seguro. Ali, foi construído um magnífico mostruário em formato de estrela, engenhosamente iluminado para expor um dos últimos acervos de joias da Coroa que restaram no mundo. Mas a enorme

A FARSA DO REI \ 315

quantidade de visitantes excedia muito a capacidade da câmara apertada, e optou-se finalmente por abrigá-las em uma sala maior, no nível do solo.

O sol que brilhava lá fora foi substituído por uma semiescuridão fria. Diante dele havia um corredor amplo, equipado com uma esteira rolante para manter os visitantes em movimento. Os mostradores eram iluminados por uma combinação de lâmpadas de halogênio e lasers. O efeito era mágico. Era uma exposição impressionante.

Gary estava lá fora, andando pelas dependências da Torre. Antrim havia lhe dito que não demoraria lá dentro e pedira a ele que não saísse do interior dos muros.

— Isso aqui é um espetáculo — disse uma voz feminina atrás dele.

Antrim se virou.

E ficou chocado com quem viu.

Denise Gérard.

GARY VAGAVA PELO pátio, do lado de fora da Jewel House. Parou diante de uma placa que indicava a magnífica White Tower, que se destacava na área murada. Ele já tinha visto a Tower Green ali perto, onde no passado ocorriam as execuções, como um dos guardas uniformizados havia explicado. Duas das esposas de Henrique VIII foram decapitadas ali, assim como Lady Jane Grey, uma jovem de 17 anos que foi rainha durante nove dias até Maria, a filha mais velha de Henrique VIII, ordenar sua execução.

Seu olhar voltou-se para a White Tower, e ele leu a placa. Suas altas paredes de pedra formavam um quadrilátero irregular, defendido por três torres quadradas e uma redonda. No passado, a fachada era caiada, o que deu o nome à construção, mas agora suas pedras emitiam um brilho marrom-dourado. No topo, a bandeira do Reino Unido, a Union Jack, tremulava com uma brisa suave. Gary sabia que essa antiga fortaleza era um dos símbolos da Inglaterra, como a Estátua da Liberdade era para os Estados Unidos.

Ele gostaria de saber o que estavam fazendo ali. Não havia conversado muito com Antrim no táxi. Ele apenas tinha dito que precisava resolver algumas pendências e não deveria levar muito tempo. Logo voltariam para o depósito e aguardariam a ligação de Cotton Malone. Gary também havia comentado que gostaria de falar com sua mãe, e Antrim garantira que fariam isso.

Ela precisa saber de você, dissera Antrim. *E eu também preciso conversar novamente com ela. Mas deveríamos falar com o seu pai antes.*

Gary tinha concordado com ele.

Precisavam falar com seu pai primeiro.

O dia estava claro e ensolarado, o céu, muito azul. Havia muita gente visitando o local. Antrim comprara ingressos para os dois, os quais incluíam o acesso à Jewel House, onde Antrim havia entrado.

O que estaria acontecendo lá dentro?

Por que eles estavam ali?

Gary decidiu descobrir.

ANTRIM FICOU ABALADO.

— O que você está fazendo aqui?

Denise estava linda, com uma saia buclê azul-clara e um casaco estiloso.

— Eles queriam que você me visse.

Ele ficou confuso.

— Não seja tão burro — continuou ela. — Eu estava lá em Bruxelas vigiando você o tempo todo.

Seria possível?

— Você está com a Dédalo?

Denise assentiu de leve.

— Fui enviada para monitorar seus passos. Fiz isso por quase um ano.

Antrim ficou totalmente desnorteado. Era ele quem estava vazando informações para a Dédalo.

A FARSA DO REI \ 317

Por um instante, seu olhar se desviou para o mostruário de vidro que estava a poucos centímetros dele, onde estava exposta a coroa de Santo Eduardo, de quatrocentos anos, a mesma que o arcebispo de Canterbury reverentemente colocava sobre a cabeça do monarca enquanto os ecos de "Deus salve o rei" ou "Deus salve a rainha" reverberavam pelas paredes da Abadia de Westminster. O que estava acontecendo ali?

Antrim tentou pôr seus pensamentos em ordem.

— E o que eu vi entre você e aquele homem em Bruxelas? Não era real?

— Já estava na hora de seguirmos nossos caminhos. Então forjamos um motivo inquestionável para nossa separação. Sabemos como você fica violento com as mulheres. Você deixou um bom rastro, Blake. Precisávamos que você se sentisse à vontade para seguir em frente, do seu jeito.

— E o que aconteceria em seguida? Outra mulher teria tomado o seu lugar?

Denise deu de ombros.

— Se fosse necessário, sim. Decidimos motivá-lo por outros meios.

— Matando meu agente na catedral?

— Na época, os lordes da Dédalo queriam que você soubesse do que eles são capazes. É importante que você entenda o quanto estão determinados.

Ela gesticulou para que eles não caminhassem pela esteira rolante; assim poderiam se demorar ali mais alguns instantes. Ele assentiu, soltando o ar.

— Aqui vemos como as coisas eram no passado — disse Denise. — Lembretes de uma época em que reis e rainhas detinham verdadeiras posições de poder.

— Tudo entre nós foi uma encenação?

Ela riu.

— O que mais poderia ter sido?

Aquela alfinetada doeu.

318 \ STEVE BERRY

Ela apontou para as joias.

— Sempre acreditei que a monarquia inglesa prestou um grande desserviço a si mesma quando abriu mão do poder real para sobreviver. Ela permitiu que o Parlamento governasse em troca da própria existência. Isso começou em 1603, com Jaime I.

Antrim relembrou as lições de Farrow Curry. Jaime, o primeiro da dinastia Stuart a ocupar o trono, era um homem fraco, ineficaz, que se importava mais com a pompa, a circunstância e os prazeres do que com o governo. Seus primeiros nove anos de reinado foram razoáveis, graças ao pulso firme de Robert Cecil. Com a morte de Cecil em 1612, porém, os treze anos restantes se caracterizaram por uma indiferença calculada, que enfraqueceu a monarquia e acabou levando à decapitação de seu filho, Carlos I, vinte e três anos depois.

— Elizabeth I foi a última monarca a desfrutar do verdadeiro poder no trono — continuou Denise. — Uma rainha, em todos os aspectos.

— Exceto em um.

Ela apontou um dedo para ele, a unha bem-feita, como sempre.

— Ora, essa é a sabedoria e a sagacidade que você, às vezes, sabe expressar tão bem. Uma pena que, na maior parte do tempo, você seja um homenzinho tão desprezível.

Ela o ridicularizava. Estava totalmente no controle da situação.

E ele não tinha como reagir.

— O que a Dédalo quer?

— Infelizmente, parece que a Dédalo mudou seus planos. Seu amigo Cotton Malone fugiu de Hampton Court. Ainda está vivo. Seus dois agentes, entretanto, não tiveram tanta sorte.

Agora ele tinha certeza.

Estava sozinho.

— Eu trabalho para a CIA. Eles têm uma série de outros agentes.

Denise não parecia estar com espírito para bravatas.

— Mas, infelizmente para você, nenhum deles está aqui. Queremos Ian Dunne.

— Podem pegá-lo. Ele está no depósito, do qual vocês certamente têm conhecimento, visto que seu chefe me descreveu tudo o que há lá dentro.

— Isso nós sabemos, mas eu fico me perguntando, Blake... Eu conheço seu lado mais traiçoeiro. Já o vi. Contei aos lordes que você não é um homem confiável. Portanto, só tem uma chance, uma oportunidade. O que mais há naquele depósito que nós não sabemos?

Então, Antrim se deu conta de que, afinal, poderia ter um trunfo.

As cópias dos discos.

Ninguém havia mencionado isso.

— Vocês sabem de tudo.

Denise recuou um passo em direção à esteira rolante. Antes de se afastar, parou e roçou os lábios no rosto de Antrim. Um gesto gentil, mais para ser visto pelas pessoas ao redor.

— Caro Blake, nós já estamos com as cópias dos discos que você deixou com aquele especialista em computação. Eu disse aos lordes que você ia mentir.

Ela pisou na esteira.

— Tchau, querido — disse, soprando-lhe um beijo.

Quarenta e seis

MALONE SE APROXIMOU de Thomas Mathews. Eles ficaram de pé no meio da quadra, iluminada pelo sol brilhante que entrava pelas janelas acima.

— Não o vejo desde Londres — comentou Malone. — Faz quanto tempo? Sete anos?

— Eu lembro.

— Eu também — retrucou Malone, sincero. Quase tinha morrido por causa de Mathews.

— Você voltou apenas por causa de Kathleen Richards?

— Então o senhor estava me vigiando?

— É claro que sim.

— Tenho a sensação de que isso foi um erro.

O homem idoso deu de ombros.

— Tudo depende do seu ponto de vista.

Era possível ver que Mathews batia levemente o pé e parecia hesitante, pelo menos no que se referia à atuação de um agente americano aposentado em uma operação da CIA.

— Você atacou meus homens na frente da livraria — acusou Mathews.

— Seus homens? Não me lembro de ninguém dizer isso. Mas tive a impressão de que Kathleen Richards precisava de ajuda. — Malone fez uma pausa. — E precisava mesmo.

A FARSA DO REI \ 321

— A questão é: por que você achou que ela precisava de ajuda?

Malone não pretendia responder voluntariamente àquela pergunta.

— Henrique VIII jogou tênis aqui — comentou Mathews. — Dizem que ele soube da execução de Ana Bolena enquanto jogava uma partida. Um jogo diferente do que chamamos de tênis hoje, mas igualmente empolgante.

Tudo ao seu redor, ainda que envolto em uma roupagem antiga, havia passado por um processo de modernização. A quadra reformada ainda era usada. O jogo atualmente é chamado de "tênis real", e os jogadores podem jogar a bola nas paredes e no teto para que ela passe sobre a rede.

— É impressionante como coisas tão antigas ainda podem ser relevantes hoje em dia — disse Mathews, jogando outra isca, que dessa vez Malone decidiu morder.

— Como a possibilidade de Elizabeth I ter sido um homem?

O velho o avaliou com olhos frios. Ele era um dos principais mestres da espionagem no mundo. Até Stephanie Nelle falava dele com admiração e respeito. Malone se recordou vividamente do encontro que tiveram sete anos antes. Mathews se mostrara formidável. Agora o ex-agente americano era novamente o foco das atenções do inglês.

— Fiquei triste com sua aposentadoria — confessou Mathews. — Você era um excelente agente. Stephanie deve sentir falta de suas habilidades.

— Ela conta com muitos outros agentes.

— E modesto. Sempre modesto. Também me lembro disso a seu respeito.

— Vamos direto ao ponto.

— Talvez você ache que, depois de quatrocentos anos, o fato de Elizabeth I ser uma impostora não tenha mais importância, mas garanto que sim, Malone, e muita.

— O bastante para matar Farrow Curry?

— Foi isso o que o garoto disse?

— Foi. É por isso que o senhor o quer. Não por causa do pen drive. O senhor quer o garoto. Ele é testemunha. O senhor quer apagá-lo.

— Infelizmente, circunstâncias desse tipo exigem atitudes extraordinárias. Do tipo que, normalmente, eu jamais tomaria. Muito menos em solo britânico.

— O senhor não vai tocar em um fio de cabelo da cabeça daquele garoto. Isso eu garanto.

— Vindo de qualquer outra pessoa, eu tomaria isso como uma bravata inconsequente. Mas acredito em você. E o seu filho? A vida dele é igualmente valiosa?

— Que pergunta idiota.

— Talvez não seja, considerando quem está com ele neste instante, enquanto conversamos.

Malone deu um passo na direção de Mathews.

— Chega de bobagem. Que droga está acontecendo aqui?

KATHLEEN SENTOU-SE À mesa na salinha. Eva Pazan ficou perto da porta.

— Aquela encenação na Jesus College foi para ajudá-la — afirmou Pazan. — Um modo de fazer com que se inteirasse da gravidade do caso.

— Parece que foi uma perda de tempo. Bastava me dizer. Quem colocou o pé no meu rosto naquele dia?

Pazan riu.

— Eu sabia que você não ia gostar disso. Foi meu colega que está lá fora. Nós achamos que uma demonstração de violência, junto com o atentado, poderia ajudá-la a pensar com clareza. Infelizmente, nos enganamos.

— Você faz parte da Sociedade Dédalo?

— Ela não existe.

Isso não surpreendeu Kathleen.

— Foi Thomas Mathews quem a criou, não é?

— Se já sabia disso, por que fugir lá dentro do palácio?

A FARSA DO REI \ 323

— É difícil ter certeza de qualquer coisa aqui. E, da última vez que eu tentei esclarecer as coisas, Mathews quis me matar.

Sua captora sorriu.

— A inteligência não é como o seu ramo. Você investiga os fatos e trabalha para condenar os culpados. Nós não temos tribunais. Nem prisões. Isso aqui é vida ou morte, e ser bem-sucedido é a única coisa que importa.

— Mathews criou a Dédalo para Antrim, não foi? Ele queria manipulá-lo, mas não podia revelar o envolvimento do SIS.

— Garota esperta. Estamos vigiando Antrim e sua operação desde o começo. Precisávamos nos aproximar sem deixar pistas. Uma antiga sociedade fictícia pareceu a melhor maneira, e, por sorte, Antrim acreditou nela. Mas você não.

— Isso é um elogio?

— Não exatamente. Você acabou dando muito trabalho. Achamos que poderia ser útil com Antrim, mas as coisas mudaram.

E ela sabia por quê.

— Por causa de Cotton Malone.

MALONE AGUARDAVA UMA resposta à sua pergunta, mas decidiu acrescentar:

— Estou sabendo da libertação de Abdelbaset al-Megrahi.

— Então também deve saber que seu governo não quer que isso aconteça. Os Estados Unidos querem que a gente impeça Edimburgo.

— E isso é algo que vocês podem fazer.

Malone havia refletido sobre a possível razão para a Inglaterra não intervir, e apenas uma explicação fazia sentido.

Petróleo.

— O que vocês querem dos líbios? O que eles ofereceram em troca da libertação de al-Megrahi?

— Digamos apenas que não pudemos ignorar o pedido humanitário que eles fizeram.

— Então se venderam por concessões no preço do petróleo.

Mathews deu de ombros.

— A nação precisa sobreviver. Como todo o mundo, estamos no limite. Temos algo que eles querem. Eles têm algo que nós queremos. É uma simples troca.

— Ele matou cidadãos britânicos, escoceses e americanos.

— De fato, ele fez isso. E em breve encontrará seu criador e pagará por esses pecados. Está com câncer terminal. Não o estamos soltando para que tenha uma vida longa. Se ganhamos mais a longo prazo com a libertação dele, por que não?

Agora Malone entendia por que o governo britânico tinha ficado calado. Se vazasse qualquer indício de um acordo comercial, as repercussões seriam imensas. As manchetes, devastadoras. GRÃ--BRETANHA NEGOCIA COM TERRORISTAS. Os Estados Unidos sempre assumiram a postura de nunca negociar com terroristas e ponto final. Isso não significava deixar de falar com eles, mas usar o diálogo para ganhar tempo e agir.

— Malone, considere isso por outro ângulo. Depois da Segunda Guerra Mundial, tanto os Estados Unidos como a Grã-Bretanha contaram com a ajuda de ex-nazistas. O programa espacial nasceu deles. Sua indústria de aviação e de eletrônica se desenvolveu. Os serviços de inteligência se expandiram. Tudo graças a antigos inimigos. A Alemanha pós-guerra foi governada com a ajuda explícita deles. Nossos países os usaram para manter os soviéticos à distância. Qual era a diferença?

— Se a ideia é tão boa assim, por que não contar ao mundo o que vocês estão fazendo?

— Eu gostaria que as coisas fossem assim, preto no branco.

— Esse foi um dos motivos pelos quais eu caí fora da inteligência. Agora posso realmente fazer o que é certo.

Mathews sorriu.

— Eu sempre gostei de você, Malone. Um homem de coragem e honrado. Ao contrário de Blake Antrim.

A FARSA DO REI \ 325

Ele ficou calado.

— Antrim está à frente de uma operação autorizada pela CIA chamada Farsa do Rei, aqui, em solo britânico, há mais de um ano. Roubou sistematicamente alguns de nossos tesouros nacionais. Investigou nossos segredos. Nos últimos dias, ele autorizou a violação do túmulo de Henrique VIII na Capela de São Jorge. Usou explosivos de percussão para destruir a placa de mármore e revirou os restos mortais do nosso rei. Além disso, aceitou 5 milhões de libras para pôr fim à operação. Metade já foi paga, a outra metade será depositada em breve.

Isso chamou a atenção de Malone.

— Como sabe disso?

— Porque fui eu quem articulou o pagamento. Criei um oponente mítico. A Sociedade Dédalo. E convenci Antrim de sua veracidade.

— Matando Farrow Curry?

— Você sabe que isso às vezes é necessário. Curry sabia demais. Descobriu nosso segredo. Achei que a morte dele resolveria o problema. Infelizmente, tivemos de matar outro.

Disso Malone não sabia.

— Um dos agentes de Antrim nos forneceu informações em troca de recompensa, mas ficou ganancioso e queria mais dinheiro do que valia. Então usamos a morte dele para cairmos nas boas graças de Antrim. O que, devo dizer, funcionou. Estava tudo bem, e assim ficaria não fosse por você.

— Então o senhor mandou os homens me matarem no túnel?

Mathews o fitou.

— Mandei.

A CADA SEGUNDO que passava, Kathleen ficava mais irritada.

— Malone era um desconhecido — disse Pazan. — A presença dele acelerou as coisas. Mas isso vai acabar aqui, agora, hoje.

— O que vai acabar?

326 \ STEVE BERRY

— Os americanos querem nos forçar a algo que não queremos fazer. Então eles decidiram encontrar uma maneira de nos obrigar a fazer o que eles querem. Felizmente, impedimos isso. Só nos **resta** limpar a bagunça.

— Quer dizer, eu?

— E Antrim.

Kathleen pensou rápido e decidiu o que fazer.

— Eu não quero morrer. — Olhou diretamente para Pazan. — Faço qualquer coisa que vocês quiserem, mas não quero morrer.

Ela se levantou da cadeira.

Seus olhos ficaram marejados enquanto os mantinha fixos nos da outra mulher.

— Por favor. Estou implorando. Não quero morrer.

Pazan continuou olhando para ela.

— Estou cansada de fugir — prosseguiu Kathleen. — Já entendi. Vocês venceram. Fui pega. Não dá para falar com Mathews e dizer a ele que eu fiz o que ele queria? — Ela pegou as folhas no bolso. — Tirei isso de Malone. É o que havia no pen drive. Eu ia levar esses papéis a Mathews quando vocês me encurralaram. Eu não sabia que vocês trabalhavam com ele. Como poderia saber?

Kathleen se aproximou de Pazan com as folhas na mão esquerda, trêmula.

Pazan estendeu a mão para pegá-las.

Kathleen as entregou.

— Só não quero mais problemas.

Ela fechou a mão direita e deu um soco perfeito na mandíbula de Pazan, jogando a mulher para trás. Em seguida, pegou uma das cadeiras e atingiu o abdome da agente do serviço secreto britânico. Pazan se curvou para a frente. Kathleen estava furiosa. Ainda com a cadeira, golpeou a cabeça de Pazan, que caiu no chão, imóvel.

A porta se abriu de repente.

O homem que estava com Pazan dentro do palácio, o que havia pisado no rosto de Kathleen, entrou apressado com uma pistola em

A FARSA DO REI \ 327

punho. Kathleen girou a cadeira e atingiu a mão dele, jogando a arma longe.

Um segundo golpe no peito o imobilizou.

Ela ergueu a cadeira e bateu-a com força na cabeça do homem, provavelmente fraturando seu crânio. Ele tombou ao lado de Pazan. Kathleen afastou a arma da mulher, pegou sua pistola e as folhas.

— Agora estamos quites — sussurrou para o homem caído no chão.

Quarenta e sete

IAN E A Srta. Mary leram o arquivo que ela havia encaminhado para sua caixa de mensagens no celular.

A tradução do diário de Robert Cecil.

FOI MEU PAI quem me contou sobre a farsa. Chamou-me ao seu leito de morte e revelou algo extraordinário. Quando não passava de uma menina de 13 anos, a jovem princesa Elizabeth morreu de febre. Foi enterrada em um caixão de pedra nos jardins de Overcourt House, sem nenhuma cerimônia, sendo Lady Kate Ashley e Thomas Parry as únicas testemunhas. Ambos temiam pela própria vida, pois o rei Henrique VIII os encarregara da segurança de sua filha. Na época, Henrique estava mal de saúde, muito gordo, seu temperamento, violento e irritável. Embora a morte de Elizabeth não fosse culpa de ninguém, Ashley e Parry teriam pagado com a própria vida pelo falecimento da menina. Entretanto, as circunstâncias lhes foram favoráveis. Em primeiro lugar, porque, com a mente consumida por outras questões, o pai raramente via a filha. Havia duas guerras em andamento, uma com a Escócia, a outra com a França. A quinta esposa de Henrique, Catarina Howard, tinha sido infiel e, por isso, executada. Então, a ascensão de Catarina Parr e o sexto casamento tornaram-se mais importantes que qualquer outra coisa. A eterna preocupação com Eduardo, seu filho legítimo e herdeiro, e com sua própria mortalidade dominou ainda mais os últimos anos de seu reinado. Portanto, sua segunda filha tinha relativamente pouca importância.

O fato de Elizabeth levar uma vida isolada, distante da corte, tendo como companhia constante sua governanta, Lady Ashley, ajudou. Quando a menina morreu, foi preciso fazer alguma coisa, e Thomas Parry propôs uma solução. Ele sabia da existência do neto ilegítimo de Henrique VIII, o filho de Henry FitzRoy e Mary Howard. Até sua morte em 1536, FitzRoy contava com grande estima do rei. Henrique aprovou o casamento dele com Mary Howard, mas proibiu que os jovens consumassem o matrimônio até ficarem um pouco mais velhos. Essa determinação foi ignorada, e nasceu um filho em 1533. Disso Henrique nunca soube.

Parry propôs uma substituição. A princesa falecida pelo neto desconhecido. Lady Ashley achou a ideia absurda e disse que todos seriam decapitados. Parry, porém, apontou cinco argumentos em defesa de sua tese. Em primeiro lugar, era necessário que o impostor se parecesse com a princesa, para não gerar desconfiança. Isso não seria problema, pois o neto herdara a pele branca e os cabelos ruivos dos Tudors, além da semelhança com o avô. Em segundo lugar, ele deveria estar familiarizado com as circunstâncias em que a princesa vivia. Mesmo sendo criado pelos Howards, o neto conhecia sua linhagem nobre. Em terceiro lugar, ele devia ter um grau de instrução e conhecimento semelhante ao que a princesa havia recebido. Isso também lhe fora proporcionado; o menino era versado em geografia, matemática, história, mecânica e arquitetura. Em quarto lugar, era importante ter inclinação para os clássicos e para línguas estrangeiras. O neto desconhecido sabia falar e escrever francês, italiano, espanhol e flamengo. Finalmente, o candidato devia ter a naturalidade e os modos de um nobre. Isso ele possuía em abundância, pois os Howards eram a família mais abastada do reino.

Thomas Parry viajou até onde o neto do rei morava e propôs seu plano a Mary Howard, que prontamente concordou. Treze anos haviam se passado desde a morte de seu marido. Ela levava uma vida tranquila, apesar de seu irmão, o conde de Surrey, ser um dos favoritos de Henrique VIII. Contudo, sem que Parry soubesse, havia uma controvérsia no seio da família Howard. O pai de Mary pedira ao rei permissão para casar sua filha com Thomas

330 \ STEVE BERRY

Seymour. Essa permissão foi concedida, mas Mary, com o apoio do irmão, recusou. Então, o irmão sugeriu que ela seduzisse o rei e se tornasse sua amante, o que ela também recusou, considerando a ideia repulsiva. Depois disso, eles se afastaram, e ela acabou testemunhando contra ele quando Henrique o julgou por traição e o condenou.

Mary concordou com tudo o que Parry propôs e rompeu relações com a família. Ela nunca voltou a se casar e morreu em 1557, um ano antes de seu filho ser proclamado rainha da Inglaterra. Perguntei a meu pai como a farsa foi mantida, pois certamente alguns Howards teriam se perguntado sobre o destino do menino. Ocorre que, após a execução do conde de Surrey em 1547, a família desenvolveu um profundo ódio pelo rei Henrique. Se algum deles sabia da farsa, jamais a revelou. A própria Mary Howard sabia da busca de sua família pelo poder real e, ao mesmo tempo que se ressentia com o pai e o irmão, com certeza se vangloriava de ter sido ela, a filha de menor importância, quem obtivera o que nenhum Howard conseguira até então.

Meu pai tomou conhecimento da farsa pouco depois da proclamação de Elizabeth. Ele foi convocado pela nova rainha e a encontrou a sós em seus aposentos. Ela estava com 25 anos e havia muito tempo usava um hábito de freira. Tinha sido, de todas as formas, preterida em favor do irmão, Eduardo, da irmã, Maria, e das muitas esposas do pai. Acostumara-se a ser esquecida. Agora era rainha. Naquele dia, ela estava imponente e com um olhar firme, uma grande presença. Anéis, leques, joias, bordados, pérolas e rendas guarneciam seu traje. Seus cabelos eram ruivos, e a pele, de uma brancura sepulcral. Os olhos estavam fundos nas órbitas, o olhar, agressivo.

— Milorde Cecil, há muito tempo és homem de nossa confiança, tanto por sua sabedoria como por sua discrição.

Meu pai se curvou diante do elogio.

— Desejamos que seja nosso principal secretário. Não temos dúvida de que serás fiel a todos nós. Mas há algo que precisamos discutir.

Foi então que o impostor se revelou, explicando tudo o que detalhei até agora. Meu pai escutou com a paciência que teve durante toda sua vida, ciente de que lhe era oferecida uma oportunidade única. Aquele homem, de sangue Tudor, mas que não tinha nascido para reinar, agora era rainha. Ninguém, além de Lady Ashley e de Thomas Parry, sabia a verdade. Expor o impostor seria lançar o reino em uma guerra civil, pois muitos reivindicariam o trono. Não haveria nada a ganhar com isso. Pelos últimos doze anos aquele homem tinha sido uma mulher sem que ninguém percebesse. Tornara-se, de todas as formas, Elizabeth Tudor. Ao tomar conhecimento daquele segredo, meu pai soube que ficaria atado à rainha até que um ou ambos partissem deste mundo. O que estava sendo proposto não era uma posição na corte, mas uma parceria atrelada a uma grande farsa.

Em seu leito de morte, meu pai me viu assimilar tudo o que ele contava.

— Eu disse ao impostor que era seu servo e assim permaneceria para sempre.

Continuei calado.

— A rainha sabe que estou contando a você este grande segredo. Ela quer que você, meu filho, a sirva da mesma forma que eu tenho feito. Esse é também o meu desejo.

— Meu único desejo é poder ser metade do servo fiel que o senhor foi.

Meu pai morreu um ano depois, em 4 de agosto de 1598, e eu fui convocado pela rainha. Ela estava com 65 anos naquele dia, as faces encovadas, a testa alta, o queixo comprido, e o nariz aquilino ressaltando a magreza do rosto enrugado. Já havia perdido a maioria dos dentes. Uma peruca ruiva encaracolada cobria sua cabeça, e uma enorme gola de renda envolvia seu pescoço. Ela me dirigiu o mesmo olhar que havia mantido a Inglaterra segura nos últimos quarenta anos.

— O que me diz?

Eu apoiei um dos joelhos no chão e curvei a cabeça.

— Servirei Vossa Majestade como meu pai serviu, com dedicação e lealdade eterna.

— Então que assim seja, lorde secretário. Juntos, manteremos a Inglaterra forte.

— Ele sabia a verdade — disse a Srta. Mary.

Os dois estavam dentro de uma estação de metrô, a alguns quarteirões do depósito. A Srta. Mary estava ansiosa para ver o conteúdo

332 \ STEVE BERRY

do arquivo, e por isso eles deixaram que dois trens passassem enquanto liam.

— Isso confirma tudo o que eu já tinha ouvido falar sobre o Menino de Bisley — afirmou a Srta. Mary. — A maior parte da lenda parece verdadeira.

Ian a observou por um instante enquanto eles continuaram sentados em silêncio na estação.

Havia poucas pessoas ali.

— Isso poderia mudar tudo — murmurou ela.

— Como?

— O Sr. Malone precisa saber disso.

O celular da Srta. Mary vibrou. Os dois olharam para a tela.

— Não reconheço esse número.

— Atenda — sugeriu Ian.

Ela atendeu.

— Minha nossa, Tanya. Eu estava mesmo pensando em você — disse a Srta. Mary. — Preciso falar com o Sr. Malone. Ele ainda está com você?

Houve silêncio enquanto a Srta. Mary escutava. Em seguida, ela disse:

— Já estamos indo.

Fim da ligação.

Sua fisionomia ficou solene. Preocupada. Ian aguardou que ela desse alguma explicação.

— Houve problemas em Hampton Court. Tentaram matar minha irmã e o Sr. Malone. Temos que ir.

Quarenta e oito

ANTRIM SAIU DA Jewel House para o sol do meio-dia. Sentia-se seguro lá dentro com a multidão, as câmeras, os guardas e os detectores de metal. De volta ao ar livre, ficou tenso. A imensa White Tower predominava no espaço murado, rodeado de caminhos, gramados e árvores.

Foi tomado pelo pavor.

Denise, uma agente da Dédalo? Fazendo-o de bobo todo o tempo? Pelo jeito, todos sabiam da Operação Farsa do Rei desde o início. Mas o que tinha atraído a recente atenção da inteligência britânica? Aparentemente, fora Thomas Mathews quem mandara matar Farrow Curry. Não a Dédalo. Será?

Procurou Gary. Tinha dito ao garoto que esperasse do lado de fora. Milhares de pessoas caminhavam por ali, ansiosas para conhecer um dos lugares mais famosos da Inglaterra. A três metros de distância, em meio à multidão, estava Denise Gérard e um homem.

Ambos vindo em sua direção.

Agora Antrim compreendia.

Eles o queriam ali.

Antrim decidiu voltar para a Jewel House, mas a fila estava enorme, e forçar sua passagem só chamaria a atenção dos guardas. Poderia pedir a ajuda deles, mas talvez isso não fosse algo inteligente a se fazer. A melhor jogada era sair dali.

334 \ STEVE BERRY

Mas e Gary?

Não havia tempo.

Deixaria o garoto por conta própria.

Não havia nada que ele pudesse fazer. Tinha dito a Gary que ficasse por perto. Era impossível procurar por ele agora. Então Antrim contornou a White Tower e voltou para o portão de saída no muro que dava para a rua. Pôs a mão no bolso para pegar o celular e verificar se a afirmação de Denise sobre os dois agentes em Hampton Court era verdadeira. Será que realmente estava sozinho agora? Mas o telefone não estava com ele. Apalpou os bolsos, mas nada. Balançou a cabeça negativamente, continuou a andar em zigue-zague para abrir caminho em meio à multidão. Uma rápida olhada para trás confirmou que Denise e seu acompanhante ainda estavam em seu encalço.

Antrim nunca havia confrontado uma de suas amantes desse modo. As separações sempre deviam ser do jeito que ele queria, claras e permanentes; era assim que ele gostava. Não gostava de bater em mulheres e geralmente se sentia muito arrependido depois. Mas às vezes era necessário. Era tudo culpa de seu pai, mas ele duvidava de que Denise fosse se importar com isso.

Essa operação, que antes era apenas um trabalho, se tornara algo pessoal.

Mais do que nunca.

GARY SAIU DA Jewel House.

Não tinha sido fácil, pois ficara preso na multidão, tentando não ser visto por Antrim nem pela mulher. Eles não haviam usado a esteira rolante; preferiram ficar perto de um dos mostruários. Gary tinha se misturado aos visitantes e ficado à espreita, escondido. Vira Antrim claramente nervoso com ela.

O que estaria acontecendo?

E onde estava Antrim agora?

A FARSA DO REI \ 335

Gary foi para a esquerda, passou por toda a extensão da Jewel House, virou à direita e seguiu pelo caminho entre a White Tower e o que as placas identificavam como o hospital e o arsenal. Uma torre e parte de um muro erguiam-se uns quarenta metros adiante, delimitando o perímetro do castelo. O caminho que Gary percorria virava à direita e passava diante da impressionante fachada da White Tower. Alguns pássaros negros vagavam pelo gramado verde-esmeralda e eram fotografados pelos turistas. Do outro lado da White Tower, ele viu Antrim.

Ele seguia para o portão de saída.

Por quê?

Gary identificou a mulher que estava dentro da Jewel House, ainda acompanhada de um homem. Olhou à esquerda, para o portão de saída, e viu outros dois homens. Parados. Aguardando. Eles inclinaram a cabeça na direção de Antrim, que parecia mais preocupado com o casal que o seguia do que com o que havia à frente.

Gary agora compreendia.

Antrim estava claramente em apuros.

Precisava ajudá-lo.

Os olhos de Malone estavam fixos nos de Thomas Mathews.

— Não tive escolha — justificou-se Mathews. — Não fiquei nada feliz de mandar aqueles homens atirarem em você.

Malone permaneceu impassível.

— Mesmo assim o senhor fez isso.

— Sua presença mudou tudo — admitiu Mathews. — E não de maneira positiva.

— O senhor ordenou o assassinato de dois americanos.

— Um era muito ganancioso. O outro, muito esperto. Mas, como você sabe, isso é muito comum nesse ramo de trabalho. Tenho uma tarefa a cumprir e pouca margem de manobra.

— O senhor quer matar Ian Dunne também. Não. Não é bem isso. Na verdade, o senhor precisa matá-lo.

— Outra circunstância infeliz.

Malone precisava sair dali. Cada segundo apenas aumentava o risco que ele já estava correndo.

— Você tem alguma ideia do motivo de Antrim tê-lo envolvido nisso? — perguntou Mathews.

O velho continuava ali de pé, altivo, apoiado na bengala, sua marca registrada, com a mão direita. Malone se lembrou de algo relacionado a uma lesão no quadril, que se agravou com a idade e tornou necessário o uso de um apoio para andar.

— Ele somente me pediu que encontrasse Ian Dunne. Mais nada.

Uma expressão curiosa formou-se na fisionomia de Mathews.

— Não foi isso o que eu quis dizer. Por que você está aqui, em Londres?

— Eu estava fazendo um favor...

— Você realmente não sabe... Antrim arranjou para que você escoltasse Ian Dunne de volta a Londres. O garoto foi preso na Flórida e transferido para Atlanta. Qual era a necessidade disso? Não haveria outros agentes na Flórida capazes de acompanhá-lo? Em vez disso, Antrim pediu especificamente por você e fez o supervisor telefonar para Stephanie Nelle.

— Mas como o senhor sabe disso?

— Malone, estou neste ramo há muito tempo. Tenho muitos amigos, muitas fontes. Você sabia que Gary foi sequestrado por homens contratados por Antrim?

Não, ele não sabia.

— Tudo isso foi uma encenação para você.

Malone teve uma sensação terrível, como se estivesse três passos atrás de todos os outros.

E isso geralmente significava problemas.

Pegou o celular, ligou-o e discou o número de Antrim. Ninguém atendeu. Sem correio de voz. Só tocou. Sem parar.

Isso significava mais problemas.

Desligou o telefone e disse:

A FARSA DO REI \ 337

— Tenho que ir embora.

— Não posso permitir isso.

Ele ainda segurava a pistola.

— Não sou Antrim.

Malone ouviu um barulho e viu dois homens entrarem na quadra por uma das portas que levavam aos camarotes da plateia.

Ambos estavam armados.

KATHLEEN FECHOU A porta da salinha do café, deixando os dois agentes estatelados no chão. Armada e furiosa, aproximou-se da porta que levava de volta à quadra de tênis. Adiante, não viu ninguém no corredor estreito que contornava a quadra, mas, pelos vidros que separavam o corredor da plateia, viu quatro homens. Dois vinham do jardim, armados. Thomas Mathews. E Cotton Malone — armado, mas claramente em apuros. O que Malone fazia ali? Ele devia estar longe.

— Por favor, jogue a arma no chão — ordenou Mathews a Malone.

De seu ângulo privilegiado, ninguém conseguia vê-la.

A poucos metros havia uma porta aberta.

Kathleen se agachou embaixo do vidro e seguiu em direção à porta, até a entrada de um dos camarotes destinados à plateia. Havia três fileiras de assentos paralelas. Ainda abaixada, aproximou-se de outra porta que dava para a quadra.

Hora de pagar a dívida.

Quarenta e nove

IAN ACOMPANHOU A Srta. Mary para dentro do trem.

Ele conhecia bem o metrô londrino; havia explorado muitas vezes áreas que eram proibidas ao público. Alguns túneis ofereciam uma trégua do frio do inverno ou do calor do verão, lugares onde ele podia ficar em segurança, contanto que a polícia ou um funcionário não o descobrisse. Fazia algum tempo que não ia até os túneis, desde que a Srta. Mary lhe dera permissão para tomar conta da loja. Sentia-se grato a ela, mais do que conseguiria expressar, e feliz por estar com ela naquele momento.

Os dois se sentaram em dois bancos vazios.

— Não sei quanto a você, mas estou ansiosa para ler o que mais Robert Cecil escreveu — sussurrou ela.

Ian também estava.

A Srta. Mary pegou o telefone, acessou novamente o e-mail que havia encaminhado para si mesma e localizou o anexo que eles tinham começado a ler.

COMECEI A TRABALHAR *a serviço da rainha em 4 de agosto de 1598. Embora eu não tivesse como saber na época, restavam-lhe apenas cinco anos de reinado. A rainha e eu discutimos a farsa em seis ocasiões apenas, quatro delas nos últimos meses de sua vida. A primeira vez foi a mais memorável.*

A FARSA DO REI \ 339

— Pergunte o que quiser — disse-me ela.

Eu estava em seus aposentos em Nonsuch. Henrique VIII construíra o palácio como um lugar de fantasia. Ao contrário da filha mais velha do rei, Maria, esta rainha o apreciava.

— Seu pai prestou grandes serviços à Coroa — afirmou a rainha. — Nosso sucesso e nossa longevidade devem-se a ele. Temos esperanças de que você também traga boa sorte.

— Este é meu único desejo.

— Então pergunte o que quiser, e encerremos este assunto.

Conversamos por quase duas horas. A história era uma sucessão de feitos ousados e incríveis. Ele era neto de Henrique VIII, seu pai era o filho bastardo de Elizabeth Blount, sua mãe uma Howard, filha de um grande lorde. Fora criado em segredo pelos Howards, sua existência desconhecida por qualquer Tudor. Tinha apenas 13 anos, era inocente, tinha uma educação primorosa e havia aprendido desde o berço que era especial. Mas não havia a menor chance de que chegasse a ser algo mais que o filho de um bastardo. Todos os títulos e privilégios de que seu pai desfrutara culminaram em sua morte. Pouco mais de um ano depois, Jane Seymour deu ao rei um filho legítimo, e, dali em diante, nenhum Tudor deu a mínima atenção a Henry FitzRoy ou a qualquer filho que ele pudesse ter tido. No entanto, com a morte inesperada da princesa Elizabeth e a aparição de Thomas Parry com um plano para substituir a filha pelo neto, Mary Howard viu uma oportunidade.

Na época ele usava cabelos ruivos e compridos, os músculos e os ossos eram firmes e femininos. Na verdade, ele sempre se sentira aprisionado. O corpo de homem, a mente de mulher. O conflito o enfurecia desde que ele conseguia se lembrar. A oportunidade que sua mãe lhe oferecia poria fim a esse debate. Ele se tornaria uma mulher, assumindo a identidade da princesa.

Isso aconteceu em 1546. Na época, ninguém pensava que um dia ele pudesse ser rainha. A ideia era simplesmente evitar a ira de Henrique e salvar a vida de Kate Ashley e de Thomas Parry. Restavam muitos obstáculos no caminho para o trono. Eduardo ainda estava vivo, assim como Maria. Na melhor das hipóteses, Elizabeth era a terceira na linha de sucessão, mas somente se o meio-irmão e a meia-irmã morressem sem herdeiros. O subterfúgio funcionou, e, com o passar dos anos, o neto desabrochou por trás de muita maquiagem, perucas e vestidos elaborados que se tornaram sua marca registrada. Lady Ashley cuidava de todas as suas necessidades, assim como Thomas Parry, e ninguém jamais desconfiou de coisa alguma. Passaram-se doze anos, e Eduardo e Maria morreram sem herdeiros. Sua mãe, Mary Howard, também morreu. Ele ficou sozinho, sem outra identidade além da que foi criada para ele, a princesa Elizabeth. Então, aos 25 anos, tornou-se rainha. Quando indaguei como a farsa fora mantida após a coroação, ele ficou mal-humorado. Garantiu que, desde que se fosse cuidadoso e aplicado, não havia perigo. Lady Ashley trabalhou a serviço da rainha até 1565, quando morreu.

— Um dos dias mais tristes da nossa vida — confessou ele, os olhos vermelhos, apesar de já terem se passado trinta e três anos.

Thomas Parry morreu em 1560, depois de apenas dois anos de reinado. Nunca foi um homem popular na corte, e muitos diziam que ele deixava este mundo de mau humor. É claro, tendo concebido a farsa, ele sempre foi próximo da rainha. Foi nomeado cavaleiro, chefe da casa real. Meu pai me contou que a rainha pagou seu funeral em Westminster, o que eu nunca entendi até aquele dia no Nonsuch.

Após a morte de Lady Ashley, Blanche Parry ocupou seu posto até 1590. Embora nunca admitisse, Lady Parry certamente sabia da farsa. A rainha a tratava como baronesa, cedeu-lhe duas propriedades em Yorkshire e no País de Gales e enterrou-a na Capela de St. Margareth em Westminster com toda a pompa da realeza.

— Desde que certas coisas sejam feitas em particular, ninguém jamais terá como saber — explicou a rainha.

Isso explicava muitos de seus hábitos. Vestia-se e se banhava apenas com a ajuda de Lady Ashley ou de Parry. Possuía cerca de oitenta perucas e insistia em usar roupas que não fossem decotadas e não marcassem seu corpo da cintura para baixo. Usava uma maquiagem branca pesada no rosto, um sinal de pureza segundo vários estudiosos, mas que também disfarçava suas feições. Sempre mais feminino que masculino, tinha poucos pelos no corpo, e até na cabeça, pois herdara a tendência à calvície dos Tudors. Os médicos tinham *permissão para examiná-lo, mas nunca deveriam ir além de seus olhos, sua boca e sua garganta. Não era permitido tocar na rainha, e poucos o fizeram.*

Saí daquele encontro naquele dia sentindo tanto temor como satisfação. Esse homem, que até então havia governado habilmente a Inglaterra por trinta e nove anos, talvez melhor que qualquer outro monarca, era um impostor. Mesmo sem ter direito ao trono, ele o ocupava de modo completo e meticuloso, como se a própria Elizabeth tivesse sobrevivido. O povo o amava, a popularidade da rainha nunca foi questionada. Meu pai me fez jurar que a serviria, e foi o que eu fiz até o dia em que ela morreu, em 1603. Sempre alerta, ela deixou instruções específicas para que não se fizesse necropsia, e assim foi. A rainha me disse exatamente o que fazer no funeral, ordens que cumpri apenas com certa precisão.

— Parece que Robert Cecil fazia jus a seu apelido — comentou a Srta. Mary. — Raposa.

Ian ficou curioso.

— O que significa *apenas com certa precisão*?

— Que ele escolheu o que queria respeitar e ignorou o restante. O que explica a existência deste diário. Tudo indica que ele queria que as pessoas soubessem a verdade.

O trem parou em uma estação.

Eles saíram e fizeram integração com a linha que os deixaria no Goring Hotel.

Uma vez dentro do trem novamente, Ian perguntou:

— Vamos ler mais um pouco?

A Srta. Mary deu seu sorriso doce.

— Claro. Estou tão curiosa quanto você.

Quando meu pai trabalhava a serviço da rainha, eu e muitos outros nos perguntávamos por que ela nunca tinha se casado. O rei Henrique foi obcecado por garantir um herdeiro homem à Coroa. A rainha Maria também tentou, mas não conseguiu dar à luz um filho. Elizabeth recebeu muitas propostas de casamento, de nobres ingleses e príncipes estrangeiros. Lorde Robert

342 \ STEVE BERRY

Dudley parecia o favorito, mas meu pai o repudiou abertamente, e a rainha aceitou seu conselho e não se casou com ele. Ela também rejeitou Filipe II da Espanha, o arquiduque Carlos da Áustria e dois príncipes franceses. Quando o Parlamento insistiu em um casamento ou na nomeação de um herdeiro, a rainha recusou-se a ambos. Como meu pai sabia da verdade, entendia a situação. Mas cada proposta, cada insistência parlamentar era maximizada em proveito político. Ela disse à Câmara dos Comuns que, "enfim, isto será suficiente, que uma pedra de mármore declare que uma rainha, tendo reinado por tanto tempo, viveu e morreu virgem".

Para os poetas ela se tornou a rainha virgem, casada com seu reino, sob a divina proteção do céu. "Meu bom povo, este representa todos os meus maridos" *foram as palavras usadas em mais de uma ocasião. Contudo, a rainha não se esqueceu do dever que garantia a sobrevivência do reino. Era grande o medo de uma guerra civil. Então ela solicitou que eu me correspondesse com Jaime, rei da Escócia, filho de Mary, rainha da Escócia, a quem ela executara por traição. Como compensação por aquele ato inevitável, eu devia oferecer a Jaime o trono da Inglaterra depois da morte da rainha. Em troca, Jaime cessaria toda oposição e todas as ameaças à Coroa inglesa. O escocês nutria profundo ressentimento pelo que havia ocorrido com sua mãe, mas a perspectiva de ocupar o trono atenuou sua raiva. Ele era um homem de poucos princípios, facilmente influenciado. Portanto, quando a rainha morreu, a sucessão ocorreu sem uma gota de sangue derramado.*

Passei a admirar e a respeitar o impostor. Ele governou com cautela e sabedoria. Meu pai, da mesma forma, tinha-o em alta estima. Muitas vezes me pergunto se a verdadeira Elizabeth teria feito melhor ou pior. A Inglaterra teve um monarca que governou por quarenta e cinco anos, proporcionando uma estabilidade desejada havia muito tempo. O impostor foi agraciado por um vigor físico que faltava aos seus ancestrais Tudors, algo que lhe proporcionou vida longa e uma saúde razoável. Na outra vez em que falamos sobre a farsa, ele me contou sobre seus pais.

— Nossa querida mãe faleceu antes que nos tornássemos rainha. Lamento que ela não tenha vivido para ver isso. Nunca mais nos vimos depois que Thomas Parry voltou para Overcourt e nos tornamos princesa.

A FARSA DO REI \ 343

— Mas doze anos se passaram antes que Vossa Majestade subisse ao trono.

— De fato. Minha mãe viveu por onze deles. Lady Ashley e Parry mantinham-me informado quanto à sua vida e saúde. Eu soube que ela ficara contente com tudo o que acontecera. Ela amava muito meu pai, mas odiava meu avô, o rei Henrique. No dia em que Parry me levou para Overcourt, ela me disse que era o certo e o justo. Eu finalmente me tornaria um Tudor. Seu desejo era que um dia eu subisse ao trono. Essa ideia me assustava. Desde então, porém, acostumei-me com meu dever e sinto-me confortável com meu encargo.

Notei que, ao falar, ele não se dirigiu a si mesmo como "nós", como muitas vezes fazia, mas como "eu". Ali estava um homem, um filho, que nunca havia pedido o destino que lhe fora reservado, mas que também nunca tinha fracassado em seu dever.

— Vossa Majestade é a soberana desta nação. Sua palavra é uma ordem — eu disse.

— A não ser por um fato, meu caro Robert. Um fato que um dia pode anular tudo.

Eu sabia a que ele se referia; eu também havia pensado nisso. Ele não era a princesa Elizabeth, não era o monarca legítimo e por direito da Inglaterra. Cada decreto realizado em seu nome seria anulado ab initio, desde o início, como parte da fraude.

Como se ele nunca tivesse existido.

Cinquenta

GARY SE MISTUROU à multidão e foi andando para o portão de saída uns três metros atrás de Antrim. Embora claramente atento à mulher e ao homem que o seguia, Antrim não parecia ter notado os dois homens junto ao portão. Caso contrário, por que continuaria a ir naquela direção?

Gary havia caminhado pelas dependências da Torre enquanto esperava Antrim, admirando a White Tower, que se erguia à direita, e ouvindo as explicações que os guardas, com seus trajes coloridos, davam aos grupos de turistas. Tudo naquele lugar parecia ligado ao passado, não ao presente. Gary não gostava de história na escola, mas, ali, ela estava em todos os lugares. Que diferença dos registros nos livros ou das cenas de um documentário! Estava em uma das mais antigas fortalezas da Inglaterra. Homens haviam morrido defendendo esses muros. E algo estranho estava acontecendo.

Bem ali.

Bem naquele instante.

Gary se concentrou novamente em Antrim, que continuava a caminhar apressado para a saída. Os dois homens ainda estavam parados no portão, e Gary viu quando um deles pôs a mão dentro do casaco. Avistou um coldre axial, parecido com o que seu pai usava, e sabia o que havia nele. Não viu nenhuma arma, mas a mão continuou ali, dentro do casaco e fora de sua vista.

A FARSA DO REI \ 345

A postos.

Antrim seguia em frente.

Agora Gary estava uns quinze metros atrás dele, ainda em meio à multidão.

Ninguém o havia notado.

Antrim parou, o olhar agora focado nos dois homens adiante.

Havia surpresa e preocupação em seu rosto.

A mulher e o outro homem se aproximavam dele.

Hora de agir.

ANTRIM CONCLUIU QUE não havia para onde ir. A única saída da Torre estava bloqueada pelos dois homens. Recuar o levaria diretamente a Denise. Tinha feito um pacto com o diabo, mas a Sociedade Dédalo havia decidido que ele também era um ponto fraco. É verdade, Antrim tinha recebido muitos milhões de dólares, mas se fosse morto não usufruiria de nenhum centavo. Estava furioso consigo mesmo por todos os erros que havia cometido. Essa operação, que era sua esperança de salvação, transformara-se num pesadelo.

Pior ainda; pelo visto, havia sido um pesadelo desde o início.

A ideia era encontrar algo que pudesse ser usado para persuadir o governo britânico a impedir que os escoceses libertassem um terrorista condenado. Uma avaliação interna da CIA sobre o potencial da Operação Farsa do Rei demonstrara que, se fosse bem-sucedida, as informações poderiam ser suficientes. Os britânicos se orgulhavam de sua obediência à lei. O direito comum nasceu na Grã-Bretanha e depois foi exportado para o mundo. A lealdade às leis foi usada mais de uma vez para subjugar um rei, expandir o Parlamento ou dominar uma colônia. A Farsa do Rei tinha como objetivo voltar essa lealdade contra os britânicos. Se tudo tivesse corrido conforme o planejado, Downing Street não teria tido escolha além de intervir na decisão dos escoceses. O único desejo de Washington era que um assassino continuasse na cadeia. Em troca, ninguém jamais saberia o que havia acontecido quatrocentos anos atrás.

346 \ STEVE BERRY

No entanto, a Sociedade Dédalo tinha estragado tudo.

Antrim bem queria saber mais sobre eles, mas não havia tido tempo de investigá-los, e qualquer esforço nesse sentindo teria chamado a atenção de Langley.

Agora ele só pensava em uma coisa: como sair dali vivo. Será que tentariam matá-lo ali mesmo? Com todas essas pessoas em volta? Como saber? Essa gente era fanática, e fanáticos são imprevisíveis.

A ideia era matar Cotton Malone.

Mas as coisas haviam mudado.

Agora quem estava na mira era ele.

GARY CONTINUOU CAMINHANDO em frente e misturou-se a um grupo de turistas japoneses. Antrim estava a pouco mais de cinco metros dos dois homens no portão, enquanto a mulher e o outro cara haviam parado quase uns dez metros atrás dele em meio aos turistas que andavam por ali.

Seu pai biológico precisava dele, e Gary não ia dar-lhe as costas.

Os dois homens no portão ainda não faziam ideia de que Gary estava ali, a atenção totalmente voltada para Antrim.

Gary se aproximava deles pela direita, e a menos que tivessem uma visão periférica muito boa...

Ele se destacou da multidão e saltou para a frente, derrubando os dois homens com o peso do próprio corpo.

Eles caíram na calçada, amortecendo a queda de Gary.

Ele ouviu um gemido e o som das cabeças batendo na pedra.

Os dois homens ficaram atônitos e tontos.

Gary ficou de pé em um salto.

ANTRIM SE DEU conta do que tinha acontecido.

Um dos homens que caíram no chão segurava uma pistola dentro do casaco, mas sua mão a soltou assim que ele bateu com a cabeça na calçada.

Antrim se antecipou e pegou a arma, os olhos encontrando os de Gary.

— Temos que fugir daqui.

— Eu sei. Eu vi a mulher lá atrás.

Ele se perguntou como Gary podia saber qualquer coisa sobre Denise, mas não era hora para questionamentos.

Pôs o dedo no gatilho.

Virou-se e apontou a pistola na direção de Denise. Alguém gritou.

— Uma arma!

Levou um segundo para que a cena fosse registrada pelas pessoas que entravam e saíam pelo portão. Os dois guardas que o ladeavam saíram correndo de seu posto em direção a Antrim.

Denise se jogou no gramado.

Ele a manteve sob a mira e disparou um tiro.

As pessoas entraram em pânico, detendo os guardas da Torre e impedindo-os de chegar a Antrim. Ele se virou, olhou para Gary, fez um sinal para que fossem embora e enfiou a arma no bolso da calça. Tudo aconteceu em uma fração de segundo, e os próximos seriam críticos. Antrim disse a si mesmo que deveria se acalmar, se camuflar e se aproveitar do caos.

Segurou de leve o braço de Gary.

— Devagar e com calma. Não chame atenção.

Gary assentiu, e eles chegaram ao Tâmisa. Viraram à direita e seguiram pela calçada, afastando-se da Torre. Mais pessoas se aglomeravam atrás deles, suas vozes cada vez mais altas. A multidão atuava como uma barreira, protegendo-os como o fosso de um castelo.

O coração de Antrim estava acelerado.

Eles continuaram a seguir em direção à rua movimentada, onde Antrim fez sinal para um táxi.

Eles entraram no veículo e partiram.

— Para qualquer estação de metrô a alguns quarteirões daqui — ordenou ao motorista.

O metrô era o meio mais rápido e seguro para voltar ao depósito. Havia uma estação a menos de um quilômetro dali. Embora a Dédalo soubesse de sua localização, havia pertences que ele precisava pegar.

Como o diário de Cecil.

Se fosse rápido, poderia chegar lá antes deles.

— Você foi muito corajoso — elogiou Antrim.

— Você precisava de ajuda. Aquela mulher estava atrás de você.

— Como sabia sobre ela?

— Eu entrei na Jewel House e vi vocês conversarem.

O que mais ele tinha visto ou ouvido? Não podia saber de muita coisa. Ninguém estava por perto durante sua conversa com Denise. E ele não havia visto Gary lá dentro.

Deixa pra lá.

Apoiou a mão no ombro de Gary.

— Você salvou minha pele.

O garoto sorriu.

— Você teria feito o mesmo por mim.

Cinquenta e um

AGACHADA, KATHLEEN FOI até uma porta que se abria no camarote para a quadra de tênis. Seu olhar se alternava entre a cena diante dela e o que poderia haver às suas costas. Duvidava de que os dois na salinha do café despertassem tão cedo. Ambos precisariam de assistência médica. Sentiu uma onda familiar de adrenalina. Ela gostava disso. Ou, pelo menos, foi isso que o terapeuta lhe dissera, e ela não discordava dele. Naquele instante, a adrenalina ajudava a pensar, a tomar decisões vitais.

Ela gostava que fosse assim.

Gostava de contar apenas consigo mesma.

Cotton Malone estava em uma situação difícil. Thomas Mathews o encurralava. E, embora estivesse armado, isso de pouco adiantaria.

— E agora? — perguntou Malone, com os olhos fixos nos dois homens armados parados a dez metros de distância.

Mathews estava à esquerda de Malone, entre ele e o lugar onde Kathleen se escondia.

— Tudo indica que dois de vocês serão baleados e o terceiro irá embora — respondeu Mathews.

O idoso tinha razão. O melhor que Malone poderia esperar era atingir um dos homens.

— Para que isso? — perguntou Malone, ainda avaliando seu problema.

350 \ STEVE BERRY

— Nada pessoal, Malone. São só negócios. Com certeza você entende isso.

— A única coisa que me importa é ter certeza de que meu filho está bem. O resto dessa bagunça é sua, não minha.

— Você sabia que Blake Antrim fez um exame de DNA para confirmar a paternidade de seu filho?

MALONE FICOU CHOCADO com o que tinha acabado de ouvir.

— Do que está falando?

— Eu até sei o resultado desse exame.

Será que Malone estava ouvindo direito?

— Eu já disse a você que Antrim planejou seu envolvimento com Ian Dunne nos Estados Unidos. Ele queria que você *e* o seu filho viessem a Londres. E quando vocês chegaram aqui, ele deu um jeito de mantê-lo ocupado na busca por Dunne enquanto ficava com o seu filho.

— Foi ele quem encontrou Gary quando ele foi sequestrado.

— Tudo encenado.

— Para quê?

— O exame de DNA comprovou que Antrim é o pai biológico de Gary.

— Não tenho tempo para suas bobagens.

— Pode ter certeza de que estou dizendo a verdade.

E algo dizia a Malone que sim.

— Eu não sabia dessas questões pessoais até recentemente — disse Mathews. — Seu filho não é seu. E você desconhecia esse fato até alguns meses atrás.

— Como o senhor sabe disso?

— Antrim está vigiando sua ex-mulher há vários meses. Nós monitoramos as ligações que ele fez para um detetive que ele contratou na Geórgia.

A FARSA DO REI \ 351

— Por que ele faria isso?

— Parece que sua ex-mulher o despreza. Ela negou a ele qualquer contato com o garoto. Então, pelo jeito, Antrim decidiu criar uma oportunidade para que se encontrassem.

A realidade o atingiu em cheio.

O pai biológico de Gary estava ali, em Londres?

— Gary está sabendo disso?

— Creio que sim.

— Preciso ir.

— Não posso permitir isso — avisou Mathews.

KATHLEEN OUVIU A conversa. Pelo jeito, havia uma conexão direta entre Blake Antrim e o filho de Malone.

O que Malone, claramente, desconhecia.

Conhecendo Antrim, ela não ficou surpresa. Ele tivera um filho? E a mãe o odiava? Provavelmente ele havia batido nela também.

Os dois homens mantinham as armas apontadas para Malone.

Ela decidiu deixar a situação de igual para igual e saiu do camarote escuro já atirando. Atingiu um dos homens armados com um tiro na coxa.

O outro instantaneamente reagiu ao ataque e mudou o alvo.

Era ela.

MALONE OUVIU O tiro, viu o que tinha acontecido e olhou para a esquerda, de onde Kathleen Richards tinha surgido. Ela havia baleado um dos homens, e agora o outro apontava a arma para ela. Malone aceitou sua sugestão e atirou também na coxa do segundo homem. Kathleen correu e pegou as duas pistolas, com os dois homens ainda se contorcendo de dor, o sangue vertendo dos ferimentos e manchando a quadra.

352 \ STEVE BERRY

— Estamos de saída — disse Malone a Mathews.

— Isso é um erro.

Malone se aproximou do espião.

— Eu vou cuidar do meu filho. — Só isso, pelo que Malone acabara de descobrir, já era um grande problema. E, para piorar, não tinha conseguido entrar em contato com Antrim. — Fique fora do meu caminho.

— Você pode não gostar do que vai encontrar.

— Eu dou conta disso.

Mas ele tinha suas dúvidas.

— Seus quatro agentes vão precisar de cuidados médicos — avisou Kathleen com a arma apontada para Mathews.

O idoso balançou a cabeça.

— Você é uma figura e tanto.

— Eu fiz o favor de deixar seu agente apenas com um ferimento na perna. Na próxima vez não serei tão generosa.

— Nem eu — acrescentou Malone.

— Está disposto a arriscar sua vida por isso? — perguntou-lhe Mathews.

— A questão é: o senhor está?

Malone fez um sinal para Kathleen, e os dois saíram correndo do prédio rumo à tarde ensolarada. Sem mais agentes à vista, seguiram para a esquerda, passaram pelo famoso labirinto e pegaram uma rua que conduzia à entrada principal do palácio. Havia táxis enfileirados ali perto. Eles fizeram sinal para um, entraram no veículo e foram embora.

— Obrigado — disse ele.

— Era o mínimo que eu podia fazer.

Malone estava atordoado.

Pegou o celular e tentou novamente o número de Antrim, que não atendeu.

— Não está conseguindo falar com ele? — perguntou Kathleen.

Ele fez que não.

— Para onde? — perguntou o motorista.

— Para o Goring Hotel.

— Eu ouvi o que Mathews disse sobre seu filho.

Malone encarou Kathleen.

— Preciso que você me conte tudo o que sabe sobre Blake Antrim.

Cinquenta e dois

A RAINHA MORREU em paz; caiu em um sono profundo do qual nunca acordou. Fui tomado pela tristeza. Jamais pensei no impostor como outra coisa além de meu soberano. Mesmo esquivando-se do dever real do matrimônio e da procriação, ele fortaleceu a monarquia e o reino. O rei Henrique sempre seria lembrado por suas extravagâncias. Elizabeth, pelas realizações.

A rainha deixou instruções precisas quanto ao que deveria ser feito após seu falecimento. Um dia antes de morrer, o impostor dispensou todos que estavam em seus aposentos e me chamou.

— Escute — disse ele, a voz rouca, apenas um sopro.

Ele falou ininterruptamente por vários minutos, o esforço exigindo o pouco de energia que lhe restava. Falou-me da rainha Catarina Parr e de quando foi morar com ela, após a morte do rei Henrique.

— Ela descobriu o ardil — contou-me ele. — Sabia que eu não era a princesa.

O que fazia sentido, pois, quando o rei Henrique era vivo, a rainha viúva havia passado bastante tempo com as princesas Maria e Elizabeth.

— Mas ela não me expôs. Ao contrário, viu certa ironia, certa justiça com relação a seu falecido marido. Catarina não escolheu Henrique. Não queria se casar com ele, mas foi forçada a isso. Ela não gostava dele e considerava seus modos grosseiros próprios de um tirano. Cumpria seu dever de rainha sem alegria, e a única coisa que desejava era a liberdade, o que lhe foi finalmente concedido com a morte do rei.

Porém a rainha viúva escolheu mal seu quarto marido. Thomas Seymour era um manipulador calculista. Queria se casar com a princesa Elizabeth e não perdia uma oportunidade de se insinuar para ela. A rainha viúva se divertia muito observando os avanços amorosos com a jovem princesa, sabendo que nada sairia dali. Ao ficar claro que seu marido não cessaria aquelas tolices, e para evitar um escândalo e a possibilidade de que o segredo fosse descoberto, ela pediu ao impostor que fosse embora de sua casa.

— Os avanços de Seymour foram inesperados. Foi a única vez em que o segredo correu o risco de ser revelado. Contudo, a rainha viúva me protegeu e ficou triste de me ver partir. No dia em que fui embora, nós conversamos em particular, e ela pediu que eu me cuidasse e que ficasse sempre atento. Garantiu-me que, por ela, a grande farsa seria mantida. Morreu poucos meses depois, mas não sem antes me escrever uma carta, que chegou após sua morte e que me dizia que um dia eu seria rainha.

Ele me entregou a carta.

— Enterre isso comigo.

Assenti.

— Naquela nossa última conversa, a rainha Catarina também me revelou algo que meu avô havia contado a ela. Um segredo que só pertence aos Tudors, mas não restou nenhum deles. Portanto, escute-me, caro Robert, e siga rigorosamente minhas instruções.

Assenti novamente.

— O rei Henrique chamou a rainha viúva ao seu leito de morte, assim como eu o chamei agora. Antes disso, meu avô também foi convocado ao leito de seu pai. O segredo foi passado de geração em geração. O rei Henrique queria que a rainha viúva o contasse ao seu filho, Eduardo, mas ela não o fez. Em vez disso, contou a mim e confiou que eu faria o que fosse melhor com essa informação.

Eu escutava com uma intensidade que me surpreendeu.

— Existe um lugar conhecido apenas por quatro almas. Três delas já estão mortas, assim como eu estarei em breve. Você será o quinto a saber. Nesse lugar eu guardei muitas riquezas, assim como meu avô e meu bisavô fizeram. Lá também depositei o corpo da princesa Elizabeth. Há muito tempo, Thomas

Parry o desenterrou do túmulo em Overcourt e o levou para lá. Não posso ser enterrado em um jazigo real. Não temos como garantir que o túmulo não vá ser aberto um dia. E se isso ocorrer em uma época em que meus restos mortais não estejam reduzidos a pó, meu segredo, que guardei com tanto zelo, será revelado. Coloque a princesa Elizabeth no meu túmulo e eu no dela. Isso completará o círculo, e o segredo continuará em segurança. Quero que jure, por Deus, que há de fazer isso.

Eu jurei, e isso pareceu satisfazê-lo.

Ele colocou a mão trêmula sobre a minha.

— A riqueza lá guardada deve ir para Jaime. Diga-lhe que a use de maneira sensata e governe a nação com sabedoria e justiça.

Essas foram as últimas palavras que trocamos.

Todos ficaram de luto pela morte da rainha. A mim coube providenciar o local de seu último descanso. Supervisionei pessoalmente a preparação do corpo, que ficou ao lado do de seu bisavô, Henrique VII, no jazigo dos Tudors, enquanto era construído um túmulo apropriado. Isso levou três anos. Nesse meio-tempo, o corpo da jovem princesa Elizabeth, encontrado no local a mim detalhado, foi substituído pelo do impostor. Realizei essa tarefa pessoalmente, sem nenhuma assistência. Decidi colocar a princesa Elizabeth junto com a rainha Maria, irmãs em vida, reunidas na morte, seus ossos em um único túmulo, misturados. Pareceu-me uma maneira adequada de mascarar ainda mais a verdade. Quando os corpos foram finalmente sepultados, compus o epitáfio que definiu a vida do impostor.

Dedicado à memória da rainha: a religião foi restaurada à sua pureza primitiva, a paz foi estabelecida, a moeda foi restaurada a seu valor justo, as rebeliões foram contidas, a França foi socorrida ao se envolver em divisões internas; os Países Baixos receberam apoio; a armada espanhola foi derrotada; a Irlanda, quase perdida para os rebeldes, foi pacificada, e os espanhóis foram expulsos; a receita das duas universidades cresceu com a Lei das Provisões; e, por último, toda a Inglaterra tornou-se mais rica. Elizabeth, a mais prudente das governantes por quarenta e cinco anos, uma rainha vitoriosa e triunfante, a mais religiosa, a mais feliz, teve uma morte tranquila e resignada aos 70 anos, deixa aqui seus restos mortais até que pela Palavra de Cristo eles se elevem à imortalidade, depositados na Igreja por ela fundada. Morreu aos vinte e quatro dias do mês de março do ano de 1603, quadragésimo quinto ano de seu reinado.

Não cumpri dois pontos do meu juramento à rainha. O primeiro: guardei a carta de Catarina Parr. Parecia ser a última prova física dessa história. Mas queimei-a ao escrever este diário. O segundo: nunca revelei a ninguém a riqueza que jaz na câmara secreta. O rei Jaime não era um homem honrado. Tenho pouco respeito e nenhuma admiração por esse primeiro rei Stuart. Caso ele seja um prelúdio do que está por vir, atrevo-me a dizer que a monarquia está perdida.

A hora da minha morte se aproxima. Se este diário estiver sendo lido, significa que alguém com intelecto e perseverança encontrou a pedra que mandei fazer para o Palácio Nonsuch. Aquelas letras bizarras pareciam se encaixar na decoração extravagante da residência real. O que é um segredo se não puder ser revelado? Desde que os meios de sua revelação estejam à vista... Este diário ficará entre meus papéis e será guardado por meus herdeiros. Se algum dia alguém descobrir a conexão entre ele e a pedra, então que a verdade seja revelada. Que esta alma intrépida, se ousar, procure o lugar que os Tudors criaram para si mesmos. Mas fique atenta. Mais desafios a aguardarão lá. Caso ainda restem dúvidas sobre esta história, deixei outro sinal. Um retrato da rainha, encomendado por mim e que, de acordo com meu testamento, deve ser mantido em Hatfield House enquanto a propriedade pertencer aos meus herdeiros. Analise-o com cuidado. Ser lembrado é uma coisa boa. A memória de meu pai é de um homem honrado e respeitado. Talvez a minha também venha a ser.

Ian tirou os olhos da tela do computador.

Ele e a Srta. Mary haviam chegado ao Goring Hotel, em Belgravia, um bairro elegante e rico, bem atrás do Palácio de Buckingham, no coração da cidade. Ele se surpreendeu com a irmã da Srta. Mary, Tanya. Gêmeas idênticas, não apenas na aparência, mas também nos modos e na voz, embora Tanya parecesse mais agitada e um pouco menos paciente. Tanya havia reservado um quarto no terceiro andar do hotel, uma suíte espaçosa com sofás e poltronas macias e janelas que davam para uma rua tranquila. O hotel providenciara um laptop, que eles usaram para acessar a conta de e-mail da Srta. Mary e, assim, ler mais um pouco do diário de Robert Cecil.

— Isso é incrível — disse Tanya. — Que vida teve esse impostor!

— Como ninguém descobriu isso? — questionou Ian.

— A Inglaterra elisabetana não era como a de hoje. Não havia televisão nem jornais para invadir a privacidade das pessoas. Se alguém quebrasse o protocolo real, poderia ser condenado à morte, e sem dúvida muitos o foram. O diário deixa claro que os mais próximos da rainha, ou seja, Lady Ashley, Thomas Parry e os dois Cecils, sabiam de tudo. O que certamente ajudou a manter o segredo.

— Por que eles fariam isso? — quis saber Ian.

Tanya sorriu.

— Por um motivo simples. Eles seriam, para sempre, os mais próximos do poder, e estar perto da Coroa era o objetivo de todos os cortesãos. O impostor sabia que precisava de auxílio e escolheu sabiamente seus cúmplices. Notável. A lenda do Menino de Bisley é verdadeira.

— Ainda não consigo entender como foi possível enganar tantas pessoas durante tanto tempo — insistiu Ian.

Tanya sorriu.

— Sabe-se muito pouco sobre a aparência de Elizabeth. Todos os retratos que foram feitos dela são suspeitos. E, sem dúvida, era uma pessoa de hábitos estranhos. Como Robert Cecil observou, usava perucas, maquiagem pesada e roupas pouco reveladoras. Todos os registros dizem que não era bonita, falava de modo grosseiro e tinha maneiras rudes. Exercia total controle sobre sua vida e seu mundo.

A FARSA DO REI \ 359

Ninguém podia questionar suas decisões. Portanto, é bem possível que o ardil tenha mesmo funcionado.

Ian percebeu que a Srta. Mary estava em silêncio.

— O que houve? — perguntou ele.

— Estou preocupada com Gary. Talvez não devêssemos ter saído do depósito.

Cinquenta e três

ACOMPANHADO DE GARY, Antrim chegou ao depósito. Do lado de fora, tudo parecia tranquilo. O bairro era conhecido por ter muitos depósitos como aquele, e esse foi um dos motivos para o local ter sido escolhido como sede da operação. Mesmo assim, Antrim se aproximou da porta com cautela e abriu-a. O interior ainda estava iluminado, as mesas com os artefatos, intocadas, mas a dona da livraria e Ian Dunne não estavam à vista.

— Onde eles estão? — perguntou Gary.

Antrim notou o tom de preocupação.

— Eu disse a eles que ficassem aqui. Dê uma olhada no banheiro.

Gary saiu, e Antrim ouviu a porta de metal se abrir.

O garoto apareceu novamente e balançou a cabeça.

— Não estão lá.

A outra porta continuava fechada e trancada por uma fechadura digital. Para onde teriam ido? Será que alguém os levara? Não importa. Pelo menos não precisava mais pensar em uma forma de se livrar deles. Ao entrar no éscritório, viu seu celular sobre a escrivaninha de metal.

Como ele foi parar ali?

Então se deu conta.

Foi quando Ian Dunne colidiu com ele. O delinquente o pegou em seu bolso.

A FARSA DO REI \ 361

Era a única explicação que fazia sentido.

Pegou o telefone e viu somente um e-mail. Do homem que estava trabalhando no disco de Farrow Curry. Leu a curta mensagem, que tinha em anexo o arquivo antes protegido por senha.

Rapidamente, abriu-o e passou os olhos no texto.

— O que foi? — indagou Gary.

Antrim continuou a ler e disse:

— Uma coisa que eu estava esperando.

Ele tomou uma decisão. O que, a princípio, parecera uma boa ideia estava agora se tornando um problema. Havia coisas que ele mesmo precisava fazer. Que a Sociedade Dédalo fosse para o inferno. Já estava com metade do dinheiro que eles lhe deviam, e isso bastaria. Pelo pouco que acabara de ler do diário de Robert Cecil, aquilo poderia ter mais impacto do que pensava. Há quarenta anos, os advogados irlandeses remexeram em algo que poderia valer cem vezes mais do que 5 milhões de libras. Ele relembrou a empolgação de Farrow Curry naquele dia, e a origem daquela expectativa era o diário de Cecil. Precisava lê-lo com atenção.

E nada disso podia ser feito com Gary Malone por perto.

Até bem pouco tempo, Antrim não sabia que tinha um filho. Talvez fosse melhor continuar sem ele. Precisava sumir, fugir da Dédalo e da CIA. Isso seria quase impossível com um garoto. Ainda mais quando a mãe do garoto em questão o odiava e o pai era um ex-agente secreto cheio de autoconfiança.

Malone tinha escapado da Dédalo.

Provavelmente não haveria outras oportunidades de eliminá-lo.

Era hora de dar o fora.

Mas o que faria com Gary?

A primeira coisa a fazer era um backup do e-mail. Fora enviado para a conta que ele dera ao especialista. Suas contas mais seguras, porém, ele não revelava a ninguém. Então, encaminhou a mensagem e o anexo para um endereço protegido por inúmeros firewalls e em seguida os apagou do telefone.

— Precisamos encontrar a Srta. Mary e Ian — disse Gary.

Antrim ignorou o garoto e continuou a pensar.

— Posso usar o telefone para falar com o meu pai? — perguntou Gary.

Ele estava prestes a dizer não quando um barulho lá fora chamou sua atenção. Motores de carros. Desligando. Em seguida, portas abrindo e fechando. Ele correu até a única janela que dava para a rua e viu dois veículos.

Dois homens saíram do carro da frente.

Os mesmos que estavam na Torre.

Denise saiu do outro.

Todos armados.

Antrim foi até a escrivaninha e abriu a gaveta. Nenhuma arma. Então se lembrou de que havia levado a pistola consigo na noite anterior e a deixara no quarto do hotel. Por que precisaria dela hoje? Pensou que fosse apenas fazer a limpa no depósito naquela manhã, nada mais. Em seguida, iria embora para aproveitar seu dinheiro e começar uma relação com seu filho, esfregando tudo na cara de Pam Malone.

Mas nada disso importava mais.

Exceto a parte do dinheiro.

Mas, para aproveitá-lo, era preciso sair ileso do depósito.

Então teve uma ideia.

— Venha — disse ele a Gary.

Os dois saíram do escritório e foram em direção às mesas e artefatos. Antrim supôs que, antes de seguirem adiante, Denise e sua comitiva dariam uma olhada no que havia ali.

Isso devia lhe dar alguns segundos.

Pegou um recipiente de plástico no chão e o colocou sobre uma das mesas. Tirou a tampa e viu as oito bolas de argila cinza, o que restava dos explosivos de percussão fabricados para violar o túmulo de Henrique VIII em Windsor.

Material perigoso.

A FARSA DO REI \ 363

Traiçoeiro também.

Havia oito detonadores ali dentro. Ele fixou quatro detonadores em quatro bolas de explosivo e os ativou. Pegou um pequeno controle remoto e manteve o polegar sobre um único botão. Guardou os quatro outros explosivos e os detonadores em uma mochila que estava em uma das outras mesas. Antes de tampar o recipiente novamente, jogou o telefone dentro dele. Já não precisava mais daquele aparelho.

Antrim apontou para trás.

— Aquela porta está trancada com uma fechadura digital. Abra-a. 35. 7. 46.

Gary assentiu e foi até ela.

Antrim pegou o diário de Cecil de dentro da redoma de vidro e colocou-o na mochila.

A porta principal do depósito se abriu de repente.

Denise vinha na frente dos dois homens, que seguravam pistolas. Antrim pôs a mochila nos ombros e correu uns trinta metros até Gary.

— Pare! — ouviu Denise gritar.

Ele continuou a correr.

Um estampido.

Um tiro atingiu o concreto próximo ao seu pé direito.

Ele parou.

Denise e os dois homens estavam do outro lado do depósito com as armas em punho. Precisava agir com cuidado. O detonador continuava na palma da mão direita, oculto pela mão fechada, o polegar ainda sobre o botão.

Deixe a porta aberta, pediu a Gary apenas com o movimento dos lábios, sem emitir som, antes de se virar.

— Mãos ao alto — ordenou um dos homens. — Deixe-as onde possamos ver.

Ele lentamente levantou os braços, mas manteve a mão direita com a palma virada, quatro dedos erguidos, o polegar segurando o controle remoto.

364 \ STEVE BERRY

— Seu especialista em computação nos contou que enviou para você o arquivo de Farrow Curry com o texto decifrado — disse Denise.

— Enviou, mas não tive oportunidade de lê-lo antes de vocês chegarem.

Ela se aproximou das mesas e admirou os livros e papéis roubados.

— Um segredo de quinhentos anos... E estas são as chaves para sua revelação.

Antrim odiava a expressão presunçosa no rosto de Denise. Ela se achava tão esperta... Tão no controle... Suas repreensões, tanto em Bruxelas quanto na Torre, ainda doíam. Ele detestava mulheres prepotentes, especialmente aquelas dotadas da arrogância que vem da beleza, da riqueza, da autoconfiança e do poder. Denise possuía pelo menos três dessas características e sabia disso.

Ela se aproximou da redoma de vidro.

— Onde está o diário de Robert Cecil?

— Já era.

Ela ainda não tinha visto o recipiente de plástico.

— Isso não é bom.

— Você sabe o que há nele? — perguntou Antrim.

— Ah, sim. Seu homem falou bastante. Foi muito fácil persuadi-lo. Temos as cópias dos discos rígidos e toda a tradução.

Os dois homens estavam parados atrás dela, agora mais próximos das mesas, as pistolas ainda em punho. Ele continuava com os braços erguidos e as mãos imóveis. Muito calor, pouco abalo e um mínimo de ruído. Seu efeito vinha de altas temperaturas direcionadas a um alvo, o que poderia provocar muito dano a certas superfícies.

Como pedra.

O calor intenso enfraquecia sua estrutura.

Ali seria moleza.

Muito papel, plástico, vidro e carne.

— Precisamos do diário, Blake.

Ele estava a uns dez metros de distância.

Deveria ser suficiente.

A FARSA DO REI \ 365

— Apodreça no inferno, Denise.

O polegar de Antrim pressionou o botão.

Ele se precipitou na direção de Gary e se jogou no chão, cobrindo a cabeça.

GARY TINHA VISTO Antrim segurar o controle com a mão direita, sem que ele fosse visto pelas três pessoas do outro lado do depósito. Perguntara-se para que servia aquelas bolas de argila.

Agora estava vendo.

Antrim se jogou no chão no exato instante em que um feixe de luz brilhante irrompeu das mesas e um calor intenso veio em sua direção. Gary tinha conseguido abrir a fechadura eletrônica e havia deixado a porta entreaberta antes que os três encurralassem Antrim. Agora estava lá fora, caído no chão, a porta batendo contra a parede do depósito. O clarão passou por ele e seguiu em direção ao céu. Olhou para trás pelo vão da porta. O clarão se fora. Mas as mesas estavam carbonizadas, e tudo o que havia sobre elas, aniquilado. A mulher e os dois homens estavam no chão, seus corpos fumegantes, pretos.

Nunca tinha visto nada assim.

ANTRIM SE LEVANTOU.

Tinha conseguido se afastar o suficiente para escapar da explosão e do calor intenso, que durou alguns poucos segundos.

Denise e os parceiros estavam mortos.

Já não era sem tempo.

Tudo fora reduzido a cinzas. Restava apenas a placa de pedra, no chão, carbonizada e inútil.

Que a Sociedade Dédalo vá para o inferno!

A morte de agentes apenas deixou as coisas quites.

Colocou novamente a mochila nos ombros, correu para a porta e encontrou Gary deitado no chão.

— Você está bem?

O garoto fez que sim.

— Sinto muito por você ter visto tudo, mas era preciso fazer isso.

Gary se levantou.

Poderia haver mais problemas por perto.

— Precisamos dar o fora daqui — disse Antrim.

Cinquenta e quatro

MALONE ESCUTOU O que Kathleen Richards tinha para dizer sobre Blake Antrim e não gostou nada do que ouviu. Ela e Antrim se envolveram havia dez anos, e a separação tinha sido violenta. Ela pintou o retrato de um indivíduo narcisista que não aceitava fracassos, especialmente no que dizia respeito a relacionamentos pessoais. Antrim adorava mulheres, mas seus modos iam se tornando inaceitáveis ao longo do tempo, e ele detestava rejeição. Malone relembrou o que Mathews havia dito na quadra de tênis. Pam odiava Antrim. Recusou-lhe qualquer contato com Gary. Depois de relatar ao ex-agente seu último encontro com Antrim, Kathleen supôs que Pam tivesse passado por um incidente similar. O que explicava o motivo de ela ter se recusado a revelar a Gary a identidade do pai.

Mas agora Gary sabia.

Pelo menos foi o que Mathews disse.

Seguiam de táxi para o Goring Hotel, em Londres, onde Tanya Carlton deveria estar esperando por eles. Malone havia confiado o pen drive a ela, pois parecia o melhor a fazer no momento. Agora precisava daquelas informações.

— Você me ajudou duas vezes — disse Kathleen.

Ela era segura de si e certamente muito competente, qualidades que ele considerava bastante admiráveis. Desde o divórcio, ele se

368 \ STEVE BERRY

envolvera com duas mulheres que tinham essas mesmas características. Aparentemente se sentia atraído pelo tipo esperto e ousado. Contudo, queria saber uma coisa.

— Por que você pegou aquelas folhas em Hampton Court e foi embora?

— Achei que estava cumprindo meu dever. Mathews queria aquele pen drive, disse que a segurança nacional dependia disso. Achei que, uma vez na vida, eu estava fazendo o que era certo, sem questionar.

Isso fazia sentido.

Uma parte do cérebro de Malone estava preocupada com Gary, a outra dissecava a situação. Por que a possibilidade de Elizabeth I ter sido uma fraude era tão importante? Por que a CIA queria descobrir a verdade e o governo britânico queria ocultá-la? Vaidade? Uma questão histórica? Orgulho nacional? Não. Mais que isso.

Malone considerou diversos cenários, e um deles sempre voltava à sua mente. Pegou o celular e ligou para Stephanie Nelle em Washington.

— Isso está muito confuso — disse Stephanie. — Agora há pouco fiquei sabendo que um agente da CIA foi morto na Catedral de St. Paul ontem, bem quando você estava chegando. Era da equipe de Antrim, parte da Farsa do Rei.

— E eu sei quem o matou.

Então contou a ela.

Thomas Mathews.

— Isso piora tudo — continuou ela. — Fiquei sabendo dessa informação por uma fonte extraoficial. O pessoal de Langley que me ligou para pedir sua ajuda não mencionou nada.

Nenhuma surpresa. A honestidade não era uma marca registrada do ramo da inteligência, e, quanto mais elevada a posição do mentiroso, mais mentiras eram contadas. Ele sempre havia admirado isso em Stephanie Nelle: ela era uma pessoa franca. É verdade, sua franqueza às vezes a colocava em apuros, mas ela havia sobrevivido a diversos presidentes que passaram pela Casa Branca, incluindo o atual, Danny Daniels.

A FARSA DO REI \ 369

Malone contou a ela sobre Gary.

— Sinto muito saber disso. Sinto mesmo. Fui eu que o meti nessa.

— Na verdade, não. Fomos todos vítimas de um golpe. Agora preciso encontrar Antrim.

— Vou ver o que posso conseguir com os chefes dele em Langley.

— Faça isso, mas diga que eles têm aqui um ex-agente furioso sem absolutamente nada a perder.

Malone sabia que isso chamaria atenção deles.

— E Mathews? — perguntou ela. — Ele violou o protocolo. Duvido que alguém aqui vá ignorar esse fato e deixar dois agentes mortos ficarem por isso mesmo.

— Não mencione isso por enquanto. Antes de tudo eu preciso de Gary são e salvo.

— Claro.

Malone encerrou a ligação.

— Não acredito que Blake tenha a intenção de machucar o garoto — comentou Kathleen.

No entanto, as palavras dela não ajudaram. Ele havia deixado Gary com Antrim. Fez essa escolha. *Ele* colocara o filho nessa situação. É claro, se Pam tivesse lhe dito o nome do homem com quem se envolvera, ele saberia com quem estava lidando. Se ela tivesse conversado com Gary a respeito, eles dois saberiam com quem estavam lidando. Se Malone não tivesse sido um idiota há dezesseis anos e não tivesse traído a mulher, talvez nada disso teria acontecido.

Se... se... se.

Ele mandou seu cérebro parar.

Já estivera em situações-limite antes.

Mas nenhuma como esta.

Antrim precisava saber o que havia no e-mail que o analista lhe enviara. Denise tinha morrido tentando resguardar aquela informação, mas ele lhe dera uma lição. Ao contrário do que a Sociedade

Dédalo pensava, ele não era um incompetente. Podia cuidar de si mesmo muito bem.

Ele e Gary fugiram do depósito, correndo várias quadras até a estação de metrô mais próxima. Embarcaram no primeiro trem que chegou à plataforma. Antrim decidiu se inspirar na estratégia de Malone e encontrou um cyber café. De lá, acessaria sua conta segura e descobriria o que havia de tão importante naquele arquivo anexo.

— Por que você teve que matar aquelas pessoas? — perguntou Gary quando eles saíram do trem em uma estação próxima a Marble Arch.

Antrim estava em modo de sobrevivência, e a presença de um adolescente curioso complicava seriamente as coisas. Mas essa pergunta ele queria responder.

— Em todas as operações há os mocinhos e os bandidos. Aqueles eram os bandidos.

— Você explodiu os caras. Eles não tiveram a menor chance.

— E o que teria acontecido se eu não tivesse feito isso? Nós dois estaríamos mortos ou em poder deles. Eu não queria que nenhuma dessas coisas acontecesse.

Suas palavras saíram duras; a voz, tensa.

Eles seguiram as placas que indicavam a saída e a rua. Gary ficou em silêncio. Antrim concluiu que não devia se indispor com o garoto. Depois que isso acabasse e a situação se acalmasse, ele poderia querer retomar as coisas de onde haviam parado. E só de pensar em Pam Malone vencendo essa disputa ele já ficava irritado. Cotton Malone ainda estava por aí. Entregar Gary inteiro, mesmo sem estar presente para ver o reencontro, não seria o suficiente para tirar aquele buldogue de seu encalço.

Antrim parou.

— Olha, eu não tinha intenção de ser ríspido com você. Só estou meio tenso com tudo isso que está acontecendo.

— Claro. Eu entendo. Tudo bem.

A FARSA DO REI \ 371

Kathleen acompanhou Malone e entrou no Goring Hotel. Conhecia aquele lugar. Há cem anos, um homem chamado Goring convencera o duque de Westminster a vender para ele um terreno nos fundos do Palácio de Buckingham. Ali ele construíra o último grande hotel da era eduardiana, com banheiro em todos os quartos e aquecimento central — o que, na época, foi algo notável. Uma vez Kathleen havia tomado chá no terraço, e os biscoitos com creme de natas eram divinos.

Mas naquele momento não havia tempo para essas sutilezas.

Malone estava claramente em apuros. Havia telefonado mais duas vezes para Blake Antrim, mas ninguém tinha atendido. Conseguia apenas imaginar seu tormento, e sentia pena dele. Seu distintivo da Soca fez com que a recepção fornecesse rapidamente o número do quarto de Tanya Carlton. Ficava no terceiro andar, e Ian Dunne abriu a porta, contente ao ver os dois.

— Por que Gary não está com vocês? — perguntou Malone imediatamente.

Kathleen captou o tom de preocupação na voz de Malone.

— Vocês deviam ter ficado todos juntos — insistiu ele.

Tanya Carlton estava sentada diante de uma pequena escrivaninha, e sua irmã gêmea encontrava-se de pé atrás dela. Um laptop estava aberto diante das duas.

— Gary saiu com Antrim — disse Ian. — Não queríamos que fosse, mas ele foi mesmo assim.

— Então eu decidi que devíamos ir embora — completou a Srta. Mary. — Ficou claro que Antrim não queria mais nada conosco. Aquele lugar me causou uma péssima impressão.

— Que lugar? — perguntou Malone.

A Srta. Mary contou a eles sobre o depósito perto do rio.

— E vocês sabem aonde eles foram?

A Srta. Mary fez que não.

— Antrim não contou. Só falou que voltariam logo, mas tive a sensação de que isso não iria acontecer, e fomos embora. Mas antes

372 \ STEVE BERRY

Ian deu um jeito de roubar o celular do Sr. Antrim, o que acabou sendo ótimo.

— Como assim? — indagou Malone. — Estou tentando entrar em contato com ele por aquele telefone.

— Nós o deixamos no depósito — disse Ian.

Isso significava que nem Antrim nem Gary haviam voltado para pegá-lo. Ou que algo havia acontecido.

Tanya apontou para o laptop.

— Nós descobrimos o motivo disso tudo.

— Eu também — retrucou Malone.

Cinquenta e cinco

Nestas páginas revelei *um segredo monumental, que terá profundas repercussões se algum dia for revelado. Tenho esperanças de que, quando estas palavras forem decifradas, o fato de Elizabeth I não ter sido quem dizia ser seja apenas uma curiosidade histórica. Meu pai me ensinou que a verdade é efêmera, e seu significado, fluido, dependendo do momento histórico e das circunstâncias. Não há maior exemplo dessa sabedoria do que o conteúdo desse diário. Tenho certeza de que o leitor não se esqueceu do segredo de Henrique VII e de Henrique VIII, o qual Catarina Parr revelou ao impostor. Sua recompensa por decifrar este diário é a oportunidade de ver aquilo a que somente a realeza teve acesso. Lá deixei a fortuna dos Tudors e lá repousa o impostor, a salvo de todos os olhares intrometidos, tranquilo em seu sono eterno. A Inglaterra teve a sorte de tê-lo; sua ilegitimidade pouco importou. Mas basta de remorso. O tempo para isso acabou. Vou para o túmulo sem arrependimentos, feliz de não estar aqui para testemunhar a derrocada de tudo o que minha família tanto preza. Sinto que levar os Stuarts ao poder foi um grande erro. A majestade é mais do que uma coroa. Certa vez pensei em contar tudo a Jaime. Isso foi antes de perceber que ele era totalmente incapaz de ser rei. Ele não sabe de nada, assim como nenhuma outra alma. Sou o último. Você, leitor, agora é o primeiro. Faça o que puder com seu conhecimento. Minha única esperança é de que você tenha a mesma sabedoria que a boa rainha Elizabeth I demonstrou durante quarenta e cinco anos no trono.*

O que você procura pode ser encontrado embaixo da antiga Abadia de Blackfriars, o Mosteiro dos Dominicanos. Foi depositado ali muito tempo antes da existência do mosteiro, fundado por um frade durante o reinado de Ricardo III. O acesso é pelo que antigamente era a adega, por uma abertura oculta no piso por um dos barris de vinho. Sobre o barril está entalhada a oração de um antigo monge. "Aquele que bebe vinho dorme bem. Aquele que dorme bem não peca. Aquele que não peca vai para o céu."

Antrim terminou de ler os escritos de Robert Cecil.

Estava diante de um dos computadores do cyber café, com Gary de pé ao seu lado.

— Onde fica a Abadia de Blackfriars? — perguntou o garoto.

Boa pergunta.

O nome não lhe era estranho. Um local situado perto dos Inns of Court, dentro da City, às margens do Tâmisa. Mas não havia nenhum mosteiro lá. Apenas uma estação de metrô. Teclou BLACKFRIARS no Google e leu o que encontrou em um dos sites.

EM 1276, OS FRADES DOMINICANOS MUDARAM-SE DE SEU MOS-TEIRO DE HOLBORN PARA UM LOCAL À MARGEM DO RIO TÂMISA E PRÓXIMO A LUDGATE HILL. ALI CONSTRUÍRAM UM MOSTEIRO, QUE RECEBEU O NOME DE BLACKFRIARS, DEVIDO ÀS TÚNICAS PRETAS USADAS PELOS FRADES. O MOSTEIRO FICOU FAMOSO, RECEBENDO REGULARMENTE PARLAMENTARES E INTEGRANTES DO CONSELHO PRIVADO. A AUDIÊNCIA DE DIVÓRCIO ENTRE HENRIQUE VIII E CATARINA DE ARAGÃO REALIZOU-SE LÁ EM 1529. HENRIQUE VIII FECHOU O MOSTEIRO EM 1538, PERÍODO EM QUE DETERMINOU A DISSOLUÇÃO DE MOSTEIROS E CONVENTOS. COMO O GLOBE THEATRE DE SHAKESPEARE FICAVA BEM DO OUTRO LADO DO RIO, UM GRUPO DE ATORES ARRENDOU ALGUNS DOS PRÉDIOS E DEU INÍCIO A UM TEATRO CONCORRENTE. A SOCIEDADE DOS BOTICÁRIOS ACABOU OCUPANDO OUTRO PRÉDIO EM 1632. A ESTRUTURA FOI DESTRUÍ-DA NO GRANDE INCÊNDIO DE 1666, MAS O APOTHECARIES HALL

AINDA EXISTE. NO LOCAL HOJE ESTÁ A ESTAÇÃO FERROVIÁRIA BLACKFRIARS, JUNTAMENTE COM UMA PARADA DA LINHA CIRCLE E DA LINHA DISTRICT DO METRÔ DE LONDRES.

— O mosteiro não existe mais — lamentou Antrim.

Ele foi tomado por uma sensação de derrota.

E agora?

— Olhe — disse Gary, apontando para a tela.

Um e-mail chegou em sua caixa de entrada. Antrim viu o nome do remetente. THOMAS MATHEWS. Em seguida, o assunto. SUA VIDA.

— Espere lá — ordenou ele a Gary.

O olhar do garoto era desafiador.

— Isso é negócio da CIA. Espere lá — repetiu.

Gary foi para o outro lado da sala.

Antrim abriu o e-mail e leu a mensagem.

Muito inteligente sua fuga da Sociedade Dédalo. Três dos agentes estão mortos. Eles não vão gostar. Estou a par da Operação Farsa do Rei, como sei que já percebeu. Estou também ciente de que o senhor sabe da localização do santuário Tudor a partir da tradução de Farrow Curry. Precisamos conversar pessoalmente. Por que o senhor faria tal coisa? Porque, Sr. Antrim, se não o fizer, meu próximo contato será com os Estados Unidos da América, e com certeza o senhor sabe qual será o conteúdo da conversa. Sei do dinheiro que lhe foi pago pela Sociedade Dédalo. Na verdade, nós agora desejamos a mesma coisa. Portanto, temos interesses em comum. Se quiser encontrar aquilo que está procurando, siga as orientações abaixo. Quero que esteja lá em meia hora. Caso contrário, eu o entregarei aos seus superiores, que não ficarão satisfeitos de saber o que o senhor fez.

376 \ STEVE BERRY

Ele desviou os olhos da tela.

O MI6 também sabia de todos os seus movimentos.

Que escolha ele tinha?

Leu as orientações. Não era longe. Dava para chegar lá em menos de meia hora. A mochila com o original de Cecil e os explosivos estava no chão, aos seus pés. Devia ter pegado uma das pistolas dos cadáveres, mas sua maior preocupação na hora foi fugir do depósito.

Olhou para Gary, que olhava para a rua por uma das janelas do café.

Mathews não fizera nenhuma menção a ele.

Talvez Gary pudesse ser usado.

Em seu proveito.

GARY ESTAVA CONFUSO.

Seu pai biológico era muito diferente do pai que o criou. Temperamental. Mal-humorado. Ríspido. Mas ele não era mais uma criança e podia lidar com isso, apesar de tudo ser uma experiência nova.

Ele também acabara de ver esse homem incinerar três pessoas e não mostrar nenhum remorso. Era óbvio que Antrim havia conhecido aquela mulher, pois ela o chamara pelo primeiro nome e, pouco antes de Antrim detonar os explosivos, ele a provocou. *Apodreça no inferno, Denise.*

Seu pai só havia falado uma vez sobre matar. Tinha acontecido havia um mês, quando ele, seu pai e sua mãe estavam em Copenhague. *Não é algo que eu goste de fazer, mas às vezes é necessário.* Gary entendia as implicações disso.

Blake Antrim parecia ter outra abordagem. Mas isso não o tornava mau. Apenas diferente.

Ele agora parecia nervoso. Aborrecido. Preocupado.

Não demonstrava a mesma confiança do dia anterior, quando revelou que havia tido um caso com a mãe de Gary.

As coisas tinham mudado.

A FARSA DO REI \ 377

Gary viu Antrim pegar a mochila e vir andando em sua direção.

— Temos que ir.

— Para onde?

— Ao lugar mencionado no diário. Agora eu sei onde fica.

— E o meu pai?

— Não tenho como entrar em contato com ele. Vamos resolver isso primeiro e depois eu penso em uma forma de encontrá-lo.

Parecia lógico.

— Mas vou precisar que você faça uma coisa para mim — disse Antrim.

Cinquenta e seis

MALONE PRECISAVA FAZER alguma coisa. Qualquer coisa. No entanto, ainda não sabia exatamente o quê. Não tinha como se comunicar com Blake Antrim nem como encontrar Gary. Estava furioso consigo mesmo por ter tomado uma série de decisões erradas em relação ao bem-estar de seu filho, e agora ele estava em perigo graças à sua negligência. A Srta. Mary e Tanya mostraram a ele e Kathleen o texto decodificado do diário de Robert Cecil, e eles o leram.

— A Abadia de Blackfriars não existe mais — observou Tanya. — Já faz um bom tempo.

Outra notícia ruim, que ele acrescentou à pilha crescente.

— Agora é uma estação de metrô — continuou Tanya. — Atualmente está fechada, em reforma.

Malone escutou atentamente enquanto as irmãs falavam sobre a estação, que existia no local desde o século XIX. As linhas de trem e do metrô faziam integração ali. Ano passado, a estação tinha sido demolida para dar lugar a um novo prédio com fachada de vidro reluzente, que aos poucos ia tomando forma. Nenhuma linha de trem parava ali agora, e isso já acontecia havia mais de um ano. Mas o metrô ainda passava ali por baixo.

— A área está um caos total — disse a Srta. Mary. — Há obras em todo canto. As calçadas ao redor estão fechadas. A estação fica na margem do rio, ao lado de uma rua movimentada.

— O que a senhorita está dizendo é que esse mistério que já dura quatrocentos anos chegou a um beco sem saída?

— Então por que o serviço secreto está tão interessado nisso? — indagou Kathleen. — Se não há nada a ser encontrado, por que Thomas Mathews está tão interessado?

Malone sabia a resposta.

— Porque *há* algo a ser encontrado.

Ele considerou rapidamente suas opções e concluiu que não havia muito a fazer. Nada? Nunca. Ligar novamente para Stephanie Nelle? Talvez, mas poderia levar tempo até que alguma coisa acontecesse, e isso seria um problema. Tentar encontrar Antrim por conta própria? Impossível. Londres era uma cidade grande.

Parecia haver apenas um caminho.

Malone encarou Kathleen.

— Você consegue entrar em contato com Mathews?

— Eu tenho um número.

Ele apontou para o telefone do quarto.

— Ligue.

KATHLEEN PERDOOU MALONE por sua rispidez. Quem poderia culpá-lo? Ele estava com problemas, e sua única saída provavelmente era o homem que tinha acabado de tentar matá-los. A espionagem era tão diferente de sua experiência cotidiana... As coisas pareciam mudar a cada minuto, sem aviso, deixando pouco tempo para reação. Dessa parte, na verdade, ela gostava. Mesmo assim, era frustrante não saber quem estava de que lado e onde ela se encaixava nisso tudo.

Mas, pelo menos, ela ainda estava de pé.

Continuava no jogo.

E isso significava alguma coisa.

Ela discou o número que estava no papel que Mathews lhe havia entregado.

Dois toques.

380 \ STEVE BERRY

E a ligação foi atendida.

— Supus que você fosse entrar em contato mais cedo ou mais tarde — disse Mathews em seu ouvido.

Kathleen passou a ligação.

MALONE PEGOU O fone.

— Escute aqui. Só Deus sabe onde meu filho está. Ele não fez nada para estar nessa situação...

— Não. Ele foi manipulado para estar nessa situação.

— O senhor permitiu que isso acontecesse. Eu não sabia. O *senhor*, sim. O senhor me usou e usou Richards também.

— Acabei de falar com Blake Antrim.

Era isso o que Malone queria ouvir.

— Ele está com Gary?

— Está. Estão fugindo. Antrim matou três dos meus agentes.

— Como?

— Com explosivos... Achou que fossem inimigos dele.

— E Gary?

— Estava lá. Mas está bem.

Nada bom. Hora de jogar seu trunfo.

— Estou com o pen drive com o texto decodificado do diário de Robert Cecil. Eu li. E isso significa que não vou esquecê-lo.

— Eu já tenho esse texto.

— Eu também já sei de que se trata tudo isso. — Malone fez uma pausa. — Irlanda.

O silêncio no outro lado da linha confirmou suas suspeitas.

— O que você quer? — perguntou Mathews finalmente.

— Quero meu filho e ir embora daqui.

— E tudo o que você sabe?

— É minha garantia de que o senhor vai se comportar muito bem. Posso enviar o conteúdo daquele pen drive por e-mail para Stephanie Nelle com apenas um clique. Na verdade, a mensagem está

A FARSA DO REI \ 381

pronta para ser enviada agora. Gostaria que eu fizesse isso? A CIA provavelmente vai adorar saber que o que eles estavam procurando é real. Também vai adorar saber que o senhor matou dois agentes deles. Talvez se vinguem divulgando todas as informações, só para humilhar Downing Street.

Mathews riu.

— Nós dois sabemos que, se vocês fizerem isso, eu não terei mais nada a ganhar. Você, por outro lado, ainda tem algo a perder. Seu filho.

— Tem razão, seu filho da puta. Então corta essa e vamos fazer um acordo.

— Eu sei para onde Antrim foi. Ele também está com o texto de Cecil.

— A Abadia de Blackfriars não existe mais.

— Estou vendo que você está bem-informado. E tem razão. Mas o santuário dos Tudors, sim. Se eu entregar Antrim a você, você me dá o pen drive?

— Ainda posso contar tudo a Washington.

— Pode, mas não vai. Para você, isso é pessoal, não são negócios. A vida do seu filho está em jogo. Para mim, é o contrário.

Malone sabia que não era bem assim, mas disse o que se esperava dele.

— Trato feito.

— Então vou dizer a você aonde precisa ir.

O QUARTO DO hotel estava em silêncio absoluto, e Ian podia ouvir toda a conversa ao telefone. As três mulheres também escutavam. Malone manipulou o velho, controlando sua raiva, mantendo-se calmo, usando a cabeça. Ian se identificava com aquilo. Sobrevivera nas ruas fazendo exatamente a mesma coisa. Mas o fato de que a maior parte disso parecia ser culpa sua o incomodava. *Ele* tinha roubado o pen drive. Ele havia jogado spray de pimenta na cara do velho. Ele tinha fugido para os Estados Unidos. Ele tinha fugido da garagem.

382 \ STEVE BERRY

Mas tinha voltado.

E roubado o celular de Antrim. E isso permitiu que todos ali lessem o conteúdo do diário.

Sem isso, Malone não teria com que barganhar.

Portanto, ele também ajudara.

Mas ainda se sentia responsável pela angústia de Malone.

E queria ajudar ainda mais.

MALONE DESLIGOU O telefone.

Ele se virou e viu Kathleen Richards olhar para ele. Percebeu que todos ali tinham ouvido o que Mathews dissera.

— Não se pode confiar nele — alertou Kathleen.

— Como se eu não soubesse disso.

A cabeça de Malone estava um turbilhão.

Mais um telefonema.

Ele pegou o fone e ligou para Stephanie Nelle.

— Estou indo travar uma batalha com Thomas Mathews.

Contou a ela o que havia acontecido.

— Preciso de uma resposta franca — prosseguiu ele. — Sem rodeios. A CIA explicou a você o que era a Operação Farsa do Rei?

— Se está fazendo essa pergunta, é porque já sabe a resposta.

Ele sabia.

— É a Irlanda, não é?

Então Stephanie explicou tudo.

Os CONFLITOS NA Irlanda do Norte iniciaram-se em 1966 e duraram até 2003, ceifando 3.703 vidas. Quase 40 mil pessoas ficaram feridas, um número chocante, considerando-se que apenas 900 mil protestantes e 600 mil católicos viviam na Irlanda do Norte naquela época. Violência, desconfiança, medo e ódio provocaram um enorme estrago no país por três longas décadas, o que acabou afetando a Inglaterra e a Europa.

A FARSA DO REI \ 383

No entanto, as sementes daquele conflito remontavam a uma época muito anterior.

Alguns especialistas apontam a invasão anglo-normanda da Irlanda por Henrique II em 1169 como o início. De modo mais realista, tudo começou com os Tudors. Henrique VIII foi o primeiro a se interessar pela Irlanda. Invadiu e dominou Dublin e arredores e estendeu lentamente seu poderio, usando conciliação e inovação como armas para subjugar os senhores locais. Foi tão bem-sucedido que um decreto do Parlamento irlandês em 1540 o proclamou rei da Irlanda. Contudo, a rebelião era uma ameaça constante. Tropas eram ocasionalmente enviadas ao país, e havia muitos combates. Um fator que agravava a situação era a lealdade esmagadora da Irlanda a Roma e ao papa, ao passo que Henrique exigia obediência à sua nova religião protestante.

Então surgiu uma divisão espiritual. Os católicos irlandeses locais contra os recém-chegados ingleses protestantes.

A Irlanda foi relativamente esquecida durante os dois curtos reinados seguintes, de Eduardo VI e de Maria.

Com Elizabeth I, tudo mudou.

Pessoalmente, Elizabeth via a ilha como um lugar selvagem e preferia ignorá-la. Porém uma série de rebeliões, que puseram em risco toda a sua política externa, forçou-a a entrar em ação. Um grande exército foi enviado, as rebeliões foram reprimidas, e, em consequência do desacato, terras irlandesas foram confiscadas. Foi o fim da influência dos clãs celtas e das dinastias anglo-normandas, que havia séculos existiam lá. Todas as terras foram para a Coroa. Então, Elizabeth concedeu propriedades, arrendamentos e licenças para colonos ingleses, que fundaram fazendas. Esse confisco havia se iniciado durante a época de Henrique VIII e prosseguira em menor escala durante o reinado de Eduardo e de Maria, mas foi com Elizabeth que ele se acelerou, atingindo o auge no reinado de seu sucessor, Jaime I. Para trabalhar nas terras recém-adquiridas, um grande número de ingleses, escoceses e galeses emigrou para a Irlanda. A ideia de incentivar a ida de colonos e as plantações visava conquistar a Irlanda a partir de seu interior, colonizando o país com ingleses endividados e leais à Coroa. A língua inglesa também seria exportada, assim como os costumes e as crenças. A cultura irlandesa seria erradicada.

384 \ STEVE BERRY

Isso plantou as sementes de um amargo conflito cultural e religioso, que perduraria por séculos. Irlandeses católicos nacionalistas contra ingleses protestantes unionistas.

Na década de 1640, Cromwell massacrou milhares deles. A Rebelião Irlandesa, durante a década de 1790, também foi brutalmente reprimida. A escassez de alimentos da década de 1840 quase aniquilou a todos. Tentaram ter um governo mais independente no final do século XIX e começo do século XX, quando o Parlamento de Dublin governou a Irlanda, mas ainda subjugado a Londres. Uma farsa, que somente acentuou a divisão. A sociedade irlandesa foi se tornando cada vez mais militante e mais radical. Uma guerra de independência, travada em 1919 entre o Exército Republicano Irlandês e o Britânico, acabou com uma solução que nenhum dos lados queria. A Irlanda foi dividida, seus trinta e dois condados reduzidos a vinte e seis, todos no sul, onde predominavam os nacionalistas católicos. Os seis condados restantes, todos no norte, onde os unionistas protestantes eram a maioria, tornaram-se um país separado, a Irlanda do Norte.

A violência irrompeu imediatamente.

Logo proliferaram grupos radicais. Os tumultos tornaram-se comuns. A minoria católica da Irlanda do Norte começou a se sentir ameaçada e partiu para o ataque. Os unionistas revidaram, estabelecendo um círculo vicioso. Tentaram formar governos de coalizão. Todos fracassaram. Os irlandeses do sul e os nacionalistas do norte queriam que os ingleses protestantes fossem embora. Os unionistas protestantes queriam que seus direitos e suas terras fossem protegidos por Londres, visto que a princípio elas lhes foram cedidas pela Coroa britânica. Os seis condados da Irlanda do Norte foram inicialmente estabelecidos por Elizabeth I a partir de terras irlandesas confiscadas, e todos os novos proprietários tinham obtido seus títulos por concessão real. No mínimo, argumentavam os unionistas, Londres devia proteger seus direitos legais.

E foi isso que Londres fez.

Enviando tropas para reprimir os nacionalistas.

Enfim, no auge da crise, os nacionalistas levaram o conflito a Londres e à Europa, e os ataques a bomba tornaram-se comuns no continente. Uma paz desconfortável foi decretada em 1998 e é mantida desde então. No entanto,

A FARSA DO REI \ 385

os dois lados continuam profundamente desconfiados um do outro, mas trabalham juntos, ainda que de forma hesitante, apenas para evitar mais derramamento de sangue.

Nenhuma das causas do conflito foi resolvida.

Os debates que começaram há tanto tempo continuam.

Sentimentos amargos permanecem.

Os nacionalistas querem uma Irlanda unida governada por irlandeses.

Os unionistas querem que a Irlanda do Norte continue a fazer parte da Grã-Bretanha.

IAN ESCUTAVA OS quatro adultos conversando. Malone havia encerrado a ligação e dizia que sua ex-chefe, uma mulher chamada Stephanie Nelle, confirmara que o foco de Antrim era na Irlanda do Norte — Ian já ouvira a história — e em um terrorista árabe que estava prestes a ser libertado de uma prisão escocesa. Os americanos queriam que os britânicos impedissem a soltura e, para conseguir isso, pretendiam descobrir provas de que Elizabeth I era um impostor, o que colocava em xeque todo o seu reinado e a legitimidade da Irlanda do Norte.

— Que plano mais temerário.

— E perigoso — disse Kathleen. — Dá para entender a preocupação de Mathews. Nem precisaria tanto para reacender a enorme espiral de violência na Irlanda do Norte. Sempre há ataques esporádicos dos dois lados. Definitivamente, o conflito não acabou. Está cozinhando em banho-maria, cada lado esperando uma boa razão para exterminar o outro.

— A paz foi declarada porque, na época, era a única coisa a ser feita — comentou Tanya. — Os britânicos estão lá, na Irlanda do Norte. Não vão sair. E matar as pessoas não estava levando a lugar algum.

— Pensem no que iria acontecer se a verdade viesse a público — disse a Srta. Mary em voz baixa. — Se Elizabeth I realmente for uma fraude. Isso significaria que tudo o que foi feito durante o reinado dela não teve efeito legal.

— Incluindo cada pedaço de terra confiscado e cada concessão de terra feita na Irlanda do Norte — completou Malone. — Nenhum título sequer teria valor legal. Os seis condados que formam o país foram estabelecidos por Elizabeth.

— Isso importaria tanto assim? — questionou Tanya. — Depois de quinhentos anos?

— Sem dúvida — respondeu Malone. — É como se eu lhe vendesse minha casa e a senhora ficasse morando lá por décadas. Então, um dia chega alguém com provas de que a escritura é uma fraude. Na verdade, eu não tinha poder para fazer negócio com a senhora. A escritura seria anulada. Não teria efeito legal. Qualquer tribunal aqui ou nos Estados Unidos teria de respeitar o verdadeiro título daquela propriedade, não a escritura fraudulenta.

— Uma batalha que seria realizada no tribunal — disse Kathleen.

— Mas que os irlandeses venceriam — acrescentou Malone.

— Mas seria pior — retrucou Kathleen. — A verdade seria mais que suficiente para que os unionistas e os nacionalistas recomeçassem os conflitos. A diferença é que dessa vez eles teriam um motivo legal pelo qual lutar. Dá quase para ouvir os clamores dos nacionalistas irlandeses. Faz quinhentos anos que eles tentam expulsar os britânicos. Agora gritariam: *sua falsa rainha invadiu nosso país e roubou nossas terras. O mínimo que vocês podem fazer é devolvê-las e ir embora.* Mas isso não aconteceria. Londres resistiria. Teria que resistir. Nunca abandonaram os unionistas da Irlanda do Norte e não fariam isso agora. Bilhões de libras estão investidos lá. Londres teria de ir à luta. No tribunal ou nas ruas. Seria uma guerra. Nenhum dos dois lados se curvaria.

— É claro que, se o seu governo simplesmente impedisse que Edimburgo devolvesse um assassino à Líbia, não haveria nenhum problema — retrucou Malone.

— Eu não gosto dessa situação, tanto quanto você. Mas ela não é desculpa para essa operação imprudente. Sabe quantos milhares de pessoas poderiam morrer por causa disso?

A FARSA DO REI \ 387

— Esse é o motivo pelo qual vou entregar o pen drive a Mathews — respondeu Malone.

— E Ian? — perguntou Kathleen.

— Boa pergunta. E eu?

Malone o encarou.

— Você sabe que Mathews quer você morto, não sabe?

Ian fez que sim.

— A questão é: até onde ele está disposto a chegar para limpar essa bagunça? — indagou Malone. — Especialmente agora que muito mais gente sabe do assunto. Ele tem mais de uma ponta solta nessa história. Vou cuidar disso também.

Malone olhou para Kathleen.

— Temos de ir.

— Sir Thomas não falou que eu deveria ir.

— Preciso da sua ajuda.

— Eu também vou — disse Ian.

— Nem pensar. Mathews não mencionou você ao telefone. Isso significa que ou ele não sabe do seu paradeiro ou está esperando para agir. Eu fico com a primeira possibilidade. Muita coisa aconteceu com muita rapidez para que ele saiba de tudo. E, se soubesse, já teria agido. Além disso, eu preciso que você esteja em segurança para eu poder barganhar pela sua vida. Se ele o pegar, eu não terei poder de barganha.

Malone encarou as gêmeas.

— Fiquem aqui com Ian até eu dar notícias.

— E o que vai acontecer se você não der? — perguntou a Srta. Mary.

— Eu darei.

Cinquenta e sete

ANTRIM SE APROXIMOU do local em obras acompanhado de Gary. A antiga estação de metrô Blackfriars fora demolida, substituída por um prédio de fachada de vidro reluzente, cuja construção parecia estar pela metade. Um tapume separava o canteiro de obras da calçada, e era possível ver o Tâmisa a pouca distância dali. Uma ponte vitoriana recém-reformada estendia-se sobre o rio, e nela estava sendo construída uma moderna estação. Antrim havia lido em algum lugar que aquele seria o primeiro terminal ferroviário já construído sobre a água.

Ele espiou por uma fresta no tapume e não viu nenhum operário. Apesar de ser sábado, devia haver alguém por ali. Mathews o instruíra a ir até esse local específico da obra. À direita dele, o tráfego seguia para o sul por uma avenida movimentada que atravessava o Tâmisa. Ele ainda carregava a mochila com os explosivos, a única arma que tinha, e não pretendia entrar desarmado naquela armadilha.

Havia um labirinto de equipamentos pesados sobre a terra marcada. Sulcos profundos e largos no chão se estendiam até a margem do rio. No fundo havia trilhos de trem, linhas retas que desapareciam no interior da nova ponte-estação, em direção à outra margem. Antrim recordou-se daquele lugar nos tempos de sua infância. Uma estação movimentada. Muita gente indo e vindo diariamente. Mas não naquele dia. O lugar estava deserto.

A FARSA DO REI \ 389

Exatamente como Thomas Mathews gostaria.

Até então, ele seguira as orientações.

Hora de improvisar um pouco.

MALONE HAVIA PEGADO o metrô em Belgravia e seguia para uma estação próxima dos Inns of Court e de Blackfriars. Kathleen Richards estava sentada ao seu lado. Ele ainda podia ouvir o que Stephanie Nelle tinha lhe contado ao telefone meia hora atrás.

— *É a CIA tentando resolver tudo* — disse ela. — *Há quarenta anos, um grupo de advogados irlandeses tentou provar que Elizabeth I era uma fraude. É a lenda do menino de Bisley...*

— *Bem como Bram Stoker contou em seu livro.*

— *Podemos dizer a favor deles que tentaram encontrar um modo legal, não violento, de obrigar os britânicos a sair da Irlanda do Norte. Na época, o conflito estava no auge. Pessoas morriam todos os dias. Não parecia haver uma solução. Se eles conseguissem provar no tribunal que todas as reivindicações britânicas por suas terras eram falsas, haveria um precedente legal para a reunificação da Irlanda.*

— *Muito inteligente. E podia ter sido uma boa ideia na época, mas não agora.*

— *Exato. A menor provocação poderia reiniciar os atos de violência. Mas a CIA estava desesperada. Trabalhou arduamente para encontrar al-Megrahi e levá-lo a julgamento. Todos ficaram furiosos de vê-lo sair assim. A Casa Branca queria que algo fosse feito. Queria qualquer coisa que pudesse impedir a libertação dele. Então Langley pensou que uma chantagenzinha poderia funcionar. Infelizmente, esqueceram que o atual presidente não é o tipo que faz isso, especialmente com um aliado.*

Com isso Malone concordava.

— *Tive uma discussão animada com o diretor da CIA* — revelou Stephanie. — *A Casa Branca não está a par do que eles andaram fazendo por aí, e eles querem que continue assim. Especialmente agora que toda a operação fracassou. Mas, com o serviço secreto britânico envolvido, isso poderia ser motivo de constrangimento para todos.*

390 \ STEVE BERRY

— E eles querem que eu limpe a bagunça que eles fizeram.

— É, mais ou menos isso. Infelizmente, a transferência do prisioneiro vai acontecer. Agora o objetivo é não permitir que um desastre diplomático piore a situação. Aparentemente os britânicos sabem da Farsa do Rei. A única coisa que temos a nosso favor é que eles não querem que o mundo também saiba.

— Eu não estou dando a mínima.

— Entendo que sua única preocupação no momento seja Gary. Mas, como você disse, ele está com Antrim. E Langley não faz ideia de onde Antrim está.

Esse era o motivo pelo qual ele havia ligado para Mathews.

E estava indo direto para uma armadilha.

— O que quer que eu faça? — perguntou Kathleen.

— Por que você foi suspensa?

Malone notou que ela ficou surpresa por ele saber da suspensão.

— Causei muitos problemas tentando prender algumas pessoas. Mas isso não é nenhuma novidade para mim.

— Que bom. Por que eu preciso que você cause alguns problemas. Muitos, na verdade.

IAN NÃO GOSTOU de Malone ter recusado sua companhia. Não estava acostumado a receber ordens. Ele tomava as próprias decisões. Nem a Srta. Mary mandava nele.

— Isso tudo é tão inacreditável... — comentou Tanya. — Realmente não dá para acreditar. Imaginem as implicações históricas.

Mas Ian não dava a mínima para isso.

Queria estar no centro dos acontecimentos.

Na estação Blackfriars.

Estava sentado em uma das poltronas do quarto do hotel.

— Está com fome? — perguntou a Srta. Mary.

Ian fez que sim.

— Posso pedir alguma coisa para você.

Ela foi até o telefone. Tanya estava sentada diante da escrivaninha com o laptop. Ian se apressou até a porta e saiu para o corredor. As escadas pareciam a melhor alternativa, então seguiu rumo à placa luminosa de sinalização.

Ouviu a porta do quarto se abrir e virou-se.

A Srta. Mary olhou para ele com expressão preocupada.

Ian parou e a encarou.

Ela não precisou dizer nada. O brilho aquoso em seus olhos revelou a Ian o que ela estava pensando.

Que ele não deveria ir.

Mas seus olhos também diziam que não poderia impedi-lo.

— Tome cuidado — aconselhou ela. — Tome muito cuidado.

GARY SEGUIU ANTRIM pelo canteiro de obras. Contornaram os equipamentos pesados e foram andando pelo solo úmido, esquivando-se das poças formadas pela chuva do dia anterior. Havia uma imensa estrutura de concreto dentro de uma das trincheiras abertas, com mais ou menos seis metros de profundidade, suas paredes úmidas secando com o sol vespertino. No fim, toda a estrutura seria coberta de terra. Mas por enquanto suas laterais, seus canos e seus cabos estavam expostos, estendendo-se por uns quarenta metros em direção ao rio, onde o buraco desaparecia em uma parte interditada da rua.

Usando uma das escadas de mão, eles desceram a trincheira úmida e entraram em um grande buraco na terra. Antrim piscou e ajustou os olhos à penumbra. Uma parede de concreto se erguia à sua esquerda, e a terra nua, à direita. Aparentemente muitas pessoas já haviam passado por aquele caminho, a terra seca e compacta sob os tênis.

Antrim parou e fez sinal para ficarem em silêncio.

Não ouvia nada, exceto o ruído do tráfego próximo.

Havia uma abertura na parede mais adiante.

Antrim se aproximou, deu uma olhada lá dentro e fez sinal para que Gary o seguisse. Entraram e viram que o local abrigava uma linha de trem, os trilhos em más condições, com barras de reforço esperando para serem cimentadas. Refletores incandescentes iluminavam o espaço fechado. Gary se perguntou como Antrim sabia aonde ir mas supôs que o e-mail que ele recebera no café continha as instruções necessárias.

Antrim desceu um nível no subsolo repleto de poeira e trilhos, e os dois seguiram em frente. O ar frio cheirava a terra úmida e cimento seco. Mais tripés com refletores iluminavam o caminho. Gary imaginou que eles deviam estar pelo menos seis metros abaixo do nível do solo e do prédio de fachada de vidro. Chegaram a um amplo espaço que se bifurcava em túneis, os quais adentravam ainda mais a terra.

— Os passageiros vão descer e chegar a este saguão, de onde vão seguir para as plataformas — sussurrou Antrim.

Gary deu uma olhada em um dos túneis. O próximo nível ficava uns cento e cinquenta metros abaixo dali. Não havia degraus nem escadas rolantes, apenas escadas de mão apoiadas nas paredes dos túneis. Mais luzes acesas lá embaixo.

— É para lá que temos de ir — anunciou Antrim.

KATHLEEN E MALONE saíram da estação de metrô no Embankment. A cúpula da Catedral de St. Paul erguia-se a pouca distância, o Tâmisa estava a menos de cinquenta metros à direita. A estação Blackfriars, adiante. Os dois estavam armados. Depois de explicar o que queria que ela fizesse, Malone permaneceu em silêncio. Kathleen não argumentou. Era uma armadilha, não havia outro modo de encarar isso. Entrar ali sem um plano seria uma imprudência.

E, mesmo que Thomas Mathews se achasse em uma posição mais vantajosa, pois parecia saber exatamente qual era o paradeiro de Blake Antrim, Malone exigira provas de que Gary estava com o agente da CIA.

Então Malone e Kathleen aguardaram.

O celular de Malone vibrou, indicando a chegada de um e-mail. Ele abriu a mensagem, que vinha com um vídeo anexo.

A FARSA DO REI \ 393

Malone e Kathleen viram na tela Blake Antrim e Gary entrarem no que parecia ser um canteiro de obras. Antrim descia por uma escada de mão e desaparecia.

Em seguida, Gary desceu os degraus e também sumiu.

A mensagem contida no e-mail era bastante concisa.

Isso é suficiente?

Ela percebeu a preocupação na fisionomia de Malone, além da frustração de não saber onde o vídeo tinha sido gravado.

Melhor aposta?

A estação Blackfriars. Cerca de um quilômetro dali.

Eles estavam ao lado dos Inns of Court.

De volta onde tudo havia começado no dia anterior.

— Faça o que eu pedi — disse Malone.

E saiu andando.

Cinquenta e oito

ANTRIM SALTOU DO último degrau da escada de mão e percebeu que tinha chegado no que futuramente seria uma plataforma de trem. Os trilhos estavam a um metro e meio de profundidade, vindos de um túnel. As luzes indicavam que a via férrea estava em funcionamento, e placas advertiam para o perigo da alta voltagem. A Circle e a District, duas das principais linhas do metrô londrino a fazer a rota leste-oeste, passavam direto por ali. Milhões de pessoas utilizavam aquelas linhas toda semana, e elas não poderiam ser interditadas. Os trens continuavam a ir e vir, embora nenhum parasse ali.

Gary desceu os degraus e parou ao lado de Antrim.

Mais refletores sobre tripés iluminavam a obra.

Estavam colocando azulejos nas paredes, um mosaico de cores alegres. Toda a plataforma estava sendo reformada, e materiais de construção se encontravam espalhados por todos os lados.

— Sr. Antrim.

A voz grave o sobressaltou.

Ele se virou e viu Sir Thomas Mathews parado a uns dez metros, sem sua bengala característica.

O velho gesticulou.

— Por aqui.

A FARSA DO REI \ 395

MALONE ENTROU NOS Inns of Court e repassou mentalmente as instruções de Thomas Mathews. Ali embaixo corria o rio Fleet. Sua nascente ficava mais de seis quilômetros ao norte, e no passado foi uma das maiores fontes de água de Londres. No entanto, até a Idade Média, o crescimento da população fez com que ele ficasse totalmente poluído, deixando um cheiro tão fétido que os engenheiros vitorianos finalmente o canalizaram. Isso tornou o Fleet o maior rio subterrâneo da cidade. Malone já havia lido sobre o labirinto de túneis que cruzava Holborn e levava a água para o Tâmisa.

— *Vá para os Inns* — orientou *Mathews.* — *Ao norte da Temple Church, ao lado da casa do zelador, fica o Goldsmith. O acesso é pelo porão, que estará aberto para você.*

— *E dali vou para onde?*

— *Siga a fiação elétrica.*

Virando à direita, Malone seguiu pelo King's Bench Walk. Entrou no pátio da igreja, lotada de visitantes no fim de semana, e passou pela rotunda do templo. Viu a casa de tijolinhos com a placa GOLDSMITH, entrou pela porta principal e trancou o ferrolho. Havia uma escadaria no final de um pequeno vestíbulo. Malone desceu para um porão com paredes de pedra talhada. Duas lâmpadas estavam penduradas no teto baixo. Uma porta de ferro abria-se ao pé da escadaria.

Foi até lá e olhou para dentro.

Uma escada de metal levava a um piso de terra batida uns três metros abaixo.

Era o caminho até Gary.

Ou, pelo menos, era o único caminho a seguir.

GARY SALTOU DA plataforma de concreto e seguiu o homem idoso e bem-vestido por um túnel da linha férrea. Luzes fixadas às paredes de concreto iluminavam o espaço a cada quinze metros. Ele ouviu um rugido e sentiu uma corrente de ar. O homem idoso parou, virou-se e gesticulou para eles.

396 \ STEVE BERRY

— Esses trilhos estão em funcionamento. Fiquem junto à parede, mas tenham cuidado. A eletricidade da via férrea pode matar.

Gary viu uma luz sair do túnel, passar pela plataforma da nova estação e seguir adiante por outro túnel. A claridade se tornou mais forte, e o barulho, mais alto. Um trem surgiu de repente, a toda velocidade, e passou por eles com um estrondo, os vagões lotados. Gary, Antrim e o homem idoso mantiveram-se junto à parede. Em poucos segundos, o trem sumiu, e o som se perdeu na distância. O homem idoso voltou a caminhar. Mais adiante, Gary viu outro homem aguardando ao lado de uma porta de ferro.

Eles se aproximaram e pararam.

— O garoto não vai seguir adiante — disse o idoso.

— Ele está comigo — retrucou Antrim.

— Então você não vai seguir adiante.

Antrim ficou calado.

— Seu pai o está esperando na Catedral de St. Paul — disse o idoso a Gary. — Este cavalheiro o levará até lá.

— Como o senhor conhece meu pai?

— Eu o conheço há anos. Prometi que o entregaria a ele.

— Vá — pediu Antrim.

— Mas...

— Vá — insistiu seu pai biológico.

Gary não viu nada nos olhos de Antrim que lhe oferecesse algum consolo.

— Encontrarei vocês em Copenhague — prometeu Antrim. — Aí teremos aquela conversa com seu pai.

Mas algo lhe disse que aquilo fora dito por desencargo de consciência e que Antrim não pretendia ir à Dinamarca.

O outro homem se aproximou e tirou a mochila dos ombros de Antrim, abriu-a e mostrou o conteúdo ao homem idoso, que disse:

— Explosivos. Eu não esperaria nada menos de você. Foram explosivos desse tipo que você usou para violar o túmulo de Henrique VIII?

— E para matar três agentes da Dédalo.

O homem idoso encarou Antrim por um longo instante. Em seguida, desviou o olhar.

— Então, traga-os. Talvez você precise deles.

Antrim encarou Gary.

— Preciso do controle remoto.

A ideia era Antrim carregar os explosivos com os detonadores, enquanto Gary ficava com o controle remoto. Antrim tinha esperanças de que ninguém revistaria o garoto em busca de uma arma.

Mas pelo jeito teria que mudar seus planos.

— Eu quero ficar — insistiu Gary.

— Isso não será possível — disse o idoso, gesticulando para o segundo homem, que pegou Gary pelo braço.

O adolescente se livrou dele com um puxão.

— Não preciso da sua ajuda para andar.

Antrim e o homem idoso entraram pela porta de metal.

— Onde é que aquilo vai dar? — perguntou Gary.

Mas não obteve resposta.

IAN ESTAVA ORGULHOSO de si mesmo. Conseguira roubar um bilhete de metrô e o usara para atravessar Londres até uma estação a leste da Blackfriars. Evitou a estação Temple, pois, como ficava ao lado dos Inns of Court, provavelmente era lá que Malone e Kathleen iam descer. Ele chegaria à Blackfriars pela direção oposta. No caminho, pensou no que faria ao chegar, hesitante. Pelo menos não estava à toa esperando em um quarto de hotel.

Detestava ter magoado a Srta. Mary. Tinha visto a expressão no rosto dela, sabia que ela não queria que ele viesse. Talvez já fosse hora de escutá-la e confiar em seu julgamento.

Ian localizou a estação em obras, que ficava diante de uma avenida muito movimentada. A cúpula da Catedral de St. Paul se erguia à direita. Um tapume formava uma barreira provisória em torno do canteiro de obras, mas ele deu um jeito de entrar por uma abertura

398 \ STEVE BERRY

e passar por uns arbustos misturados com lixo. Não viu ninguém, mas se manteve entre os equipamentos e o entulho, tomando cuidado para não ficar muito exposto.

Finalmente, entrou no prédio principal e avançou, o cascalho rangendo sob seus pés.

Ouviu vozes. Andaimes se erguiam à direita, perto de pilhas de engradados e caixas. Apressou-se e escondeu-se ali atrás.

KATHLEEN ENTROU NA Blackfriars pelo oeste, encaminhando-se ao novo prédio da estação. Estava de arma em punho. Malone não queria que ela fosse até lá embaixo junto com ele. Mathews deixara claro que ele devia ir sozinho. Então ele lhe pedira que vigiasse o canteiro de obras e ficasse atenta. Mathews havia dito que Antrim estava indo para o subterrâneo da estação, e o vídeo confirmou que Antrim e Gary Malone estavam em uma obra. Era lógico que Malone queria que o lugar fosse cercado, caso os dois estivessem de fato ali. Depois, dissera ele, *improvise*.

Kathleen avançou com cautela e entrou na estação em obras por um caminho que seguia por uma série de plataformas e corredores. Havia refletores acesos sobre tripés, e ela duvidava de que tivessem sido deixados assim por todo o fim de semana. Pelo que tinha lido sobre esse projeto, as obras prosseguiam sete dias por semana, o tempo era precioso. Então, onde estavam os operários? Certamente o SIS havia se encarregado deles naquele dia.

Viu algo familiar dentro do prédio da nova estação.

Do vídeo.

Espreitou uma abertura que levava ao subsolo, onde passavam os trilhos do metrô, e encontrou as escadas de mão. As mesmas que ela e Malone tinham visto no vídeo.

Então ouviu um ruído.

À sua direita.

No nível onde ela estava.

Ela seguiu em sua direção.

A FARSA DO REI \ 399

IAN FICOU ESPIANDO enquanto Gary Malone era conduzido por um homem. Alto. Jovem. Sem dúvida, um policial.

— Eu não quero ir — dizia Gary.

— Isso não depende de você. Vamos.

— Vocês estão mentindo. Meu pai não está na catedral.

— Está, sim. Vamos.

Gary parou e encarou seu acompanhante.

— Vou voltar.

O homem pegou a arma de dentro do paletó e a apontou para Gary.

— Vamos.

— Vai atirar em mim?

Corajoso. Isso Ian devia admitir. Mas, diferentemente de Gary, ele não tinha tanta certeza de qual seria a reação daquele homem.

Sua mente estava acelerada.

O que fazer?

Teve uma ideia. A mesma que havia tido fazia um mês naquele carro, quando Mathews e o outro homem queriam matá-lo. Ele tinha deixado a sacola plástica com seus pertences na livraria da Srta. Mary, mas havia pegado a faca e o spray de pimenta.

E eles estavam em seu bolso.

Ian sorriu.

Tinha funcionado uma vez.

Por que não funcionaria novamente?

GARY MANTEVE-SE FIRME e desafiou o sujeito a puxar o gatilho. Aquela coragem o surpreendeu, mas ele estava mais preocupado com seu pai do que consigo mesmo.

E com Antrim, que o havia rejeitado.

Aquilo o deixara magoado.

Com sua visão periférica, notou uma movimentação e se virou. Ian vinha em sua direção.

Mas o que *ele* estava fazendo ali?

400 \ STEVE BERRY

O homem armado também o viu.

— Essa é uma área restrita.

— Eu sempre dou uma volta por aqui — disse Ian, ainda se aproximando.

O homem se deu conta de que estava com uma arma à vista e abaixou-a. Isso só confirmou que ele não ia atirar em ninguém ali.

— O senhor é policial? — perguntou Ian.

— Isso mesmo. E você não pode ficar aqui.

Ian chegou mais perto e parou. Ergueu a mão direita, e Gary ouviu o chiado do spray. O homem armado soltou um uivo e levou as mãos aos olhos. Ian deu um chute na barriga do homem, derrubando-o no chão.

Os dois garotos saíram correndo.

— Eu ouvi o que ele disse — falou Ian. — Seu pai não está na Catedral de St. Paul. Ele está aqui.

Cinquenta e nove

ANTRIM CURVOU-SE PARA percorrer o corredor baixo. Havia cabos de energia presos junto ao teto abobadado, e pequenas lâmpadas pendiam a cada vinte metros, sua claridade quase cegando-o.

— Nós descobrimos esses túneis quando a estação Blackfriars foi reformada na década de 1970. Na época, foi construída uma entrada para eles na nova estação, um acesso que fica sob nosso controle. Nós colocamos energia elétrica aqui, e você logo vai saber por quê.

Por ser mais baixo, Mathews não precisava abaixar a cabeça. Ele seguia na frente, o chão de terra batida seco como um deserto.

— Achei que gostaria de ver o que está procurando — disse Mathews. — Afinal, teve muito trabalho para encontrá-lo.

— Então o tesouro é real?

— Meu Deus, Sr. Antrim, e como!

— Quem construiu esses túneis?

— Achamos que, a princípio, foram os normandos, como rota de fuga. Mais tarde, os templários os aprimoraram, acrescentando tijolos às paredes. Não estamos longe dos Inns of Court, a antiga sede da ordem, e, portanto, suponho que esses caminhos tivessem muita serventia aos cavaleiros.

Antrim ouviu um som retumbante se tornando cada vez mais alto e se perguntou se era outro trem passando por um túnel próximo.

402 \ STEVE BERRY

— O rio Fleet — anunciou Mathews. — Bem à frente.

Eles chegaram a um vão no fim do túnel, onde havia outra obra realizada pelo homem: uma câmara ampla, por onde passava a água canalizada. Pararam em uma ponte de ferro que se estendia três metros acima do fluxo.

— Essa ponte foi construída depois da descoberta do túnel que acabamos de percorrer — contou Mathews. — Quando o Fleet foi canalizado séculos atrás, o caminho foi involuntariamente bloqueado. No momento, a maré está baixa, mas isso logo vai mudar. Na maré alta, a água sobe até quase onde estamos.

— Imagino que ninguém gostaria de estar lá embaixo quando isso acontecer.

— Não, Sr. Antrim, certamente ninguém gostaria.

MALONE CONTINUOU A percorrer o túnel, a água agora na altura das canelas e subindo em um ritmo constante. A entrada pela casa Goldsmith levara a esse corredor amplo, de uns cinco metros de largura por cinco de altura, com paredes de tijolos bem-cimentadas, a superfície lisa como vidro. Ele certamente estava pisando o rio Fleet. A água era fria. Havia muito tempo o rio não era mais poluído, mas o ar túrgido carregava um cheiro forte. Já lera um livro sobre os muitos rios subterrâneos de Londres — nomes como Westbourne, Walbrook, Effra, Falcon, Peck, Neckinger —, mas o Fleet e o Tyburn eram os mais importantes. Eram cerca de 160 quilômetros de rios canalizados, e a cidade equilibrava-se sobre eles como um corpo boiando na água. No teto havia dutos de ventilação na abóbada de tijolos, e grades metálicas permitiam a entrada de luz e de ar. Malone tinha visto algumas dessas grades nas ruas. Agora ali estava ele, no subsolo, dentro de uma impressionante obra de engenharia vitoriana, com o rio Fleet passando a um ritmo impressionante. Seu desconforto natural em espaços fechados era aliviado pelo fato de o túnel ser amplo e ter o teto alto. Além disso, Gary estava ali. Em algum lugar.

A FARSA DO REI \ 403

E isso significava que precisava seguir em frente.

Mathews tinha lhe dito que seguisse a fiação elétrica. Os cabos serpenteavam acima de Malone desde que ele havia entrado no túnel nos Inns of Court, acima de qualquer marca de água, e desapareciam à frente na semiescuridão. A pistola ainda estava presa no cós da calça, nas costas, por baixo do casaco. Ele estava sendo manipulado. Sem dúvida. Mas não era a primeira vez. Seu trabalho na Magellan Billet incluía correr esse tipo de risco. Ele sabia o que estava fazendo. O que não sabia era o que havia acontecido entre Antrim e Gary. Será que ele pegara pesado com o garoto? Teria magoado o menino de alguma forma? No mínimo, um estranho havia se metido em sua família e se interposto entre ele e o filho. Pior, esse estranho não era confiável, recebera milhões de dólares para trair o próprio país. Será que Antrim tinha sido responsável pela morte dos dois agentes americanos? Claro que sim. E agora esse traidor estava com Gary.

Que caos.

E tudo por causa de erros cometidos muito tempo atrás.

KATHLEEN VIU IAN Dunne espirrar algo no rosto de um sujeito. Devia ser spray de pimenta, a julgar pela reação do homem. Ian claramente desobedecera às instruções de Malone para que ficasse no hotel. Ela estava escondida atrás de uma betoneira, seu interior coberto pela substância dura e cinzenta, e ficou observando enquanto dois garotos saíam correndo. Deu-se conta de que o outro adolescente era o filho de Malone, Gary. Ouviu Ian explicar que Malone estava ali perto, e Gary disse que sabia onde. Decidiu continuar ali abaixada, escondida, pelo menos por enquanto. Os garotos passaram por ela.

Em seguida, foi atrás deles, permanecendo a certa distância.

Ali não faltava lugar para Kathleen se esconder e não revelar sua presença, com todo aquele entulho e todo aquele equipamento. Ela viu quando eles encontraram a escada do vídeo e desceram. Aproximou--se, não viu ninguém lá embaixo e desceu também. Ao chegar ao nível inferior, deu uma olhada rápida para a direita e notou Gary Malone desaparecendo dentro de um túnel. Lufadas de ar vinham de outro túnel à esquerda.

Poucos segundos depois, um trem do metrô passou com um estrondo e entrou no túnel por onde os garotos seguiram. Ela foi até a boca do túnel e esperou os vagões desaparecerem. Espreitou a escuridão lá dentro.

Os dois garotos tinham se encostado na parede de concreto. Em seguida, foram em frente, encontraram uma porta e entraram.

ANTRIM DESCEU ALGUNS degraus de mármore e entrou em uma câmara iluminada. O aposento tinha um formato oval, seu teto abobadado apoiado por oito colunas espaçadas. A maior parte das paredes era coberta de estantes com xícaras, candelabros, chaleiras, lamparinas, tigelas, porcelana, cálices, jarros e canecas.

— A louça da realeza — disse Mathews. — Parte da fortuna dos Tudors. Tinham grande valor há quinhentos anos.

Antrim foi até o centro da câmara e olhou para cima, para o topo das colunas, ornamentadas com vinhas e espirais. Havia murais de anjos pintados ali em cima, além de pinturas bastante coloridas nos arcos superiores.

— Isso foi encontrado assim — contou Mathews. — Por sorte, o serviço secreto foi o primeiro a entrar aqui, e a câmara permaneceu fechada desde a década de 1970.

Havia um sarcófago de pedra a uns dez metros.

Antrim se aproximou e viu que a tampa não estava lá.

Olhou para Mathews.

— Claro — disse o homem idoso. — Dê uma olhada.

MALONE CONTINUOU A seguir a fiação elétrica, que o levou das galerias do rio até outro túnel estreito, com chão de terra batida.

A FARSA DO REI \ 405

Um percurso curto, de uns cinco metros, talvez. Malone notou que, quando a maré subisse, o rio chegaria até ali, mas não ao final do túnel, por causa de uma suave inclinação.

Chegou a uma arcada.

Atrás dela viu uma câmara escura a cerca de cinco metros e outra entrada, iluminada.

Ouviu vozes conhecidas.

Mathews e Antrim.

Malone sacou a pistola, entrou no primeiro cômodo e, com passos cuidadosos, foi avançando devagar até a segunda entrada.

Três colunas sustentavam o teto da câmara vazia, proporcionando--lhe alguma proteção. Encostou-se à parede, inspirou.

E espiou lá dentro.

IAN DESCIA O túnel, e Gary o seguia de perto. Acompanhavam a fiação elétrica e as luzes, como Mathews orientara Malone na conversa telefônica que Ian ouvira no Goring Hotel. Gary o levara até a porta de metal e descrevera o velho que estava lá.

Ian o conhecia.

Thomas Mathews.

Ele ouviu o som da correnteza ficar cada vez mais alto e a encontrou logo depois da porta de metal aberta. Sabia que o rio Fleet passava pelos subterrâneos de Londres e até já explorara aqueles túneis umas duas vezes. Lembrou-se de um aviso que havia ali. A maré subia rapidamente e inundava as câmaras; portanto, o risco de afogamento era grande. Chegaram a uma ponte de ferro que atravessava o rio. Suas águas passavam pelas colunas rapidamente, fazendo tudo vibrar sob seus pés.

— Temos de ficar bem longe daqui — disse Gary.

Ian concordou.

Eles seguiram em frente e atravessaram outra arcada. Uma porta de metal estava aberta, e eles viram luzes acesas em uma pequena

406 \ STEVE BERRY

câmara. A fiação elétrica serpenteava pela parede, atravessava o piso e entrava no cômodo.

Vozes perturbavam o silêncio.

Gary posicionou-se em um dos lados da entrada.

Ian atrás dele.

Os dois escutavam.

ANTRIM OLHOU PARA o interior do sarcófago. Não era elaborado nem tinha ornamentos. Nenhuma inscrição, nenhum trabalho artístico. Pedra pura.

Continha apenas pó e ossos.

— Esse é o corpo do homem que viveu até os 70 anos — esclareceu Mathews. — Análises forenses confirmaram sua identidade. Graças à violação do túmulo de Henrique VIII, obtivemos uma amostra do próprio rei para comparação.

— Fico contente de ter podido ajudar em alguma coisa.

Mathews pareceu não gostar do sarcasmo.

— A análise do DNA dos restos mortais mostrou que este homem tinha uma ligação genética paterna com Henrique VIII.

— Então isso é o que resta do filho de Henry FitzRoy. O impostor. O homem que foi Elizabeth I.

— Agora não há dúvidas. A lenda é real. O que no passado era uma história fantasiosa contada pelo povo de Bisley e seus arredores agora é fato. É claro, a lenda era inofensiva...

— Até eu aparecer.

— É, mais ou menos isso.

O que Robert Cecil havia escrito era verdade. O impostor realmente fora enterrado embaixo do mosteiro dos dominicanos, e a Elizabeth morta, uma criança de 13 anos, fora levada para Westminster e colocada ao lado da irmã.

Incrível.

A FARSA DO REI \ 407

— Quando esta câmara foi encontrada, também continha baús de moedas de ouro e de prata — explicou Mathews. — Bilhões de libras. Foram derretidas e retornaram ao tesouro do Estado, onde era seu lugar.

— Não pegou nada para si?

— Claro que não.

Antrim percebeu a indignação.

— Por favor, eu gostaria que me devolvesse o diário de Robert Cecil — pediu Mathews.

Antrim tirou a mochila dos ombros e entregou o diário.

— Eu já o vi antes — disse Mathews.

— Eu não queria que a Sociedade Dédalo se apoderasse dele. E o que me diz dessa sociedade secreta? São um problema?

Mathews fez que não.

— Nada que eu não possa dar um jeito.

Antrim estava curioso.

— O que vai fazer com este lugar?

— Depois que o diário for destruído, isso se tornará apenas outro sítio arqueológico inócuo. Seu verdadeiro significado nunca será conhecido.

— A Farsa do Rei teria funcionado.

— Infelizmente, Sr. Antrim, tem razão. Nunca poderíamos permitir que a verdade sobre Elizabeth fosse divulgada.

Antrim ficou satisfeito de saber que estava certo.

— Eu tenho uma pergunta — disse Mathews. — Você manipulou Cotton Malone para vir a Londres com o filho com um propósito específico. Consegui descobrir que propósito era esse. O garoto é seu filho. O que planeja fazer com essa situação?

— Como o senhor soube disso?

— Cinquenta anos no serviço de inteligência.

Antrim decidiu ser honesto.

— Cheguei à conclusão de que ter um filho é um saco.

— Sim, filhos podem ser um problema. Mesmo assim, ele é seu filho.

408 \ STEVE BERRY

— Os milhões de dólares que a Dédalo me pagou compensam essa perda.

Mathews fez um gesto na direção do diário.

— Você se dá conta de que seus objetivos eram pura tolice?

— Não diga? Eles pareceram chamar *sua* atenção.

— Você claramente não entende nada da Irlanda do Norte. Conheci homens e mulheres que morreram lá durante os conflitos. Perdi agentes lá. Milhares de civis também morreram. Existem centenas de facções só esperando uma boa razão para começar a matar uns aos outros novamente. Algumas querem os ingleses fora de lá. Outras querem nossa permanência. Os dois lados estão dispostos a massacrar milhares de pessoas para provar que têm razão. Revelar esse segredo custaria a vida de muita gente.

— Vocês só precisavam dizer aos escoceses que não libertassem o líbio.

— Que modo interessante de tratar um de seus aliados.

— Dizemos o mesmo de vocês.

— Os Estados Unidos não têm nada a ver com isso. A explosão daquele avião ocorreu em território escocês. Juízes escoceses julgaram e condenaram al-Megrahi. A decisão quanto ao que fazer com o prisioneiro só cabia aos escoceses.

— Não sei o que a Líbia prometeu a vocês, ou aos escoceses, mas deve ter sido algo bem substancial.

— Você está querendo nos dar uma lição de moral? — perguntou Mathews. — Um homem que vendeu seu país, sua carreira e seu filho por alguns milhões de dólares?

Antrim ficou calado. Não havia necessidade de se explicar.

Não mais.

— Você manipulou Cotton Malone — disse Mathews. — O filho dele, a ex-mulher, a CIA, a Dédalo. Tentou manipular meu governo, mas depois decidiu que era mais importante que tudo isso. Sr. Antrim, qual é a sensação de ser um traidor?

Ele já havia ouvido o bastante.

A FARSA DO REI \ 409

Tirou a mochila dos ombros e deixou-a cair na base de uma das colunas da câmara.

Os detonadores estavam no lugar, armados, prontos para ser acionados.

— E agora?

Mathews sorriu.

— Um pouco de justiça, Sr. Antrim.

Sessenta

MALONE ESCUTAVA A conversa entre Antrim e Mathews e sua fúria crescia a cada segundo. Antrim não ligava para nada além de si mesmo. Gary não tinha qualquer importância. Mas onde estava seu filho? Devia estar com Antrim. Segurando a pistola, com o dedo no gatilho, Malone saiu das sombras e foi banhado pela luz forte.

Mathews estava de costas. Ao vê-lo, Antrim foi tomado pelo choque.

— O que ele está fazendo aqui?

Mathews se virou devagar.

— Eu o convidei. Suponho que você estava escutando, Malone.

— Cada palavra.

— Achei que vocês dois precisavam de um lugar mais reservado para resolver suas diferenças. Então os trouxe até aqui. — Mathews seguiu para os degraus, rumo à saída. — Vou deixá-los à vontade.

— Onde está Gary? — perguntou Malone.

Mathews parou e o encarou.

— Está sob meus cuidados. Em segurança. Agora cuide do Sr. Antrim.

GARY OUVIU O que Mathews disse.

Uma mentira.

Ele teve o impulso de revelar sua presença ali.

A FARSA DO REI \ 411

Seu pai precisava saber que ele estava ali.

Ian o segurou pelo ombro e sussurrou:

— Você não pode fazer isso. Aquele homem é um canalha. Ele quer me matar, e provavelmente quer matar você também.

Gary olhou bem nos olhos de Ian e viu que era verdade.

— Fique quieto — sussurrou Ian. — Espere um pouco. Deixe seu pai lidar com isso.

MALONE OLHOU PARA Mathews e Antrim com a arma apontada para eles.

Mathews sorriu.

— Qual é, Malone? Nós dois sabemos que você não pode, ou melhor, não *vai* atirar em mim. Esse fiasco todo é culpa de Washington. Eu não fiz nada além de defender a segurança do meu país. Você entende a gravidade do que estava em jogo. Pode me culpar agora? Fiz exatamente o que você teria feito, se nossos papéis fossem invertidos. Até o primeiro-ministro sabe o que está acontecendo aqui. Você pode me matar, mas o prisioneiro vai ser transferido de qualquer forma e minha morte apenas pioraria uma situação que já está péssima para Washington.

Malone sabia que ele estava certo.

— Na verdade, ele criou todo o problema. — Mathews apontou para Antrim. — E, francamente, espero que você o faça sofrer. Ele matou três dos meus agentes.

— Do que o senhor está falando? — perguntou Antrim. — Eu não matei nenhum agente seu.

Mathews balançou a cabeça com desgosto.

— Seu imbecil, *eu criei a Dédalo*. As pessoas que você encontrou eram meus agentes. O dinheiro que você recebeu veio de mim. Foi tudo uma encenação. Você não é o único que sabe manipular as pessoas.

Antrim ficou calado por um instante, aparentemente assimilando a realidade. Em seguida, disse:

— O senhor matou dois agentes meus. E seus três agentes foram até aquele depósito para me matar. Eu só me defendi.

— Isso, francamente, me deixou chocado. Você é um tolo incompetente. Como conseguiu solucionar esse enigma é um mistério. Um segredo que ficou guardado por tanto tempo. Mas, por incrível que pareça, você tropeçou na verdade. Então não tive escolha. Você não me deixou opção.

— Eu fiz meu trabalho.

— É mesmo? E na primeira oportunidade vendeu seu país. Por alguns milhões de dólares estava disposto a esquecer tudo, incluindo aqueles dois agentes americanos mortos.

Antrim ficou calado.

— Seu nome. Sempre achei irônico. Existem seis condados na Irlanda do Norte. Armagh, Down, Fermanagh, Londonderry, Tyrone... — Mathews fez uma pausa. — E Antrim. É um lugar muito antigo. Talvez você tenha algum sangue irlandês em sua família.

— O que importa? — perguntou Antrim.

— Aí é que está. Nada importa, exceto você. Agora vou deixá-los à vontade para acertarem suas diferenças.

E Mathews começou a subir os degraus de mármore.

GARY SEGUIU O conselho de Ian e continuou onde estava. Desde que sua mãe lhe havia contado sobre seu pai biológico, ele imaginava como seria esse homem. Agora sabia. Um mentiroso, um traidor, um assassino. Alguém muito diferente do que ele esperava.

Ouviu o som de passos no chão de pedrinhas.

Aproximando-se.

— Alguém está vindo — sussurrou Ian.

O espaço onde eles estavam era pequeno. Não havia outra saída além do caminho por onde tinham vindo e da entrada para a câmara. Uma lâmpada clara não permitia que o local ficasse totalmente na escuridão, mas à direita deles, na parede mais distante, as sombras eram bastante densas. Eles correram para lá e se encolheram em um canto, esperando para ver quem ia aparecer ali.

O homem idoso.

Ele passou direto e se dirigiu à saída.

Então parou.

E se virou.

Olhou para onde eles estavam.

— É impressionante vocês terem conseguido chegar aqui — disse ele em voz baixa, gutural. — Talvez seja melhor assim. Deveriam mesmo ver o que está para acontecer.

Gary e Ian ficaram imóveis.

O coração de Gary acelerou.

— Não têm nada a dizer?

Nenhum dos garotos falou.

Finalmente, Ian não se conteve.

— O senhor queria me ver morto.

— Verdade. Você sabe de coisas que não deveria saber.

O idoso segurava um livro, que Gary reconheceu.

— É o diário de Cecil.

— De fato. Pelo visto você também sabe de coisas que não deveria saber.

Então ele se foi.

Entrou no túnel que levava à ponte e ao canteiro de obras.

Os dois adolescentes hesitaram, esperando para ter certeza de que ele realmente tinha ido embora.

Depois voltaram para onde estavam.

ANTRIM NÃO ESTAVA gostando nem um pouco da situação. Mathews o conduzira até ali para confrontá-lo com Malone, que agora o encarava segurando uma pistola. A mochila com os explosivos estava encostada em uma das colunas. Malone não tinha dado muita atenção

414 \ STEVE BERRY

a ela. O detonador estava em seu bolso. Nem seria preciso pegá-lo. Bastava bater na coxa, e ele seria acionado.

Mas ainda não.

Malone estava perto demais.

E Mathews não dissera nada sobre os explosivos. Não dera nenhum aviso a Malone. Como se quisesse que fossem usados. O que foi mesmo que o velho inglês disse? *Traga-os. Talvez você precise deles.*

Malone estava entre ele e os degraus que Mathews tinha acabado de subir. Mas era no caminho que Malone tinha usado para chegar até ali que ele precisava se concentrar.

Aquela era a saída.

Não o caminho pelo qual Mathews seguira.

Antrim precisava acabar com isso, desaparecer dali e aproveitar seu dinheiro.

— Você está com uma vantagem — disse ele a Malone. — Eu estou desarmado.

Malone jogou a arma para o lado.

A pistola caiu no chão.

Desafio aceito.

Kathleen seguiu Ian e Gary. Entrou pela porta de metal e percorreu o túnel iluminado. Com passos lentos, arma em punho, conseguiu manter certa distância deles, esperando para ver aonde aquele caminho os levaria, preocupada com os dois garotos, pronta para confrontá-los. O som da correnteza foi ficando mais ruidoso à medida que ela se aproximava da ponte de metal que cruzava um fluxo veloz de água turva.

O rio Fleet.

Ela já estivera duas vezes nesses túneis, em uma delas perseguindo um fugitivo; na outra, à procura de um corpo. Havia ali uma rede de túneis amplos, e agora a água batia quase na metade da altura deles, logo abaixo da ponte.

Um movimento vindo do outro lado chamou sua atenção.

Kathleen recuou, escondendo-se nas sombras.

Thomas Mathews surgiu do outro lado da ponte e fechou a porta atrás de si. Ela viu quando ele inseriu uma chave na fechadura e a trancou. Antes de ir embora, pegou um pequeno rádio no bolso do paletó.

Kathleen avançou para a ponte.

O homem idoso não esboçou qualquer surpresa.

— Eu estava mesmo me perguntando quando você apareceria — disse ele.

Ele se aproximou e parou a uns dois metros dela.

Ela continuou com a arma apontada para ele.

— Onde estão os dois garotos?

— Atrás daquela porta trancada.

Agora ela sabia.

— O senhor atraiu todos para cá.

— Somente Antrim e Malone, mas Ian Dunne foi um bônus inesperado. Ele e o filho de Malone também estão lá.

O que estaria acontecendo atrás daquela porta?

Kathleen notou que Mathews tinha algo além do rádio nas mãos. Um livro antigo, encadernado em couro quebradiço, que ele segurava com firmeza.

— O que é isso? — perguntou ela.

— O que eu procurava. Afinal de contas, a senhorita acabou encontrando-o para mim.

— O diário de Robert Cecil.

— A senhorita realmente é uma excelente agente. Muito intuitiva. É uma pena que a disciplina não acompanhe esse traço admirável.

— Eu sei o que está em jogo — disse ela, a voz se sobrepondo ao estrondo da água. — Eu sei que a Irlanda do Norte pode recomeçar sua rebelião. Sei que os americanos não deveriam se meter em nossos assuntos, mas também entendo o que eles fizeram. O maldito terrorista *tem que* ficar na cadeia. Todos erraram.

416 \ STEVE BERRY

— Uma crítica dura de uma agente prestes a ser demitida.

Kathleen engoliu o insulto.

— Posso estar prestes a ser demitida, mas pelo menos me importo com dois garotos em apuros.

— Ian Dunne é testemunha de um assassinato cometido pelo SIS. Cometido aqui, em solo britânico. O que, como a senhorita bem observou na Queen's College, infringe a lei.

— Um baita escândalo para o senhor e para o primeiro-ministro. Diga-me, ele sabe de tudo o que o senhor fez?

Mathews respondeu com um instante de silêncio.

— Digamos que eu estou dando um jeito nisso, Srta. Richards — respondeu em seguida. — Esse assunto deve acabar aqui. Agora. Para o bem da nação.

— E para o seu bem.

Kathleen já havia ouvido o bastante.

— Dê-me a chave daquela porta — ordenou.

Sessenta e um

MALONE ESTAVA FURIOSO, os olhos atentos a cada movimento de Antrim.

— Isso tudo valeu a pena?

— Claro que sim. Estou cheio da grana, e em poucos minutos você estará morto.

— Quanta certeza.

— Faz muito tempo que estou na ativa, Malone.

— Não sou uma de suas ex-namoradas. Talvez você ache um pouco mais difícil bater em mim.

Antrim se aproximou do sarcófago vazio. A arma estava a uns três metros deles, mas o agente da CIA não parecia interessado nela, seguindo na direção oposta.

— É disso que se trata? — perguntou Antrim. — De defender a honra de sua ex-mulher? Você não parecia estar se importando muito com ela há dezesseis anos.

Malone não se deixou abalar.

— Você gosta de bater em mulheres, né?

Antrim deu de ombros.

— Você não pareceu se importar na época.

As palavras o atingiram, mas ele manteve a calma.

418 \ STEVE BERRY

— Se servir de algum conforto, Malone, o garoto não significa nada para mim. Eu só queria saber se conseguiria fazer isso. Pam me deixou muito irritado há alguns meses. Achou que podia *me* dizer o que fazer. Uma regra que eu sempre sigo: nunca deixe uma mulher mandar em você.

GARY OUVIA TUDO o que Antrim dizia.

Foi tomado por uma onda de raiva e repulsa.

Teve o ímpeto de entrar na câmara, mas Ian o deteve pela segunda vez e fez que não com a cabeça.

— Deixe seu pai cuidar disso — sussurrou Ian. — A briga é dele agora.

Ian tinha razão. Não era o momento. Sua aparição repentina apenas complicaria as coisas. Que seu pai cuidasse disso.

— Você está bem? — perguntou Ian, baixinho.

Gary assentiu.

Mas não estava.

ANTRIM PROVOCAVA MALONE, usava todos os seus pontos fracos, incitava-o a reagir. Mas também não estava mentindo. Não sobre Pam e Gary. Nenhum dos dois importava mais. Só precisava derrotar Malone, fugir pelo caminho que ele tinha usado para chegar até ali e detonar os explosivos na saída. Considerando as paredes de terra que o cercavam, cento e cinquenta metros seriam proteção mais que suficiente. O calor e o impacto da explosão certamente iam demolir a câmara, proporcionando um túmulo adequado para Cotton Malone, ex-agente da Magellan Billet. Antrim só precisava sair pela passagem que estava a três metros dele.

Isso significava incapacitar Malone por alguns segundos.

O suficiente para correr e acionar o detonador que tinha no bolso.

Porém precisava ter cuidado.

A FARSA DO REI \ 419

Ele não podia se envolver em uma luta corpo a corpo muito intensa, pois não queria que o botão fosse acionado acidentalmente.

Mas era capaz de fazer isso.

MALONE INVESTIU CONTRA Antrim, derrubando-o pela cintura.

Os dois rolaram no chão.

Malone continuou segurando-o firme.

IAN OUVIU O barulho da queda e um gemido vindo de um dos homens. Arriscou uma espiada e viu que estavam brigando. Antrim empurrou Malone, tirando-o de cima dele, e se levantou rapidamente. Malone também ficou de pé e tentou dar um soco em Antrim, mas o agente da CIA se defendeu e atingiu-o no estômago.

Gary também espiou.

Ian viu a pistola à direita de onde estavam, junto às escadas que levavam para a outra câmara.

— Precisamos pegar aquela arma — disse ele.

Mas a atenção de Gary estava na luta.

— Antrim tem explosivos.

GARY PERCEBEU A surpresa de Ian.

— Naquela mochila no chão — completou.

— E você só diz isso agora?

Gary tinha visto o que aquelas bolas de argila eram capazes de fazer.

Um lance especial, dissera Antrim.

Ele relembrou que, no depósito, Antrim estava a mais ou menos dez metros da carnificina e saíra ileso. Se conseguisse afastar a mochila da saída, jogando-a do outro lado da câmara, talvez desse certo. Ele

420 \ STEVE BERRY

duvidava de que Antrim planejasse explodir alguma coisa enquanto ainda estivesse por ali.

Mas o detonador estava no bolso de Antrim.

Poderia ser acionado acidentalmente durante o confronto.

Seu pai estava em apuros.

— Você pega a arma — disse ele a Ian. — Eu jogo a mochila longe.

MALONE SE ESQUIVOU de um gancho de direita e deu um soco que atingiu em cheio o rosto de Antrim. Seu oponente cambaleou para trás e voltou a atacar.

Mais golpes.

Um atingiu Malone no lábio. Sua boca encheu-se de um gosto salgado. Sangue. Ele deu mais socos na cabeça e no peito de Antrim, mas, antes que pudesse golpeá-lo novamente, Antrim pegou um dos jarros de metal na estante e jogou-o em sua direção.

Malone se abaixou, desviando-se do objeto.

Mas em seguida Antrim já estava em cima dele, batendo em sua nuca com algo pesado, e Malone sentiu dor. Para revidar, ele ergueu os braços e atingiu Antrim no queixo.

Um vaso de bronze caiu no chão.

A cabeça de Antrim girou, e ele sentiu uma dor lancinante nas têmporas.

Um chute em suas pernas o fez virar de lado.

Antrim fingiu respirar com dificuldade e se preparou para atacar.

Ian entrou na câmara, descendo os degraus de pedra para pegar a pistola.

Em seguida, Gary apareceu.

Mas o que é isso?

A surpresa deixou Antrim momentaneamente atordoado.

Ian estendeu a mão para pegar a pistola, mas Antrim foi para cima dele, pegou a arma e deu um tapa no garoto com as costas da mão.

A FARSA DO REI \ 421

Gary pegou a mochila no chão e jogou-a na escuridão da câmara adjacente.

O DEDO DE Antrim encontrou o gatilho, e ele apontou a pistola.

— Chega.

Malone parecia confuso, os garotos olhando para ele.

Ian esfregou a face atingida pelo tapa de Antrim.

Malone foi tomado pelo medo, com seu suor liberando um cheiro doce, almiscarado.

Uma única ideia lhe passou pela cabeça.

Saia. Agora.

— Vocês todos, para lá, junto das escadas.

O olho esquerdo de Antrim estava inchado por causa de um soco, o queixo, a têmpora e a testa doíam. Ele recuou em direção ao caminho pelo qual Malone havia chegado, com o coração acelerado.

Malone fez um leve movimento, e Antrim apontou a pistola para Gary.

— Prefere que eu atire nele? — gritou. — Vá para lá.

Malone recuou, com Ian e Gary juntando-se a ele.

— Você está bem? — perguntou Malone a Ian.

— Vou ficar bem.

Gary deu um passo à frente.

— Você atiraria em mim? Em seu próprio filho?

Não era hora para sentimentos.

— Veja bem, nós não soubemos da existência um do outro durante quinze anos. Isso não precisa mudar agora. Portanto, sim, eu atiraria. Agora, cale a boca.

— Quer dizer que tudo isso era para magoar minha mãe?

— Você estava escutando? Que bom. Então não preciso repetir.

Malone pôs a mão no ombro de Gary e o puxou para perto, mas o garoto não desviou seu olhar de Antrim.

O agente da CIA dirigiu-se à saída, olhando rapidamente para a câmara adjacente para confirmar que não havia ninguém ali. A escuridão era intensa, mas havia luz suficiente para que ele visse outra saída a uns cinco metros.

Ele pôs a mão no bolso e achou o detonador.

— Fique bem aí — disse ele a Malone.

E foi retirando-se de costas, com a pistola em punho.

Sessenta e dois

KATHLEEN APONTOU A arma para Thomas Mathews. Nunca imaginou que teria um confronto direto com o mestre da espionagem da Grã-Bretanha. Mas foi exatamente isso o que aconteceu nos dois últimos dias.

— Dê-me a chave daquela porta — repetiu ela.

— E o que a senhorita vai fazer?

— Vou ajudá-los.

Mathews riu.

— E se eles não precisarem da sua ajuda?

— Todos os seus problemas estão lá dentro, não? Tudo arrumadinho. Tudo bem escondido.

— Um bom planejamento tornou esse desfecho possível.

Mas como Mathews poderia saber que todos os seus problemas seriam resolvidos? Então ela perguntou:

— O que faz o senhor ter tanta certeza?

— Normalmente, eu não responderia essa pergunta, mas espero que isso venha a servir de aprendizado para a senhorita. Seu amigo Blake Antrim trouxe explosivos de percussão com ele. O mesmo tipo que ele usou na Capela de São Jorge.

Ela ligou os pontos.

— E o senhor quer que ele os detone.

Mathews deu de ombros.

— Não importa como isso vai acabar. De forma intencional. Acidental. Contanto que acabe.

— E se Antrim conseguir escapar depois de explodir os outros?

— Será morto.

Kathleen percebeu que Mathews estava enrolando-a, dando tempo para que as coisas acontecessem como ele queria atrás daquela porta.

Isso significava que o tempo era curto.

E aqueles dois adolescentes estavam lá dentro.

— Dê-me a chave.

Mathews a mostrou na palma da mão direita, a mesma que segurava o rádio.

Estendeu o braço para o lado, sobre a ponte.

— Não faça isso — pediu ela.

Mathews jogou a chave.

Ela desapareceu na correnteza do rio.

— Fazemos o que precisa ser feito — disse ele, sua fisionomia tão animada quanto uma máscara fúnebre. — Meu país vem em primeiro lugar, e desconfio de que a senhorita pensa da mesma forma.

— O fato de seu país vir em primeiro lugar significa que o senhor tem que matar adolescentes?

— Nesse caso, sim.

Kathleen se arrependeu de não ter impedido Ian e Gary de seguirem em frente. Agora eles estavam atrás daquela porta trancada, e a culpa era toda dela.

— O senhor não é diferente de Antrim.

— Ah, sou. Muito diferente, na verdade. Eu não sou um traidor.

— Vou atirar no senhor.

Mathews sorriu.

— Acho que não. Está acabado, Srta. Richards. Deixe as coisas como estão.

Ela viu os dedos de Mathews acionarem um botão no rádio. Certamente havia mais agentes dele por perto, o que significava que, em breve, eles dois não estariam a sós. Ela já havia ouvido falar daqueles momentos em que toda a existência passava diante dos olhos. Aqueles instantes em que decisões cruciais eram tomadas. Alguns os chamavam de reviravoltas. Tinha chegado perto delas ao passar por situações que colocaram sua vida em risco.

Mas nunca como agora.

Sir Thomas Mathews estava dizendo, basicamente, que ela era muito fraca para fazer qualquer coisa.

Ele a desafiou ao jogar a chave no rio.

Sua vida profissional estava acabada.

Ela havia fracassado.

Mas isso não significava que deveria fracassar como pessoa.

Malone e os garotos estavam em apuros.

E um velho se encontrava em seu caminho.

Mathews levou o rádio à boca.

— Eles têm de morrer, Srta. Richards. É a única maneira de acabar com isso.

Não, não era.

Que Deus a perdoasse.

Kathleen deu um tiro no peito dele.

Mathews cambaleou em direção ao corrimão baixo da ponte.

O diário caiu aos seus pés.

Uma expressão de choque no rosto.

Ela deu um passo na direção dele.

— O senhor nem sempre está certo.

E empurrou-o da ponte.

Ele caiu na água, voltou à superfície e arfou, com os braços se debatendo. Em seguida, perdeu as forças e afundou, e a correnteza levou o cadáver pela escuridão rumo ao Tâmisa.

Não havia tempo para pensar nas consequências do que ela acabara de fazer. Em vez disso, Kathleen correu para a porta e analisou a fechadura. Latão. Nova. A própria porta era toda de metal.

Deu alguns chutes.

426 \ STEVE BERRY

Era sólida e abria para o lado dela, o que significava que as dobradiças de metal proporcionavam força extra.

Só havia um modo de fazer aquilo.

Ela recuou, apontou a pistola e esvaziou o pente na fechadura.

GARY NÃO DESVIOU o olhar firme.

Tudo havia acontecido com tanta rapidez que ele duvidava de que Antrim tivesse percebido que a mochila não estava mais ali. A atenção dele tinha se focado em Ian e na pistola. Antrim continuou a recuar em direção a outra câmara, a pistola ainda apontada para eles. Logo os três não conseguiram mais ver o agente da CIA, mas, graças à iluminação, Antrim ainda conseguia mantê-los sob a mira.

Malone também o observava.

— Deixe-o ir — disse Gary, mal movendo os lábios.

MALONE OUVIU AS palavras de Gary.

— O que ele tem? — perguntou baixinho, mantendo os olhos no vão escuro do outro lado da câmara, por onde Antrim escapava.

— Explosivos — murmurou Gary. — Muito potentes. Queimam as pessoas. Ele os trouxe na mochila.

O que foi mesmo que Mathews lhe contou em Hampton Court? Sobre Antrim e o túmulo de Henrique VIII? *Ele usou explosivos de percussão para destruir a placa de mármore.* Malone conhecia a capacidade daqueles explosivos. E suas limitações.

Seus olhos percorreram a câmara, confirmando o que já havia notado instantes atrás. A mochila não estava ali.

— Deixe-o ir — repetiu Gary num sopro.

ANTRIM SEGURAVA O detonador com a mão direita. Estava em segurança na câmara adjacente. Via Malone e os dois garotos na câmara do tesouro. Havia muitos objetos entre ele e os explosivos. Estava protegido. Continuou a apontar a arma, o que Malone parecia respeitar, pois nenhum dos três tinha se movido. Uma rápida olhada para trás, e ele viu novamente o contorno da outra saída a pouca distância. Não sabia aonde levava, mas obviamente era uma saída, e muito preferível ao caminho que levava a Thomas Mathews. Seus olhos ainda não haviam se habituado à escuridão, e ele esperou por um instante até as pupilas se dilatarem. Estava sem lanterna, assim como Malone, o que significava que não teria dificuldades de caminhar até a saída. Só precisaria proteger os olhos durante a explosão.

Thomas Mathews queria que ele matasse Malone. Os garotos? Efeito colateral. Menos duas testemunhas.

Gary?

Não importava.

Ele não era pai.

As últimas vinte e quatro horas comprovaram isso.

Antrim ficava melhor sozinho.

E sozinho ficaria.

Ele se agachou e se encolheu.

Apontou o detonador.

E apertou o botão.

Notou um clarão a três metros de distância. Ali.

Naquela câmara.

A escuridão foi dissolvida por uma luz laranja, que se tornou amarela e finalmente azul.

Antrim gritou.

MALONE VIU UM clarão, ouviu um grito apavorado e imaginou a expressão de Antrim, o horror ao perceber o que estava prestes a acontecer. Ele se jogou no chão, levando junto Gary e Ian. Os três caíram, Malone protegendo os dois garotos do impacto na câmara adjacente, do calor intenso e da luz que se propagava em ondas e engolia o teto. O sarcófago

428 \ STEVE BERRY

estava entre eles e a câmara, o que bloqueou grande parte do efeito dos explosivos. Ainda bem que eram de percussão e não explosivos convencionais, pois nesse caso a pressão teria destruído as duas câmaras.

O calor, porém, era devastador.

Os fios elétricos se partiram, e as lâmpadas explodiram com fagulhas azuis. Os efeitos dos explosivos duraram apenas alguns segundos, como o algodão-pólvora dos mágicos, mergulhando o cômodo em total escuridão. Malone ergueu os olhos e sentiu o odor amargo do carbono, e o ar antes frio agora estava quente como o meio-dia.

— Tudo bem com vocês? — perguntou aos garotos.

Eles confirmaram que sim.

Os três tinham ouvido o grito.

— Você fez o que devia ter feito — disse Malone a Gary.

— Ele ia nos matar — acrescentou Ian.

Mas Gary continuou quieto.

Um estalo interrompeu o silêncio. Como o som de madeira sendo estilhaçada, porém mais alto, mais forte. Depois outro. E mais outros. Malone ficou tenso, dominado por uma expectativa torturante. Ele sabia o que estava acontecendo. Os tijolos centenários que formavam as paredes e o teto da câmara adjacente tinham acabado de ser expostos a um calor tão intenso que sua estrutura começou a rachar. Isso, aliado à pressão de apoiar toneladas de terra durante muitos anos, faria com que tudo desmoronasse.

Alguma coisa ruiu na outra câmara.

Algo duro e pesado.

Seguido de outro baque forte o bastante para fazer o piso tremer.

As pedras estavam caindo do teto. A câmara onde eles estavam permanecia intacta por enquanto. Mas precisavam sair dali.

Um problema.

Estavam cercados pela escuridão total.

Não conseguiam ver um palmo diante do nariz.

Não tinham como saber para que lado ir.

E havia pouco tempo para descobrir.

A FARSA DO REI \ 429

KATHLEEN JOGOU A arma na direção da ponte e investiu contra a porta de metal. Dera quatro tiros na fechadura, destruindo-a. Tinha sido arriscado, levando-se em consideração que a bala ricocheteava no metal, mas não lhe restara escolha. A porta não tinha maçaneta, apenas a fechadura a mantinha trancada, e só era possível abri-la inserindo a chave e liberando o trinco.

Mas ela não tinha a chave.

Deu outro chute na porta, que se soltou do batente, o suficiente para que ela enfiasse os dedos no vão. Com dois puxões fortes, a fechadura cedeu e a porta se abriu.

Kathleen imediatamente sentiu o cheiro. Carbono. Queimado. O mesmo cheiro que havia no túmulo de Henrique VIII em Windsor. Resíduos de explosivos de percussão.

Algo tinha acontecido.

Um corredor estendia-se diante dela, tudo no mais absoluto breu. A única luz vinha da galeria pluvial, pouco iluminada pelas grades no teto.

Ela ouviu um baque.

Um bloco pesado vindo abaixo.

Não havia escolha sobre o que fazer.

— Ian? Gary? Malone?

MALONE OUVIU KATHLEEN Richards.

Ela havia conseguido chegar até eles.

Euforia e pânico se misturaram dentro dele.

O som das pedras caindo abafava os chamados de Kathleen. Algo ruiu ali perto. A destruição estava se espalhando, e uma nuvem de poeira os envolvia.

Isso dificultava a respiração.

Eles precisavam sair dali.

— Estamos aqui — gritou Malone. — Continue falando.

430 \ STEVE BERRY

IAN TAMBÉM OUVIU a voz de Kathleen, distante, provavelmente no túnel que vinha da ponte.

— Ela está vindo pelo mesmo caminho que nós fizemos — disse ele a Malone em meio à escuridão.

Mais pedras se transformaram em entulho a poucos passos dali.

— Todos de pé — ordenou Malone. — De mãos dadas.

Ele sentiu o aperto da mão de Gary na sua.

— Estamos em uma câmara — gritou Malone. — No final do túnel onde você está.

— Vou contar — disse Richards. — Siga a voz.

GARY SEGURAVA A mão de seu pai e a de Ian.

A câmara do tesouro estava desmoronando, e aquela onde Antrim havia morrido já devia ter ruído por completo. O ar era sufocante, e os três lutavam contra acessos de tosse, mas era quase impossível não inalar poeira.

Seu pai ia à frente, e eles encontraram os degraus.

As pedras batiam no chão ali perto, e seu pai o puxou escada acima. Ele segurou firme e conduziu Ian pelos degraus.

Dava para ouvir uma mulher contando a partir de cem.

De trás para a frente.

MALONE SE CONCENTROU na voz de Kathleen e subiu os degraus. Sua mão direita tateava o espaço adiante, à procura de uma entrada que ele se lembrava de ter visto, escutando os números.

— 87, 86, 85.

Ele seguiu para a direita.

A voz ficou mais fraca.

De volta à esquerda. Mais pedras se transformavam em pó atrás deles, a engenharia secular sucumbindo à gravidade.

— 83, 82, 81, 80.

A FARSA DO REI \ 431

A mão de Malone encontrou o vão da entrada, e ele os levou para fora da câmara.

O ar estava melhor ali, mais fácil de respirar.

E nada caía.

— Estamos aqui fora — gritou ele para a escuridão.

— Estou aqui — disse Kathleen.

À frente.

Não estava longe.

Ele continuou andando, cada passo cauteloso.

— Não há nada aqui — disse Gary. — É uma sala vazia.

Bom saber.

— Continue falando — pediu Malone a Kathleen.

Ela recomeçou a contar. Ele continuou a guiar os garotos em direção à voz, tateando a escuridão, a mão direita encontrando uma parede.

Os dedos seguiam na frente.

A câmara de onde eles tinham acabado de sair parecia estar implodindo, os estrondos se tornando mais fortes.

Sua mão tateou o espaço.

E Kathleen.

Ela segurou a mão dele e o conduziu para outro túnel em direção à saída. Depois de duas curvas, ele viu uma claridade fraca. Azulada. Como o luar.

Passaram por uma porta.

Malone notou a fechadura destruída. Os quatro pararam diante de uma ponte acima do rio, o mesmo pelo qual ele havia se aventurado ao chegar ali. A maré estava subindo e a passagem ia ser inundada; o Fleet estava três metros acima de seu nível normal. Felizmente, a ponte ainda ficava quase um metro acima de seu leito.

Malone deu uma olhada em Gary e Ian.

Os garotos estavam bem.

Em seguida, fitou Kathleen.

— Obrigado. Precisávamos de ajuda.

432 \ STEVE BERRY

Ele notou algo sobre a ponte atrás dela.

O diário de Robert Cecil.

Viu a pistola.

Malone pegou a arma e tirou o pente.

Vazio.

— Encontrou Mathews?

Ela fez que sim.

— Ele sabia que Antrim estava com os explosivos — contou Gary.
— Disse que poderiam ser úteis.

Malone compreendeu tudo. Mathews claramente queria que Antrim o matasse. Tinha esperanças de que o agente da CIA morresse também. Caso contrário, agentes do SIS certamente o eliminariam. Antrim foi um tolo, estava ansioso demais para perceber que não poderia vencer.

— Mathews também sabia que Gary e Ian estavam lá dentro — disse Kathleen.

— Ele nos viu — confirmou Ian. — Quando foi embora.

Malone conhecia o esquema. Nada de testemunhas.

Filho da puta.

Ele se aproximou, ainda com a pistola na mão, e captou a verdade nos olhos de Kathleen Richards. Ela havia matado o chefe do serviço secreto.

Melhor não dizer nada.

Mesma regra.

Nada de testemunhas.

Mas ele queria que ela soubesse de uma coisa.

Seus olhos disseram tudo.

Bom trabalho.

Sessenta e três

HATFIELD HOUSE
DOMINGO, 23 DE NOVEMBRO
9H45

MALONE ENTROU NA mansão, localizada a trinta e dois quilômetros de Londres. Viera de trem com Kathleen Richards, Ian, Gary, Tanya e a Srta. Mary; a estação ficava bem ao lado da propriedade. Era um dia de fim de outono tipicamente inglês — sol entre nuvens e pancadas de chuva repentinas. Ele conseguira dormir algumas horas sem sonhos turbulentos. Todos tinham tomado banho, trocado de roupa e tomado o café da manhã. O horror do dia anterior havia acabado, todos se sentiam aliviados, mas ainda apreensivos. Longos telefonemas durante a noite finalmente tinham dado resultado.

Washington e Londres chegaram a um acordo desconfortável.

E nenhum dos lados estava satisfeito.

O pessoal em Washington continuava irritado porque o prisioneiro líbio de fato ia ser transferido. O pessoal em Londres continuava irritado porque considerava a Farsa do Rei uma invasão injustificada de sua privacidade histórica, e por um aliado. No fim, os dois lados concordaram em encerrar o assunto e deixar as coisas como estavam.

434 \ STEVE BERRY

A transferência seria mantida, e os dois lados abandonariam qualquer retaliação por causa da Operação Farsa do Rei.

O trato seria selado ali, em Hatfield House, a residência ancestral dos Cecils, a qual ainda pertencia ao sétimo marquês e à marquesa de Salisbury, parentes distantes de William e Robert Cecil. Em 1607, Jaime I negociara a propriedade com Robert Cecil, que então cons-truíra uma imensa residência em formato de E — duas alas unidas por um bloco central —, uma mistura entre o estilo jacobiano e a distinção Tudor. Tanya contou a Malone que pouco havia mudado em seu exterior desde a época de Robert Cecil.

— Este é um lugar de muita história — explicou ela. — Muitos reis e muitas rainhas passaram por aqui.

O interior era amplo e imponente, a decoração, simples e elegante. O ar cheirava ao verniz dos painéis de madeira aquecidos pelo sol, à cera dos pisos e às brasas fumegantes das lareiras.

— Nós já viemos aqui várias vezes, desde pequenas — contou a Srta. Mary. — E o cheiro é sempre o mesmo.

Eles estavam no Marble Hall, uma maravilha jacobiana que se estendia por dois andares e atravessava toda a extensão da casa. As janelas banhavam as paredes com blocos dourados de sol. Malone admirou a galeria dos menestréis, as tapeçarias das paredes e o piso de mármore xadrez. O fogo crepitava em uma lareira diante de uma fileira de mesas e de bancos de carvalho, que eram identificados como móveis originais da casa.

Há poucas horas, o corpo de Thomas Mathews havia sido pescado do Tâmisa com um buraco de bala no peito. Uma necropsia preliminar revelara água nos pulmões, indicando que, na verdade, ele tinha se afogado. Stephanie Nelle não sabia nada sobre Kathleen Richards ter matado Mathews. A arma fora jogada no rio Fleet, e a essa altura já havia desaparecido. Somente Malone e Kathleen sabiam a verdade, e a tragédia foi considerada consequência de uma contraoperação que dera errado. Parte do acordo era que a morte de Mathews, juntamente com a de Antrim e a dos outros cinco agentes, permaneceria sem explicação.

Stephanie relatou que o serviço secreto britânico tentara entrar nas câmaras subterrâneas, o palco dos acontecimentos, mas as duas não existiam mais. Câmeras minúsculas, usadas em resgates em casos de terremotos, localizaram restos mortais carbonizados entre as pedras e os artefatos que haviam ali, o que confirmou a morte de Antrim.

A Operação Farsa do Rei estava encerrada.

Havia somente uma última coisa a fazer.

Uma mulher entrou pelo outro lado do salão. Era alta, magra e imponente, os cabelos cor de mel ondulados. Andava em direção a eles com passos firmes, o som agudo dos saltos abafados pelas paredes de madeira. Ele já sabia o nome dela. Elizabeth McGuire. Secretária de Estado do Ministério do Interior. Encarregada de todos os assuntos que envolviam a segurança nacional, incluindo a supervisão do SIS. Thomas Mathews era seu funcionário.

Ela parou diante de Malone.

— Vocês poderiam nos dar licença? Preciso falar em particular com o Sr. Malone.

Ele fez um sinal de cabeça para os outros, indicando que atendessem o pedido.

— Aproveitem para dar um passeio — sugeriu McGuire. — Não há ninguém mais aqui além de nós.

Malone observou enquanto Kathleen e as gêmeas saíam do salão com os garotos.

— O senhor causou uma grande comoção — disse McGuire depois que eles se foram.

— É um dom — retrucou ele.

— Acha graça nisso?

Obviamente, essa mulher não tinha vindo trocar gentilezas.

— Na verdade, a coisa toda foi uma estupidez total. Para os dois lados.

— Com isso nós concordamos, mas preciso esclarecer que foram os americanos que começaram tudo.

436 \ STEVE BERRY

— É mesmo? Foi ideia nossa negociar a libertação de um assassino terrorista?

McGuire queria saber de que lado ele estava.

A fisionomia dela se suavizou.

— Stephanie Nelle é uma grande amiga. Ela me disse que você foi um de seus melhores agentes.

— Eu pago para que ela diga isso às pessoas.

— Acho que ela ficou tão chocada quanto eu com os acontecimentos. Especialmente no que se refere a Ian Dunne. E a seu filho. Colocar os garotos em risco foi imperdoável.

— Mesmo assim, vocês conseguiram o que queriam — provocou Malone. — O líbio vai para casa, e a Grã-Bretanha obtém as concessões prometidas pela Líbia, sejam elas quais forem.

— É assim que o mundo funciona. Os Estados Unidos fazem acordos como esse todos os dias. Portanto, não seja hipócrita. Fazemos o que deve ser feito. — Ela fez uma pausa. — Dentro de certos limites.

Pelo jeito aqueles limites haviam se expandido bastante, mas não era o momento para esse tipo de embate.

McGuire o conduziu à extremidade do salão.

— Escolhi Hatfield House para nosso encontro por causa deste retrato.

Malone já notara a tela, pendurada no meio de uma parede de madeira, com arcadas nas laterais, ladeada por duas pinturas menores, uma de Ricardo III e outra de Henrique IV. Uma arca de carvalho ficava logo abaixo, com veios prateados e dourados na madeira ancestral.

— O Rainbow Portrait — disse McGuire.

Malone se recordou da menção ao retrato nas anotações de Farrow Curry e no diário de Robert Cecil. O rosto era de uma mulher jovem, embora o quadro, como McGuire explicou, tivesse sido pintado quando Elizabeth tinha 70 anos.

— Há muito simbolismo aqui — comentou ela.

E Malone escutou as explicações.

O corpete era bordado com flores primaveris — amores-perfeitos, prímulas e madressilvas. O manto laranja, salpicado de olhos e ouvidos, mostrava que Elizabeth tudo via e ouvia. A manga esquerda era adornada por uma serpente, em cuja boca havia um coração pendurado, representando paixão e sabedoria.

— É o arco-íris que ela segura na mão direita que dá o nome ao retrato.

Malone percebeu sua distinta falta de cor.

— Elizabeth sempre foi cuidadosa ao escolher seus retratos. Este, porém, foi acabado após sua morte, o que deu liberdade ao artista.

Impressionante, sem dúvida.

— A última aparição de Elizabeth I em público aconteceu neste salão — contou McGuire. — A rainha visitou Robert Cecil em dezembro de 1602. Houve uma grande recepção. Um final glorioso para um longo reinado. Ela morreu três meses depois.

Ele notou o uso definitivo do pronome *ela*.

Também já percebera a frase que se destacava do lado esquerdo do retrato.

Non sine sole iris.

Ele sabia latim, além de vários outros idiomas, um efeito colateral de sua memória prodigiosa.

Não há arco-íris sem sol.

Ele apontou para as palavras.

— Os historiadores debateram muito sobre o significado deste lema — contou McGuire. — Supostamente, Elizabeth era o sol, cuja presença era suficiente para trazer paz ao reino e cor ao arco-íris.

— No entanto, o arco-íris é desprovido de cor.

— Precisamente. Alguns disseram que a pintura é uma dissimulação. O arco-íris não brilha porque não há sol. O esplendor dela seria falso. — McGuire fez uma pausa. — Não fica muito longe da verdade, não acha?

— Há outro significado — lembrou ele. — Se analisarmos a frase em inglês, *No rainbow without the sun,* e substituirmos *sun* por *son,* que

438 \ STEVE BERRY

tem a mesma pronúncia, chegaríamos à conclusão de que nada teria acontecido sem o filho.

— Certíssimo. Eu li o texto decodificado do diário de Cecil. Ele tinha grande respeito pelo impostor. Imagino que ficava contemplando essa imagem com frequência.

— E agora? — perguntou Malone.

— Boa pergunta, que estou me fazendo desde ontem à noite. Infelizmente, Thomas Mathews não sobreviveu para me ajudar nessa análise. Você sabe o que aconteceu com ele?

Malone não cairia naquela armadilha.

— Ele trabalhava em um ramo arriscado, e coisas assim acontecem.

— É claro, se tivéssemos permissão para interrogar todos vocês, talvez viéssemos a saber de algo relevante.

Parte do acordo era que ninguém poderia interrogar ninguém.

Malone deu de ombros.

— Isso vai permanecer um mistério. Assim como as mortes dos dois agentes americanos.

— E mais três agentes britânicos.

Touché. Mas essa mulher não era nenhuma idiota. Sabia que ele ou Kathleen havia matado Mathews. Não havia nada que ela pudesse fazer.

— Meu filho correu grave perigo. E, como a senhora disse, Ian Dunne também. Eles não têm nada a ver com isso. Nunca tiveram. Nunca terão. Quem vai longe demais nesse jogo acaba pagando um preço.

— Admiti a Stephanie que os dois lados se excederam. Sete mortes são mais que suficientes para todos nós aprendermos a lição.

Malone concordou.

Então, olhou para o que tinha em mãos. O diário de Robert Cecil. Stephanie tinha lhe dito que o levasse. O acordo incluía sua devolução.

McGuire pegou o antigo volume, folheou suas páginas codificadas e olhou para ele.

— O senhor me perguntou: e agora?

Ela foi até a lareira e jogou o livro no fogo. As chamas engoliram a capa. A fumaça tomou conta da lareira antes de ser sugada pela chaminé. Em poucos segundos, o diário se foi.

— Imagino que vocês não deem importância à história aqui — provocou Malone.

— Ao contrário, a história é importante, e muito. De fato, ela teria provocado um grande dano. Elizabeth I foi uma fraude; portanto, tudo o que foi feito em seu reinado seria anulado. Na melhor das hipóteses, tudo seria contestado. É verdade, passaram-se quatrocentos anos. Mas o senhor, que é advogado, conhece as leis imobiliárias. Elizabeth confiscou terras irlandesas e deu direito de propriedade a muitos britânicos protestantes. Cada uma dessas concessões seria questionada agora, se não anulada.

— E vocês britânicos se orgulham de seu estado de direito.

— É verdade. O que torna esse cenário ainda mais assustador.

— Quer dizer que, se Antrim não tivesse sido um traidor, o diário poderia ter impedido a transferência do prisioneiro?

Ela lhe dirigiu um olhar calculista.

— Nunca saberemos a resposta a isso.

Mas ele sabia.

— Essa questão também tem outro aspecto — prosseguiu McGuire. — Elizabeth foi a única responsável pela coroação de Jaime I. Isso nunca teria acontecido se não fosse pelo impostor. A mãe de Jaime era Mary, rainha da Escócia, sobrinha-neta de Henrique VIII. A irmã dele era avó dela. Em seu testamento, Henrique VIII exclui especificamente esse ramo da família da sucessão ao trono. Era pouco provável que a verdadeira Elizabeth contrariasse tanto os desejos de seu pai. O impostor era um homem vingativo, isso devo dizer. Não podia gerar herdeiros, por isso escolheu a única pessoa que seu avô expressamente rejeitara para sucedê-lo. Talvez tenha feito isso em deferência à sua mãe, que odiava Henrique VIII e todos os Tudors. Portanto, Sr. Malone, como pode ver, a história é importante, sim. A história é a razão de tudo isso ter acontecido.

440 \ STEVE BERRY

Ele apontou para a lareira.

— Mas agora tudo acabou. Não há mais provas.

— O texto decodificado foi igualmente destruído — disse McGuire. — Assim como o e-mail que a dona da livraria encaminhou para si mesma.

O celular da Srta. Mary tinha sido confiscado na noite anterior.

— Creio que o senhor tem a última versão.

Malone tirou o pen drive do bolso e o entregou a ela.

E McGuire o jogou nas chamas.

MALONE ENCONTROU TODOS lá fora, no jardim. Após ter concluído sua incumbência, Elizabeth McGuire foi embora. Tinha vindo para garantir que o diário e o pen drive seriam destruídos. É verdade: Ian, Kathleen, Tanya e a Srta. Mary sabiam do segredo. E poderiam revelá-lo. Mas não existia nada que provasse suas alegações. Apenas uma história maluca. Nada mais. Como a lenda do menino de Bisley e a narrativa de Bram Stoker escrita há cem anos.

— É hora de irmos embora — disse Malone a Gary.

Os adolescentes se despediram.

— Talvez um dia eu vá visitá-lo na Dinamarca — disse Ian.

— Eu gostaria muito. Vá mesmo — retrucou Gary.

Eles trocaram um aperto de mão.

A Srta. Mary ficou ao lado de Ian, com o braço em torno dos ombros do garoto. Malone percebeu o orgulho no rosto dela. Finalmente, ela agora tinha um filho.

E Ian, uma mãe.

— Talvez seja hora de sair das ruas.

Ian assentiu.

— Acho que você tem razão. A Srta. Mary quer que eu vá morar com ela.

— É uma ótima ideia.

Tanya se aproximou e deu um abraço em Malone.

A FARSA DO REI \ 441

— Foi um prazer conhecê-lo. O senhor nos proporcionou uma aventura e tanto.

— Se um dia quiser novamente um emprego no ramo da inteligência, pode me usar como referência. A senhora fez um bom trabalho.

— Gostei muito da experiência. Algo que não vou esquecer tão cedo.

Gary se despediu das irmãs enquanto Malone puxou Kathleen de lado.

— O que aconteceu lá dentro? — perguntou ela em voz baixa.

— O diário foi destruído, assim como todas as cópias do texto já decodificado. Oficialmente, nada aconteceu.

Ele não havia lhe contado muito sobre sua conversa na noite anterior com Stephanie, mas a confirmação chegara mais cedo naquela manhã.

— Você tem seu emprego na Soca de volta. Trata-se de uma determinação vinda direto do alto escalão. Tudo foi relevado.

Kathleen deu um sorriso de agradecimento.

— Eu estava mesmo pensando no que eu faria para ganhar a vida.

— Sou muito grato pelo que você fez lá naqueles túneis. Você salvou nossas vidas.

— Você teria feito o mesmo.

— Pode me fazer um favor?

— Qualquer coisa.

— Não deixe de ser você. Vá à luta com tudo e mande as regras para o inferno.

— Acho que eu só consigo trabalhar dessa forma.

— Era o que eu queria ouvir.

— Mas, de qualquer maneira, eu matei Mathews. Eu poderia ter dado um tiro na perna dele. Poderia tê-lo derrubado apenas.

— Nós dois sabemos que isso não teria funcionado. O filho da puta merecia morrer, e, se eu tivesse tido a oportunidade, eu teria feito a mesma coisa.

Ela o avaliou por um tempo.

— Acredito que teria mesmo.

Ele relembrou seu último encontro com Thomas Mathews.

— Certa vez, eu disse a ele que um dia ele iria longe demais ao pressionar alguém. E isso finalmente aconteceu.

Kathleen agradeceu a Malone tudo o que ele havia feito.

— Talvez eu também vá a Copenhague um dia para visitá-lo.

Seus olhos, porém, prometiam mais.

— Qualquer hora — disse ele. — É só avisar.

Eles se juntaram aos outros.

— Nós formamos uma grande equipe — comentou Malone. — Obrigado por toda a ajuda.

Ele observou todos caminharem de volta à estação para retornar a Londres. Um carro, cortesia de Stephanie Nelle, aguardava ele e Gary na entrada principal, e dali os dois iriam direto para Heathrow.

— Tudo bem com você? — perguntou ao filho.

Eles ainda não tinham conversado sobre tudo o que havia acontecido no dia anterior. E, apesar de Gary não ter de fato matado Antrim, certamente havia permitido que ele morresse.

— Ele era mau — disse Gary.

— Era mesmo, em todos os sentidos.

O mundo estava cheio de malandros, de golpistas, de pessoas falsas. Os pais lutam diariamente para proteger seus filhos de tipos assim. Mas nesse caso era preciso encarar a verdade. Malone precisava dizer uma coisa.

— Gary, você é meu filho. Sempre vai ser. Nada mudou nem vai mudar.

— E você é meu pai. Nada nunca vai mudar *isso* também.

Malone sentiu um calafrio.

— Você ouviu muita coisa ontem.

— Eu precisava ouvir aquilo, era a realidade. Mamãe a escondeu de mim por muito tempo, mas a verdade finalmente me encontrou.

— Agora nós sabemos por que sua mãe ocultou a verdade sobre Antrim.

— É. Eu devo a ela um pedido de desculpas.

— Ela vai gostar disso. Há muito tempo, nós dois cometemos muitos erros. É bom saber que tudo está resolvido agora. Pelo menos espero que estejam.

— Você nunca mais vai me ouvir falar disso. Acabou.

— É assim que deve ser. E tudo isso aqui? Precisamos manter essa história entre nós.

Gary sorriu.

— Assim mamãe não vai matar você?

— É, mais ou menos isso.

Eles admiraram os jardins em silêncio. Os pássaros voavam pelo gramado em busca de comida. Troncos grossos, salpicados de amarelo e verde, ofereciam um cenário tranquilo. Ele relembrou uma história sobre um carvalho que podia ser visto a distância. A árvore sob a qual, em novembro de 1558, um impostor de 25 anos vestido como princesa Elizabeth, papel que desempenhava havia doze anos, foi informado da morte da rainha Maria. Desviando os olhos de um livro, ele ouvira a notícia de que era o soberano da Inglaterra.

Suas palavras foram proféticas.

Este é o desígnio de Deus e é maravilhoso aos nossos olhos.

Malone repassou os acontecimentos dos últimos dois dias. Muita coisa havia acontecido. Muita coisa tinha acabado. Mas, assim como o impostor naquele dia no jardim, ele ainda tinha muito pela frente.

Ele pôs o braço sobre os ombros do filho.

— Vamos para casa.

Epílogo
Presente

MALONE TERMINOU A história.

Passara-se uma hora.

Pam havia permanecido em silêncio à mesa da cozinha, escutando cada palavra, os olhos úmidos de lágrimas.

— Eu fiquei me perguntando por que não tinha notícias de Antrim. Vivia com medo de ele aparecer.

Fazia algum tempo que Malone queria contar tudo a ela. Pam tinha o direito de saber. Mas ele e Gary haviam combinado que guardariam segredo.

— Eu entendi o motivo de você ter decidido me contar a verdade sobre Gary de repente — comentou ele. — Antrim a confrontou no shopping. Viu Gary e soube que era filho dele. Certamente, ele a ameaçou, disse que ia me contar. Você não teve escolha.

Pam ficou em silêncio por algum tempo. Em seguida, disse:

— Aquele dia no escritório foi péssimo. Antrim deixou claro que não cederia. Então percebi que vocês dois precisavam saber a verdade. Preferi contar tudo.

Um telefonema que ele jamais esqueceria.

— Gary estava tão diferente quando voltou daquele feriado de Ação de Graças que passou com você... — observou ela. — Desculpou-se por seus modos. Disse que estava tudo bem, que havia conversado com você. Fiquei tão aliviada que não questionei nada. Só me senti feliz por ele estar bem.

— Só que a tal "conversa" quase custou nossa vida.

A expressão preocupada no semblante de Pam confirmou que ela entendia o que ele queria dizer. A vida dos dois estivera em risco.

— Blake era um homem terrível — contou ela. — Quando estávamos juntos, lá na Alemanha, eu só queria magoar você. Partir para o ataque. Fazer você sentir a dor que eu sentia com a sua traição. Podia ter sido qualquer um, mas a burra aqui escolheu ele.

— Eu compreendo, mas nunca soube que você havia tido um caso. Então como você ia me magoar? Em vez disso, magoou apenas a si mesma e teve que conviver com as consequências disso.

Os dois sabiam por que aquilo tinha acontecido. Pam nunca conseguira esquecer que ele havia tido outra mulher. Aparentemente tinha perdoado Malone. Mas por dentro o choque da traição se alastrara como um câncer. Às vezes isso ficava evidente durante uma discussão. Por fim, a falta de confiança destruíra o casamento. Se ela tivesse confessado na época que havia feito a mesma coisa, talvez tudo teria sido diferente. Talvez o casamento tivesse terminado lá mesmo.

Ou talvez nunca.

— Eu fiquei com tanta raiva... — admitiu ela. — Mas estava sendo simplesmente mentirosa e hipócrita. Pensando bem, nós nunca tivemos uma chance de ficarmos juntos.

É, não tiveram.

— Ver Antrim aquele dia no shopping trouxe tudo de volta. O passado finalmente veio buscar o que havia perdido. — Ela fez uma pausa. — Gary.

Os dois ficaram sentados em silêncio.

Ali estava uma mulher que ele havia amado — que, de alguma forma, ainda amava. Agora eles não eram mais amantes, porém, eram mais que amigos, conheciam os pontos fortes e fracos um do outro. Seria isso intimidade? Provavelmente. Por um lado, isso era bom. Por outro, dava medo.

A FARSA DO REI \ 449

— Blake me bateu no dia em que terminamos tudo — contou ela.
— Ele era agressivo. Temperamental. Mas naquele dia ficou violento, e o que realmente me assustou foi seu olhar. Era como se ele não conseguisse se controlar.

— Foi a mesma coisa que Kathleen Richards descreveu.

Kathleen havia telefonado para Malone uns dois meses depois daqueles acontecimentos e estivera em Copenhague. Foram dias memoráveis. Depois disso, os dois trocaram alguns e-mails e acabaram perdendo contato. Às vezes ele se perguntava o que havia acontecido com ela.

— Eu nunca quis que Gary conhecesse aquele homem. Nunca. Antrim não significou nada para mim, e eu queria que continuasse assim.

— Gary viu com seus próprios olhos o que importava para Blake Antrim. Ouviu o que o sujeito realmente pensava dele. Eu sei que doeu, mas foi melhor assim. Agora nós dois entendemos por que você o manteve em segredo.

— Sem dúvida, ele é seu filho. Nunca deixou escapar que sabia alguma coisa sobre o pai biológico.

Malone sorriu.

— Ele daria um grande agente. Vamos torcer para que não se interesse por esse ramo de atividade.

— Detesto o fato de Gary ter conhecido Blake exatamente como ele era. Não quero que ele passe a vida se perguntando se vai ser como o pai biológico.

— Nós conversamos sobre isso depois, em Copenhague. Não creio que ele tenha essa preocupação. Como você disse, ele é um Malone. De todas as formas.

— Blake continua lá, naquela câmara subterrânea?

— Sim. Foi seu túmulo.

Stephanie havia lhe contado que nenhuma estrela dourada seria acrescentada à parede em Langley. Essa honra era reservada apenas aos heróis.

450 \ STEVE BERRY

— E a verdade sobre Elizabeth I permanece em segredo?

— Sim, é como deve ser. O mundo não está pronto para isso.

Malone observava Pam enquanto ela assimilava a grandiosidade de tudo o que havia acontecido. Ele se inteirara mais sobre a história ao conversar com Gary e, algumas semanas depois, com Stephanie Nelle. Uma investigação confidencial do Departamento de Justiça do Ministério do Interior britânico revelou todos os detalhes das atividades de Antrim e de Mathews.

Uma grande aventura por causa de um simples favor.

— Meu voo para a Dinamarca sai em três horas.

Ele tinha vindo aos Estados Unidos para comprar alguns livros e havia decidido passar em Atlanta para ficar alguns dias com Gary. Não esperava ter a conversa que acabara de acontecer, mas estava contente por tudo ter se esclarecido.

Não havia mais segredos entre eles.

— Você pode parar de se culpar — disse Malone. — Tudo isso está acabado, e faz tempo.

Pam começou a chorar.

Isso era estranho.

Ela era durona. Esse era seu problema — durona demais. Isso, combinado à incapacidade que ele tinha de lidar com emoções, tornava-os uma dupla desafiadora. O casamento deles tinha sido feliz, mas acabara fracassando. Agora, finalmente, depois de tantos anos, os dois pareciam perceber que culpar alguém pouco importava. A única coisa que importava era Gary.

Os dois se levantaram.

Pam foi até a bancada e arrancou duas folhas de papel toalha para secar as lágrimas.

— Sinto muito. Sinto muito por tudo isso. Eu devia ter sido honesta com você há muito tempo.

Verdade. Mas isso também era passado.

— Eu quase causei sua morte. Minha nossa! E a de Gary também.

Malone colocou a sacola de viagem no ombro e foi até a porta.

— Que tal declararmos empate?

Ela o olhou com uma expressão perplexa.

— Como isso seria possível?

Caso essa pergunta tivesse sido feita três anos atrás, ele não teria resposta. Mas muita coisa aconteceu desde sua mudança para a Dinamarca. Sua vida era muito diferente, suas prioridades eram outras. Odiar sua ex-mulher não fazia sentido. E Malone agora reconhecia que metade da culpa por toda a mágoa que provocara o fim do casamento era dele.

Melhor deixar isso de lado e seguir em frente.

Então ele deu um sorriso para ela e respondeu com sinceridade:

— Na verdade, estamos mais que empatados. Você me deu Gary.

Nota do autor

FIZEMOS DUAS VIAGENS à Inglaterra para escrever este romance, uma delas inesquecível, pois estávamos lá quando o vulcão islandês paralisou todo o tráfego aéreo. Mas eu e minha mulher Elizabeth aproveitamos bem aqueles três dias extras para explorar mais os locais que apareceram no livro. Se o leitor quiser um acréscimo interessante a este romance, dê uma olhada em meu conto "The Tudor Plot", que se desenrola sete anos antes de *A Farsa do Rei*.

Chegou a hora de separar fato e ficção.

A cena da morte de Henrique VIII (prólogo) aconteceu, e a maioria das falas de Henrique foi tirada de registros históricas. O rei morreu sem a presença dos filhos, mas não se sabe se Catarina Parr o visitou em seus últimos dias. É claro que o fato de Henrique ter passado o grande segredo Tudor para sua última rainha foi invenção minha. A morte de Henrique VII no Palácio de Richmond (capítulo 10) também foi relatada aqui de forma fiel, a não ser pelo meu acréscimo da visita do herdeiro. A descrição de Sir Thomas Wriothesley do que aconteceu naquele dia foi de grande ajuda.

Muitos se referem à Polícia Metropolitana de Londres como Scotland Yard, mas decidi chamá-la pelo nome. O mesmo ocorre com o SIS, o serviço secreto de inteligência, que é popularmente conhecido como MI6 (responsável pelas ameaças internacionais). A Serious

454 \ STEVE BERRY

Organized Crime Agency (Soca), Agência contra o Crime Organizado (capítulo 3), é um órgão que cuida da segurança pública interna, versão britânica do FBI.

O Castelo de Windsor e a Capela de São Jorge são ambos magníficos. Henrique VIII está enterrado lá, sob a placa de mármore detalhada no capítulo 3. O epitáfio citado é preciso, bem como o fato de o túmulo de Henrique ter sido aberto em 1813.

A Fleet Street e a City (capítulo 9) estão descritas de forma correta, assim como os Inns of Court (capítulo 10). No passado, havia uma grande fortaleza templária onde agora estão o Middle Temple e o Inner Temple. A cessão da propriedade realizada por Henrique VIII e Jaime I aos advogados aconteceu de fato (capítulo 3). O Pump Court também está ali, bem como a casa Goldsmith (capítulo 58), apesar de eu tê-la modificado um pouquinho. A história que recontei no capítulo 10 sobre a Guerra das Rosas ter se iniciado naqueles jardins é considerada verdadeira, mas não há como ter certeza. Os Inns são administrados por um antigo integrante da instituição e por um tesoureiro (capítulo 26) e atuam como um órgão educacional e regulamentador para os advogados-membros — semelhante ao papel que as associações públicas de advogados desempenham nos Estados Unidos. A sede do Middle Hall, descrita no capítulo 10, talvez seja a construção mais histórica dos Inns, mas a Temple Church é a mais fácil de ser reconhecida (capítulos 9 e 10). A Cela de Penitência (capítulo 12), dentro da igreja, está aberta à visitação. Um decreto real exige que a Temple Church seja mantida como local de culto e oração (capítulo 13).

A Sociedade Dédalo não é uma criação somente de Thomas Mathews, mas minha também. O conto de Dédalo (capítulo 12), porém, foi tirado da mitologia. O Palácio Nonsuch — Palácio Inigualável — existiu no passado (capítulo 25), e o modo como deixou de existir também é verdadeiro. Os símbolos que supostamente estavam lá (capítulo 25) nunca existiram, mas se baseiam no *Codex Copiale*. Eu meramente adaptei esse manuscrito alemão de 75 mil caracteres para

A FARSA DO REI \ 455

esta história britânica. Seu conjunto de símbolos abstratos, misturados a letras gregas e romanas, só foi totalmente decifrado recentemente.

Este livro se passa em muitos locais diferentes. Bruxelas, com seu *Manneken Pis* (capítulo 2); Oxford e suas muitas faculdades (capítulos 16 e 20); Portman Square e o Hotel Churchill (capítulo 35); Piccadilly Circus e o bairro dos teatros de Londres (capítulo 25); Little Venice com suas embarcações características e seus canais estreitos (capítulo 4); a Catedral de St. Paul e a Galeria do Sussurro (capítulo 5); Abadia de Westminster e a capela de Henrique VII (capítulo 36); Oxford Circus (capítulo 8) e The Goring Hotel (capítulo 54). A Torre de Londres é um lugar impressionante (capítulo 17), que abriga as joias da Coroa na Royal Jewel House (capítulos 45 e 48). Londres realmente localiza-se em cima de centenas de quilômetros de rios subterrâneos, canalizados em um labirinto de túneis, sendo o Fleet o maior e o mais famoso (capítulos 58 e 59). A câmara subterrânea do capítulo 59 é uma criação inteiramente minha, embora túneis e câmaras similares estejam sempre sendo encontrados abaixo de Londres.

A fortuna Tudor descrita no capítulo 15 existiu de fato. Henrique VII acumulou imensas quantidades de ouro e de prata, e Henrique VIII (por meio do fechamento dos mosteiros) aumentou suas riquezas. O desaparecimento dessa fortuna durante a regência do rei Eduardo VI permanece um mistério.

A Jesus College foi fundada durante o reinado de Elizabeth I (capítulo 16). Seu salão é descrito de forma precisa, incluindo o retrato da rainha, que ainda permanece lá. A capela e o pátio (capítulo 18) também foram descritos fielmente.

William e Robert Cecil (capítulo 16) são personagens históricos. O íntimo relacionamento de William com Elizabeth I, incluindo o fato de ele a proteger durante o reinado sanguinário da irmã dela, Maria, é bem documentado. William foi secretário de Estado de Elizabeth até a morte. Seu filho Robert o sucedeu. Ambos desempenharam papéis essenciais no longo reinado de Elizabeth. A popularidade e a eficiência de Robert, porém, declinaram no fim de sua vida. Os versos

456 \ STEVE BERRY

pejorativos citados no capítulo 36, juntamente com seu apelido "a Raposa", são reais. O diário de Robert Cecil, mencionado pela primeira vez no capítulo 15, nasceu da minha imaginação, mas a maioria das informações históricas nele contidas é verdadeira (capítulos 47 e 49). Robert Cecil supervisionou pessoalmente o funeral de Elizabeth I e a construção subsequente de seu jazigo em Westminster (capítulo 52). Enterrar Elizabeth com Maria foi ideia dele, e também foi ele quem compôs a estranha inscrição no túmulo (capítulo 36).

No centro desta história está o drama bem real de Abdelbaset al-Megrahi (capítulos 37 e 46), ex-agente secreto, condenado por 270 assassinatos no atentado a bomba no voo 103 da Pan Am sobre Lockerbie, na Escócia. Sofrendo de câncer, al-Megrahi foi enviado de volta à Líbia em 2009 e acabou morrendo em 2012. As duas datas foram ajustadas para se encaixarem no mundo fictício de Malone. Houve muita controvérsia em torno desse suposto ato humanitário, e os ingleses desempenharam um papel central ao não intervirem nas negociações do governo escocês. Os Estados Unidos se opuseram firmemente a esse ato, e até hoje ninguém sabe de fato as verdadeiras motivações por trás disso. A Operação Farsa do Rei é totalmente fictícia, mas a ideia de que os Estados Unidos procurariam informações para coagir um aliado não está fora de questão.

Hampton Court é espetacular, e todas as cenas (capítulos 37, 38 e 39) que se passam lá são fiéis ao local. A Haunted Gallery existe, bem como os retratos dos Tudors descritos no capítulo 38. A Cumberland Suite, os jardins, as docas, as cozinhas e os túneis (capítulo 42) estão todos lá. Apenas a porta da adega, que leva à antiga rede de esgotos, foi invenção minha.

A Abadia de Blackfriars há muito deixou de existir, mas a estação de metrô, descrita nos capítulos 56 e 57, permanece ali. Na época em que esta história se desenrola, a estação estava sendo reformada, mas agora as novas dependências estão prontas. Pelo que sei, explosivos de percussão, como descritos nos capítulos 3, 53 e 62, não existem. Eu os criei, combinando as características físicas de diversos tipos de reagentes.

A FARSA DO REI \ 457

Elizabeth I foi uma pessoa maravilhosamente complexa. Nunca se casou e se esquivava abertamente do dever de gerar um herdeiro, fatos esses que provocavam questões interessantes. Ela era magra, solitária, não era bonita e tinha uma energia e tanto — totalmente o oposto dos irmãos. As idiossincrasias observadas no capítulo 49 (e em outros momentos ao longo do romance) foram tiradas de registros históricos. Elizabeth não permitia que médicos a examinassem, proibiu que fizessem uma necropsia em seu corpo, sempre usava muita maquiagem e roupas que ocultavam totalmente sua silhueta e só permitia a proximidade de um seleto grupo de pessoas. Entre elas, Kate Ashley, Thomas Parry, os dois Cecils e Blanche Parry. Se houve alguma conspiração, essas cinco pessoas estariam em seu cerne.

A Máscara da Juventude (capítulo 26) de fato foi imposta, o que nos leva a questionar todos os retratos de Elizabeth. Vou usar como referência aqui cinco retratos muito famosos. O primeiro deles foi pintado em 1546, quando Elizabeth tinha 13 anos. Seria da época em que ela supostamente morreu. É uma imagem famosa, uma das poucas que mostra a princesa com menos de 25 anos. Entretanto, ninguém sabe se a representa com exatidão. Depois disso vem o Clopton Portrait, em 1560. Elizabeth tinha 27 anos na época, dois de reinado, e nunca pareceu menos régia ou confiante. É notável a falta de feminilidade em suas feições. Em seguida vem o Ermine Portrait, pintado em 1585. Esse é um excelente exemplo da Máscara da Juventude. Elizabeth tinha 52 anos na época, mas o rosto é de uma mulher muito mais jovem. O mesmo se aplica ao Rainbow Portrait: Elizabeth tinha 70 anos, mas parece muito mais jovem. Finalmente, cito aqui o Darnley Portrait, para o qual ela posou em 1575. É interessante notar que a coroa e o cetro estão sobre uma mesa lateral, sugerindo que são mais objetos cênicos que símbolos de poder. Mais uma vez, falta feminilidade a seu rosto. As conclusões são inevitáveis. Simplesmente não sabemos como Elizabeth I era de fato.

Elizabeth quis que seu primo escocês Jaime a sucedesse. A União das Coroas, encabeçada por Robert Cecil (capítulo 16), é fato histórico.

A citação de Elizabeth — *Não aceitarei que nenhum crápula me suceda, e quem deveria me suceder senão um rei?* — é frequentemente mencionada para ilustrar seu desejo. A construção indireta da frase é esquisita. Por que não simplesmente nomear um sucessor? Mas, se considerarmos a possibilidade de que ela foi uma fraude, a construção começa a fazer mais sentido. Não se sabe se Elizabeth realmente sabia do plano de sucessão que Robert Cecil tramara com Jaime, mas a maioria dos historiadores concorda que Cecil nunca teria feito as sondagens sem o aval dela. A cena do leito de morte descrita no capítulo 16, onde ela supostamente deixou claro seu desejo de sucessão, de fato aconteceu — e, em 1603, a coroa inglesa passou dos Tudors para os Stuarts sem objeções.

O que aconteceu durante o período em que a jovem princesa Elizabeth morou com Catarina Parr e Thomas Seymour (capítulo 21), incluindo as investidas inconvenientes de Seymour, foi um grande escândalo. Parr realmente acabou mandando a princesa embora e lhe escreveu uma carta, que foi entregue a Elizabeth alguns meses após a morte prematura da rainha viúva (capítulo 21). Modifiquei-a para que se encaixasse na história. No entanto, Parr teria sido a única pessoa (além dos conspiradores) que poderia ter descoberto uma eventual farsa. Ao contrário de Henrique VIII, ela passou muito tempo com a jovem Elizabeth (capítulo 52). A ex-rainha também guardava profundo ressentimento com relação a tudo o que dizia respeito a seu falecido marido, Henrique VIII. Portanto, é improvável que ela tivesse revelado qualquer coisa de que tivesse conhecimento.

Henry FitzRoy foi o primogênito ilegítimo de Henrique VIII (capítulo 40). Todos os detalhes sobre ele, incluindo seu casamento com Mary Howard, são corretos. Se FitzRoy gerou um filho antes de morrer, aos 16 anos, tal fato é desconhecido. No entanto, todos concordam que ele lembrava fisicamente os Tudors, sendo assim lógico que qualquer filho seu também tivesse os traços da família. Como detalhado no capítulo 38, somente a segunda filha de Henrique VIII, Maria, viveu até os 40 e poucos anos. Todos os outros filhos de

A FARSA DO REI \ 459

Henrique morreram antes dos 20. Contudo, Elizabeth viveu até os 70, chegando mesmo a sobreviver à varíola no início de seu reinado (capítulo 38) — algo nada característico de um filho de Henrique VIII.

O livro de Bram Stoker, *Impostores famosos*, publicado em 1910 (capítulos 25 e 26), contém a primeira narrativa impressa da lenda do menino de Bisley. O texto no capítulo 27 foi extraído diretamente do livro de Stoker (tradução livre). A opinião sobre o livro emitida pelo *New York Times* — *asneira* — também foi reproduzida fielmente (capítulo 38).

Ouvi a história do menino de Bisley durante uma visita à cidadezinha de Ely, ao norte de Londres. Stoker foi o primeiro a publicar uma ligação entre a lenda e Henry FitzRoy. Nunca saberemos se a história é verdadeira ou mera ficção. Sabe-se que há séculos, no dia 1º de maio, o povo de Bisley faz um desfile pelas ruas com um menino usando um vestido elisabetano (capítulo 27).

Qual seria o motivo disso?

Ninguém sabe.

O túmulo de Elizabeth e de sua meia-irmã, Maria, em Westminster nunca foi aberto. Se os restos da jovem princesa, que pode ter morrido aos 13 anos, estiverem lá dentro, a ciência moderna poderá facilmente solucionar o mistério.

A pesquisa para este livro envolveu o estudo de cerca de trezentos livros sobre Elizabeth I. Muitos traziam declarações inexplicáveis, como a citada no capítulo 38, um trecho extraído de um volume americano de 1929, *Queen Elizabeth*, de Katherine Anthony. A última linha certamente tem certo impacto. *Ela foi para o túmulo com seu segredo inviolado.* A autora não fez qualquer revelação ou deu qualquer explicação para qualquer segredo, deixando o leitor apenas por conta da imaginação.

O mesmo acontece com o Rainbow Portrait (capítulo 63).

O próprio Robert Cecil encomendou a pintura, que só foi terminada após a morte de Elizabeth I em 1603. O retrato ainda está em Hatfield House, repleto de todo o simbolismo explicado no capítulo

460 \ STEVE BERRY

63. A frase em latim — NON SINE SOLE IRIS — NÃO HÁ ARCO-ÍRIS
SEM SOL — fica ainda mais interessante à luz da lenda do menino
de Bisley.

Pela lei, caso, de fato, Elizabeth I não tenha sido quem alegava
ser, todos os atos realizados em seu longo reinado seriam anulados
(capítulos 49, 56 e 63). Isso incluiria o confisco de grandes terras na
Irlanda; a maioria delas acabou formando a Irlanda do Norte (capítulo 56). Elizabeth concedeu títulos reais de propriedade a milhares
de imigrantes protestantes, títulos que agora seriam questionados.
Os conflitos na Irlanda, chamados de *The Troubles*, ocorreram de fato
(capítulos 56, 57 e 59). Milhares de pessoas morreram em décadas de
violência. Antes de 1970, outras dezenas de milhares morreram no
conflito entre unionistas e nacionalistas, o qual tem raízes na época
de Elizabeth I. A maioria dos especialistas concorda que o ódio na
Irlanda do Norte não feneceu. Está apenas em fogo baixo, com ambos
os lados aguardando uma boa razão para recomeçar a luta.

E haveria razão melhor para isso do que toda a presença inglesa
na Irlanda ser baseada em uma mentira?

No capítulo 63, Elizabeth McGuire deixou claro a Cotton Malone
que a história é importante, e muito.

E ela estava certa.

Este livro foi composto na tipologia Palatino
LT Std, em corpo 11/16, e impresso em
papel off-white no Sistema Cameron da
Divisão Gráfica da Distribuidora Record.